ro
ro
ro

Valentina besitzt das Aussehen eines Models und den Ehrgeiz, sich den richtigen Mann zu schnappen. Die meisten folgen ihr schon nach einer Nacht wie brave Schoßhündchen. Nicht jedoch Michael, auf den es Valentina besonders abgesehen hat. Ausgerechnet ihre Freundin Chrissy kommt ihr in die Quere, denn Chrissy hat, was Valentina fehlt: Gefühl und den Wagemut, sich auf gefährliche, grenzenlose Lust einzulassen.

Chrissy oder Valentina: Wer bestimmt die Regeln?

Monica Belle

SPIEL NACH
MEINEN **REGELN**

EROTISCHER ROMAN

Deutsch von Silke Bremer

Rowohlt Taschenbuch Verlag

2. Auflage September 2006

DEUTSCHE **ERSTAUSGABE**

Veröffentlicht im Rowohlt Taschenbuch Verlag,

Reinbek bei Hamburg, Januar 2005

Copyright © 2005 by Rowohlt Verlag GmbH,

Reinbek bei Hamburg

Die Originalausgabe erschien 2003 unter dem Titel

«Valentina's Rules» bei Black Lace, London

«Valentina's Rules» Copyright © 2003 by Monica Belle

Published by Arrangement with Virgin Books Ltd.

Umschlaggestaltung: any.way, Andreas Pufal

(Foto: photonica / Barnaby Hall)

Satz aus der Minion PostScript

bei Pinkuin Satz und Datentechnik, Berlin

Druck und Bindung Clausen & Bosse, Leck

Printed in Germany

ISBN 13: 978 3 499 23742 3

ISBN 10: 3 499 23742 3

KAPITEL EINS

Normalerweise reiße ich keine Männer in Golfclubs auf.

Nein, das klingt fürchterlich. Normalerweise reiße ich überhaupt keine Männer auf. Normalerweise begleite ich eine Freundin als Anstandsdame zu einem Date, und mit ihrer tollen Verabredung zu plaudern ist mit tollem Sex wohl kaum zu vergleichen. In der Hälfte der Fälle handelt es sich bei der Freundin um Val, die in Schulzeiten Valerie Lacy hieß und Tochter eines Taxifahrers und Kettenraucherin ist; heute Valentina de Lacy, die nie ein Wort über ihre Eltern verliert, wenn es nicht sein muss. Wegen ihr bin ich überhaupt erst in den Golfclub gegangen. Ich erinnere mich noch an die Unterhaltung:

«Du musst mitkommen, Chrissy. Ohne dich ist es bestimmt unerträglich, nichts als dröge alte Langeweiler.»

Sie setzte mir eine Weile zu, bis ich schließlich nachgab und versprach, ich käme mit. Und dann war ich da und sie nicht. Dafür war aber Michael Callington dort.

Er war der eigentliche Anlass für ihren geplanten Besuch gewesen. Mit Golf hatte das nichts zu tun. Sie war in ihrer Firma für Betriebsveranstaltungen zuständig und wollte ihn für eine exklusive Weinprobe buchen, wie die Callingtons sie ausrichteten. Er hatte den Golfclub als Treffpunkt vorgeschlagen. Sie hatte eingewilligt, mich dazu gedrängt, ihr moralische Unterstützung zu gewähren, und an der Rezeption eine Nachricht hinterlassen, in der sie sich für ihr Nichterscheinen entschuldigte.

Ich hatte keine Ahnung, welche Vorstellungen sie sich von ihm machte, aber mit der Realität hatten sie wohl nur wenig gemein, denn sonst wäre sie bestimmt gekommen. Ich nehme an, es lag daran, dass er Weinhändler war. Weinhändler stellt man sich als vertrocknete alte Männer mit roter Nase oder buschigem Schnurrbart vor, manchmal auch mit beidem. Michael Callington hatte weder das eine noch das andere und war auch nicht alt.

Ich schätzte ihn auf achtundzwanzig, vielleicht ein wenig älter. Außerdem war er groß gewachsen, hatte eindrucksvolle hellgraue Augen und ein lässiges Auftreten, das Kraft und Selbstvertrauen ausstrahlte. Mir selbst mangelt es leider an Selbstvertrauen, weshalb ich diese Eigenschaft bei Männern sehr schätze. Damit meine ich nicht das draufgängerische, prahlerische Selbstvertrauen, das manchen Männern eigen ist, die im Grunde ihres Wesens unsicher sind, sondern das ruhige, unangestrengte Selbstvertrauen eines Mannes, der vollkommen mit sich im Reinen ist und sich wohl fühlt in seiner Haut. So einer war Michael.

Normalerweise hätte ich mich kaum getraut, einen solchen Mann anzusprechen. Doch die Situation war nicht normal. Er war so attraktiv, dass ich regelrecht dahinschmolz, außerdem hatte ich einen Grund, ihn anzusprechen. Und das tat ich auch. Ich tat es mit rotem Gesicht und entschuldigte mich tausendmal dafür, dass ich nicht Valentina sei, doch ich tat es.

Übrigens bedauerte ich wirklich, nicht Valentina zu sein, und das hatte nichts damit zu tun, dass sie mich versetzt hatte. Ich versuche mir immer einzureden, ich wäre lieber nicht wie Valentina, doch das gelingt mir nicht. Ich selbst bin nur eins fünfundfünfzig groß, sie hingegen eins sechsundsiebzig. Sie sieht so aus, als gehöre sie auf einen Laufsteg, ich hingegen, als gehöre ich in eine Konditorei. Sie ist schlank, langbeinig und blond, hat einen strammen Po, schlanke Hüften und Brüste, die es für Geld nicht zu kaufen gibt. Ich hingegen … nun ja, üppig ist wahrscheinlich noch die freundlichste Bezeichnung für meinen dicken, runden Po und meine Brüste, die ein frecher Schulkamerad mal als ‹stramm aufgepumpte Fußbälle› bezeichnet hat. Meine schmale Taille lässt den Rest nur umso größer erscheinen. Die Stupsnase, die Sommersprossen und das braune Lockenhaar machen meine körperlichen Mängel auch nicht wett. Okay, manchmal wünsche ich mir, ich wäre Valentina, aber wer tut das nicht?

Es geht nicht allein um ihre Figur. Sie weiß sich in jeder Lage zu helfen, ist nie auf den Mund gefallen, versteht sich zu kleiden und so weiter. Sie liest die richtigen Magazine, und manchmal glaube ich, sie selbst sollte eines herausgeben. Valentina hat zu jedem Thema eine Meinung, sie weiß, was in und was out ist, was bei anderen Bewunderung hervorruft und was jedermann zum Lachen bringt … und zwar über mich. Sie hat ihr Leben fest im Griff und für jede Gelegenheit die passende Regel parat. Ich wurstele mich einfach nur durch.

Und so versuchte ich mit Michael zu plaudern und erwartete, er werde höflich, aber kühl sein. Stattdessen war er zu meiner großen Erleichterung warm und zuvorkommend. Ich schrieb seine Freundlichkeit dem Alkohol zu, plauderte aber unverdrossen weiter. Eine von Valentinas zahlreichen Regeln für den Umgang mit Männern lautet, man solle stets an den gleichen Dingen Interesse zeigen wie sie. Er war Weinhändler und spielte Golf – mehr wusste ich nicht von ihm. Mein gesamtes Wissen zu diesen beiden Themen hätte auf die Rückseite einer Briefmarke gepasst, aber immerhin trinke ich Wein, deshalb versuchte ich es damit. Zehn Minuten später war ich zu einer Weinprobe eingeladen, die seine Firma in Central London veranstalten wollte.

Da ich mir sagte, er wolle mir bloß Wein andrehen, probierte ich es mit Golf. Leider war meine erste Frage so dumm, dass er darüber lachen musste. Dann bot er mir an, mich auf den Golfplatz mitzunehmen und mir die Schlagtechnik zu zeigen. Ich willigte ein.

Und so fand ich mich unversehens mit Michael Callington in einer Situation wieder, die unter anderen Umständen höchst kompromittierend gewesen wäre. Um mir zu zeigen, wie ich den Schläger halten sollte, stellte er sich hinter mich und legte seine Hände auf meine, die den Griff des Schlägers hielten. Da er gut dreißig Zentimeter größer als ich war, fiel ihm das leicht. Außerdem war es ausgesprochen intim, denn mein Po drückte gegen seinen Schoß, sodass ich den Inhalt seiner Hose an der Oberseite meiner Pofalte spürte. Wenn er mit dem Schläger ausholte, konnte er nicht umhin, sich an mir zu reiben.

Auch wenn es mir an Selbstvertrauen mangelt, bin ich doch nicht naiv. Und er war's auch nicht. Wir wussten beide, was da vor sich ging, und nach einer Weile taten wir es absichtlich und machten uns einen Spaß daraus. Während ich mich zum Schlag bereitmachte, wackelte ich mit dem Po, und sein Griff wurde fester. Er hatte einen Steifen und ich ein feuchtes Höschen. Es geschah ganz unwillkürlich und war unvermeidlich. Als er mir vorschlug, den Ball mitten in eine Ansammlung von Birken und Ginster hineinzubefördern, hatte ich keine Ahnung, was im Folgenden passieren würde – mit mir und diesem angesehenen Weinhändler. Als Nächstes schlugen wir uns in die Büsche. Kaum waren wir vor neugierigen Blicken geschützt, schloss er mich in die Arme.

Eine weitere Regel Valentinas für den Umgang mit Männern lautete: Werde nicht zu früh schwach. Das habe ich noch nie beherzigen können. Die Vorstellung, Frauen sollten den

Sex rationieren, kann ich nicht nachvollziehen. Dafür mag ich ihn zu sehr, und wenn ich erst einmal in Fahrt bin, gibt's für mich kein Halten mehr. Valentina hätte ihn mit einer neckischen, hinhaltenden Bemerkung stehen gelassen. Ich hingegen öffnete den Reißverschluss seiner Hose und nahm seinen Schwanz in den Mund. Er war groß, seidig-glatt und steinhart. Ich glaube, er war ein wenig überrascht, aber eines weiß ich über die Männer, und das gilt für jeden Mann: Wenn sein Schwanz erst mal im Mund einer Frau steckt, dann will er auch mehr.

Das traf auch auf Michael zu, doch er streichelte mir das Haar, während ich ihn blies, zunächst ganz behutsam, als tröste er mich, dann wanderten seine Finger zum Nacken und kitzelten mich zwischen den kurzen Härchen. Das war zu viel für mich. Eine schnelle Bewegung – Sweatshirt und BH waren hochgezogen, und ich hielt meine nackten Titten in Händen. Eine zweite Bewegung, und die Jeans sprang auf. Noch eine Bewegung – und ich war von Kopf bis zu den Knien nackt, streckte den Arsch raus und hoffte, er werde so vernünftig sein, sich zurückzuhalten.

Das tat er auch, ohne ein Wort zu verlieren. Er zog seinen Schwanz aus meinem Mund hervor. Ich ließ mich auf alle viere nieder und reckte den Hintern so hoch ich konnte. Sein Schwanz glitt so mühelos in meine triefnasse Möse, dass er ihn bis zu den Eiern drin hatte, ehe ich wusste, wie mir geschah. Er umfasste meine Brüste und fickte mich.

Ich liebe es, auf allen vieren genommen zu werden und alles herzuzeigen, während der Schwanz ganz tief in mir drin steckt. Michael war auch gut, er streichelte mir die Nippel, während er mich in schnellem Rhythmus fickte. Er stieß in mich hinein, bis ich meine Ekstase in den Vorhang aus Haaren hineinkeuchte, der mir vor dem Gesicht hing, und hoffte, er würde erst kommen, wenn ich so weit war.

Er kam nicht, doch stattdessen tat er etwas, was bislang noch kein Mann bei mir getan hatte. Nachdem er mich eine Weile heftig durchgefickt hatte, zog er sich zurück. Einen schrecklichen Moment lang meinte ich schon, er wolle mich in den Arsch ficken, dann aber drückte er die Schwanzspitze gegen meinen Kitzler und rieb ihn. Ich schmolz vollständig dahin. Ich öffnete den Mund, senkte das Gesicht ins Gras und reckte den Arsch noch höher.

Es war obszön: Mit weit gespreizten Arschbacken kniete ich vor ihm, während er mich mit seinem wundervollen Schwanz masturbierte, doch es war genau das, was ich brauchte. Ich konnte nichts weiter tun, als mich am Gras festzukrallen und meine Empfindungen hinauszukeuchen, doch mehr war auch nicht nötig. Er hatte mich vollständig in der Gewalt und trieb mich spielerisch dem Orgasmus entgegen, während ich mich an seinem Steifen wand und mich ihm entgegenstemmte, während meine Titten den Erdboden streiften und seine Schwanzspitze gegen meinen Kitzler stieß, wieder und wieder …

Und dann kam ich, so heftig wie selten zuvor. Mein ganzer Körper hatte sich zwischen meinen Beinen verdichtet, konzentrierte sich allein auf das, was er mit mir machte. Welle um Welle durchströmte mich die Lust, wobei ich von hinten einen unglaublich obszönen Anblick geboten haben muss, obszöner ging es wohl kaum. Ich kniete auf dem Boden und zeigte alles vor, und dabei hatte ich den Mund voller Gras, denn ich wollte nicht laut schreien.

Als der Orgasmus verebbte, ließ er seinen Schwanz erneut in mich gleiten und ritt mich wieder, diesmal heftiger und schneller als zuvor. Er umfasste abermals meine Titten, drückte sie fest und rieb die Nippel, küsste mich auf den Nacken und pumpte gegen meinen Arsch, um meinen Orgasmus erneut aufzubauen.

Das war zu viel für mich. Sein ganzes Gewicht lastete auf mir beziehungsweise auf meinem Arsch, und ich sackte in dem Moment zusammen und presste das Gesicht in den Dreck, als er kam. Sein Schwanz rutschte aus mir heraus, dann rammte er ihn zwischen die Arschbacken, und auf einmal spürte ich etwas Heißes, Feuchtes in der Pofalte und auf dem Rücken. Ich ließ ihn tun, was ich keinem Freund je gestattet hätte: Er kam, indem er seinen Schwanz in meiner Pofalte rieb. Die ganze Zeit über murmelte er, wie schön ich doch sei, doch ich war mir nicht sicher, ob er mein Gesicht meinte oder meinen Arsch.

So verlief meine erste kurze und leidenschaftliche Begegnung mit Michael Callington. Hinterher war er völlig cool, entschuldigte sich dafür, dass er mich nass gemacht hatte, und bot mir an, mich mit seinem Taschentuch zu säubern. Ich lehnte ab, denn obwohl wir gerade Sex miteinander gehabt hatten, wollte ich mir nicht den Po von einem Mann abwischen lassen, den ich gerade erst kennen gelernt hatte.

Wir ließen den Ball liegen, hörten auf, so zu tun, als wolle er mir Golf beibringen, und gingen zurück zum Clubhaus, um uns zu waschen und etwas zu trinken. Ich war ziemlich verlegen aufgrund meiner Leidenschaftlichkeit, doch als ich mich frisch gewaschen wieder zu ihm gesellte, saß er so gelassen wie eh und je an einem Tisch und erwartete mich mit einer kleinen Flasche Weißwein im Eiskübel.

Eine Stunde lang plauderten wir miteinander wie alte Freunde, als hätte die schnelle Nummer im Gebüsch gar nicht stattgefunden. Er stellte mich seinem Vater vor, Major Malcolm Callington, einer älteren Ausgabe des Sohnes, dessen Blick mit unverhohlener Bewunderung auf meiner Figur ruhte. Gleichwohl war er die Höflichkeit in Person und bestand darauf, dass ich zu der von Michael erwähnten Verkostung käme.

Und das war's. Er musste zurück zur Arbeit, und sein Vater hatte eine Runde Golf gebucht. Daher brach ich ebenfalls auf, ließ mich in seinem großen schwarzen Rover bis zur Highbury Corner mitnehmen und ging den Rest des Weges zu meiner Wohnung zu Fuß. Zum Abschied küsste er mich mit aufrichtiger Zärtlichkeit und erinnerte mich noch einmal an die Weinprobe. Ich schwebte wie auf Wolken. Ich war mir sicher, ich sei auf gutem Wege. Zwar war ich ein wenig verlegen, aber der Sex war gut gewesen, keine Frage. Ungeduldig, spontan und ausgesprochen geil. Zudem war ich mir sicher, dass es nicht passiert wäre, wenn Valentina dabei gewesen wäre. Dann hätte er mich kaum bemerkt und wäre von ihr hingerissen gewesen. Das sind die Männer immer.

Aber wir hatten es getan, und er wollte mich unbedingt wiedersehen. Er war auch von mir angetan gewesen. Na gut, eher auf eine ziemlich derbe Art, aber so sind die Männer eben. Ich mag jedenfalls derbe Männer, das heißt Männer, die in sexueller Hinsicht ein sicheres Auftreten haben. Ich mag selbstsichere Männer, Punkt. Es gibt nichts Schlimmeres als einen Mann, den Sex verlegen macht oder der sich hinterher schämt.

Eigentlich hatte ich von Valentina eine Entschuldigung dafür erwartet, dass sie mich versetzt hatte. Natürlich hatte sie keine Nachricht auf dem Anrufbeantworter hinterlassen, deshalb rief ich sie an und erfuhr, dass der Generaldirektor ihrer Firma sie zur Teilnahme an einer Sitzung aufgefordert habe, die so wichtig gewesen sei, dass sie die Verabredung mit mir ganz vergessen habe. Ich erzählte ihr von Michael, ließ jedoch die saftigsten Einzelheiten aus. Schließlich war es das erste Mal in der Zeit unserer Bekanntschaft, dass ich das bessere Los gezogen hatte.

Ich wollte unbedingt den Typen kennen lernen, den die kleine Chrissy Green gebumst hatte. Ich konnte mir nicht vorstellen, dass er wirklich so süß war, wie sie meinte. Zumindest nicht süß nach normalen Maßstäben. Süß ist relativ. Chrissy Green mag zwar süß sein, aber Valentina ist erste Sahne.

Zum Beispiel meinte sie, er sei groß gewachsen. Neben Chrissy ist jeder Mann groß. Sie meinte, er sehe gut aus. Im Vergleich zu den Männern, mit denen sie sonst immer ausgeht, tat er das bestimmt. Sie meinte, er sei selbstsicher, leidenschaftlich, erfahren und rücksichtsvoll. Aber diese Einschätzung kam von Christina Green, Expertin für unbeholfene Fummeleien auf dem Rücksitz von Gebrauchtwagen mit Jungs aus zweiter Hand. Ich wollte ihn trotzdem kennen lernen, denn man hatte unserem Firmenchef gesagt, er veranstalte die besten Weinproben, somit war er für mich als Zuständige für Betriebsveranstaltungen ein gesellschaftliches Muss. Deshalb arrangierte ich ein weiteres Treffen.

Erwartet hatte ich einen wichtigtuerischen Schuljungen, eher kleiner als ich, wahrscheinlich leicht übergewichtig und bestimmt nach den ersten Worten so anhänglich wie ein junger Hund. Stattdessen stand auf einmal Michael Callington vor mir. Er war über eins achtzig groß und sah umwerfend aus. Er verhielt sich auch nicht wie ein junger Hund; nichts dergleichen. Er hatte sogar den Nerv anzumerken, wie kurzfristig ich unsere letzte Verabredung abgesagt hätte. Wäre er nicht dem Direktor empfohlen worden, hätte ich ihm geraten, sich zu verpissen, aber das konnte ich natürlich nicht tun.

Ansonsten war er ausgesprochen höflich, zeigte jedoch nicht

das geringste Interesse an mir. Das war zu viel. Klar, Chrissy hatte ihn wahrscheinlich eingesabbelt, doch er war darauf abgefahren. Sie hätte es niemals gewagt, mich anzulügen, deshalb stimmte es wohl, aber wenn ich nichts über den Vorfall gewusst hätte, hätte ich ihn für schwul gehalten.

Ich wollte bloß, dass er einen Funken Interesse zeigte, dann konnte sie ihn meinetwegen haben. So aber brauchte es eine ganze Flasche Champagner und mehrere Winke mit dem Zaunpfahl, bis er mich nach der Arbeit in seine Wohnung einlud, vorgeblich, um einige der Weine zu probieren, die er der Firma vorstellen wollte.

Ich wusste genau, was ich tun würde. Nach der Arbeit würde ich mein Haar lösen und meine Bluse so zurechtrücken, dass der Ansatz der Brust gerade eben zu sehen war. In seiner Wohnung angekommen, würde ich ein bisschen flirten und meine Figur ein wenig zur Geltung bringen, bis er die Andeutung schließlich kapierte und mir Avancen machte. Dann würde ich ihn zurückweisen und meinem Erstaunen darüber Ausdruck verleihen, dass er meine Signale auf so plumpe Weise fehlinterpretiert habe. Anschließend könnte ich Chrissy berichten, er habe mich angemacht, ich aber sei nicht darauf eingegangen. Ich würde sogar andeuten, ich hätte ihr nicht in den Rücken fallen wollen, und er sei auch nicht gut genug für mich gewesen.

Bedauerlicherweise lief es anders. Er wohnte in einem großen umgebauten Speicher mit Ausblick auf die Themse. Man sah auf den ersten Blick, dass er und seine Familie richtig reich waren. Yachtzubehör lag herum, und als er mein Interesse bemerkte, führte er mich auf den Schlafzimmerbalkon. Sieben Stockwerke unter uns lag eine 20-Meter-Yacht – nicht gerade billig. Das bedeutete, dass er in dem Kanal, gleich neben der Wohnung, einen Liegeplatz hatte – auch nicht billig. Zudem gab es noch ein Foto, das ihn zusammen mit einem Privat-schulabsolventen vor einem Landhaus zeigte – alles andere als billig. Reichtum war nicht das Einzige, was er besaß. An einer Wand hing ein Ruder mit blassblauem Blatt – also hatte er einer Rudermannschaft von Cambridge angehört. Mehrere Teamfotos kündeten von weiteren sportlichen Erfolgen, die zumeist entweder mit dem Rudern oder dem Segeln in Verbindung standen. Also sah er nicht nur toll aus, sondern war auch reich und sportlich.

An Chrissy Green konnte er unmöglich Gefallen gefunden haben! Sie spielte einfach nicht in seiner Liga. Es ist schon traurig, wie sie sich an Männer ranschmeißt. Ich konnte mir gut vorstellen, was geschehen war, wie sie sich ihm aufgedrängt und er sie eher aus Mitleid denn aus sexueller Begierde gevögelt hatte. Unweigerlich würde sie jetzt denken, dies sei der Anfang einer großen Romanze, aber das war natürlich nicht der Fall. Eigentlich konnte sie mir dankbar sein, wenn ich dem möglichst bald ein Ende machte, denn dann würde es ihr nicht so wehtun.

Ich hatte mein Vorhaben, ihn abzuweisen, bereits aufgegeben, doch an diesem Abend war diese großzügige Geste vollkommen nutzlos. So ist das nun mal mit den Männern. Gibt man ihrem Verlangen zu schnell nach, verlieren sie das Interesse. Hält man sich zurück, wollen sie mehr. Ihre Attraktivität spielt dabei keine Rolle. Im Kern sind sie alle gleich, und Michael Callington stellte bestimmt keine Ausnahme dar.

Daher ließ ich es locker und unauffällig angehen, ließ nur hier und da eine kleine Andeutung fallen, dass ich vielleicht zu haben sei, um ihn mir warm zu halten. Er zeigte keine Regung, doch ich wusste, er musste reagieren, und sei es nur deshalb, weil er bei Chrissy angesprungen war.

Er stellte sechs Flaschen in einer Reihe auf und erklärte

mir, weshalb er sie ausgewählt habe. Ich tat so, als hörte ich zu, bewunderte stattdessen aber das Spiel seiner Muskeln, die sich unter dem weiten weißen Hemd abzeichneten. Von seiner Fachsimpelei verstand ich bloß, dass er mir umständlich zu erklären versuchte, der Chablis, den er mir eingeschenkt hatte, sei trocken und leicht.

Ich trank den Chablis, dann kam der australische Chardonnay an die Reihe, es folgte der Hellrote, von dem ich noch nie gehört hatte. Ich war überzeugt, er wollte mich betrunken machen, und spielte mit, öffnete sogar nach dem dritten Glas einen weiteren Blusenknopf. Er schenkte erneut ein, diesmal einen kräftigen australischen Rotwein, seine Hand so ruhig wie ehedem. Seine Hände waren wunderschön, elegant, aber kräftig, und ich konnte sie mir mühelos auf meinem Körper vorstellen, wo er sie bestimmt auch hinlegen wollte.

Mittlerweile hatte ich begriffen, was vor sich ging: Er spielte das gleiche Spiel wie ich. Bei einer kleinen Schlampe wie Chrissy, die keinem halbwegs passablen Mann einen Korb gibt, war das leicht. Außerdem war es ihm bei ihr sowieso egal gewesen, ob ja oder nein. Bei mir war es etwas anderes. Er wollte kein Risiko eingehen.

Ich ging zum Sofa und streckte mich darauf aus, gab ihm Gelegenheit, meine Beine zu bewundern und mir in den Ausschnitt zu schauen. Er kam näher, setzte sich auf die Armlehne, immer noch plaudernd, immer noch cool, mit professioneller Distanziertheit. Ich legte den Kopf in den Nacken und blickte in seine wunderschönen grauen Augen auf. Er zeigte noch immer keine Reaktion, und als ich das Glas geleert hatte, schenkte er mir wieder nach.

Vier große Gläser Wein sind nicht besonders viel, aber ich hatte nichts gegessen. Ich war im Begriff, betrunken zu werden, doch das musste auch für ihn gelten. Der fünfte Wein war süß und schwer und kräftig, so gar nicht nach meinem Geschmack, wiewohl ich ihn trotzdem trank. Michael desgleichen, zwischen den Schlucken plaudernd. Ich verstand kein einziges Wort, sondern betrachtete nur sein Gesicht und seinen Körper.

Ich schwöre, ich kann mich nicht erinnern, ihm die Hand aufs Bein gelegt zu haben, doch ich erinnere mich genau, wie er sie sanft, aber nachdrücklich hinunterschob. Das war zu viel für mich. Wenn er imstande war, Chrissy Green mit ihrem dicken Wabbelarsch, den lächerlich großen Brüsten, der kleinen Himmelfahrtsnase und ihrem Butter-würde-in-meinem-Mund-nicht-schmelzen-Getue zu ficken, dann konnte er auch mich vögeln. Ich stand auf und schlang die Arme um ihn. Er versuchte sich loszumachen, jedoch nicht entschlossen genug. Ich küsste ihn auf den Hals, knabberte an seinem Ohr, dann presste ich meinen Mund auf seinen. Einen Moment lang sträubte er sich, dann gab er nach, öffnete seinen Mund, und ich hatte gewonnen.

Er schloss mich in die Arme, drückte mich mit seinen großen, kräftigen Händen an sich, streichelte mir den Nacken. Ich hätte mich ihm entziehen, ihn sogar ohrfeigen sollen. Ein Teil von mir wollte das auch tun, allerdings ein sehr kleiner Teil. Ich wollte ihn haben.

Eine seiner Hände glitt tiefer, umfasste durch den Rock hindurch meinen Arsch. Ich ließ mich betasten, damit er sah, dass meine Backen viel attraktiver waren als Chrissy Greens, nämlich kleiner und wesentlich fester. Ich drückte ihn bereits aufs Sofa nieder, in der Absicht, mich auf ihn zu setzen und mich von ihm lecken zu lassen, um mich anschließend an seinem schlanken, durchtrainierten Körper zu erfreuen.

Er ließ es geschehen, drehte mich allerdings im letzten Moment mühelos um, sodass ich unter ihm auf dem Rücken zu liegen kam. Seine Hand war noch immer unter mir, und damit schob er mir den Rock hoch, während er mich mit der anderen an sich drückte, so fest, dass ich mich nicht rühren konnte. Auch jetzt wieder hätte ich mich wehren, die Initiative übernehmen sollen, doch er war zu stark und ich zu betrunken und zu scharf.

Und so landete der Rock auf meiner Hüfte, während ich die weit gespreizten Beine in die Höhe reckte, eine höchst würdelose Stellung, gegen die ich machtlos war. Aber selbst wenn ich gekonnt hätte, wäre ich so verharrt, denn am Slip spürte ich seinen sehr viel versprechenden Steifen. Außerdem küsste er mich wieder, diesmal aber richtig leidenschaftlich.

Als er zum Hosenschlitz hinunterlangte, wurde mir klar, dass er vorhatte, mich auf der Stelle zu ficken. Abermals versuchte ich zu widerstehen, ihm zu sagen, er solle langsamer machen, mich ausziehen, mich lecken, ein bisschen mit mir herumspielen. Erneut brachte ich es nicht über mich, denn ich war zu betrunken und zu erregt, um ihn auch nur vorübergehend von mir wegzustoßen. Stattdessen holte er seinen Schwanz hervor, schob meinen Stringtanga beiseite und drang in mich ein, füllte meine Möse aus und begann mich zu ficken.

Seit dem Moment, als er auf meinen Kuss reagierte, hatte er die Entscheidungen getroffen, und dabei blieb es. Er hielt mich, während wir fickten, mit seinem Gewicht unten, sodass ich mich nicht rühren konnte. Mir blieb nichts anderes übrig, als mit gespreizten Beinen dazuliegen und ihn so schnell und mit solcher Kraft in mich hineinstoßen zu lassen, dass ich schon bald völlig außer Atem war und mich nicht einmal dann hätte losmachen können, wenn ich es gewollt hätte.

Er war so schnell und fordernd gewesen, dass ich meinte,

er würde auf der Stelle kommen, noch ehe ich so weit wäre. In diesem Fall hätte ich in seinem Beisein masturbiert. Doch dazu kam es nicht. Nachdem wir eine Weile so schnell gefickt hatten, dass mir vor Lust ganz schwindlig wurde, nahm er seinen Schwanz heraus und rieb ihn an meinem Kitzler. Das tat so wahnsinnig gut, dass sich bei mir auch das letzte Fitzelchen Reserviertheit verflüchtigte. Ich wand mich wollüstig an ihm, um einen engeren Kontakt zwischen Schwanz und Kitzler herzustellen. Er rieb einfach weiter, mich nach wie vor festhaltend, mich unermüdlich küssend, und brachte mich zu einem Orgasmus, über den ich keinerlei Kontrolle mehr hatte.

Es war die beste, reinste, vollkommenste Ekstase. Mein Körper reagierte ganz instinktiv, und ich fiel in einen hemmungslosen Taumel, wand mich unter ihm und stieß ihm das Becken entgegen. Ich habe keine Ahnung, wie er es mitbekam, doch in dem Moment, als mein Orgasmus verebbte, ließ er von mir ab und packte mich fest am Kopf. Eine leise, einsame Stimme in meinem Hinterkopf rief, ich würde nach einem Fick nicht mehr blasen, doch es war zu spät. Sein Schwanz war in meinem Mund, und ich tat genau das, saugte und schmeckte erst meine Mösensäfte und dann, als er kam, seinen eigenen Saft. Er hielt meinen Kopf fest, bis ich alles geschluckt hatte, obwohl das eigentlich unnötig war. Ich hätte es auch freiwillig getan.

Anschließend schaffte ich es gerade noch, ihm zu sagen, er sei ein Schwein, doch das war nicht ernst gemeint. Er grinste bloß. Im Bad war es das Gleiche. Ich kam mir ein bisschen verarscht vor, denn beim Sex behalte ich gern die Kontrolle. Ich sagte mir, er sei zu grob gewesen, zu schnell, zu dominant. Leider war es nicht so. Er hatte es genau richtig gemacht.

Als ich Platz nahm, um den frisch eingeschenkten Portwein zu trinken, fragte ich mich, wie ich Chrissy beibringen sollte, dass Michael und ich Lover seien.

KAPITEL ZWEI

Michael rief die ganze Woche nicht an. Nicht dass ich es von ihm erwartet hätte, aber meinem Gefühl nach lag es im Bereich des Möglichen. ‹Hallo, Chrissy, wir sehen uns dann bei der Weinprobe›, oder vielleicht auch: ‹Es war schön, dich kennen zu lernen, Chrissy, vielleicht treffen wir uns ja mal wieder› hätte gereicht.

Ich rechnete nicht damit, weil ich ihn nicht für den Typ Mann hielt, der wegen einer Frau den Verstand verlor. Ganz im Gegenteil. Er war der Typ Mann, der Frauen um den Verstand brachte. Er machte den Eindruck, als ginge er das Leben auf seine Art an, entschlossen, locker und gelassen. Bei ihm gab es keine Gefühlskrisen, keine Grübeleien über Dinge, über die ich mir stundenlang den Kopf zermartern kann. So wie er vom Weingeschäft, dem Sport, seinen Freunden und so weiter in Anspruch genommen war, konnte ich mir gut vorstellen, dass er nie auf die Idee kommen würde, mich anzurufen.

Das Problem dabei war, ich wusste nicht, wie es mit uns stand, hätte es aber gern gewusst. Er mochte damit zufrieden sein, den Dingen ihren Lauf zu lassen, ich war es nicht. Mir mangelte es an Selbstbewusstsein. Ich wollte Gewissheit haben. Je mehr Zeit verstrich, ohne dass der schicksalsträchtige Telefonanruf kam, desto unsicherer wurde ich. Ich wollte, dass es mit uns weiterging, jedoch ohne aufdringlich zu wirken oder mich zum Narren zu machen. Am schlimmsten dabei war, dass ich vor Val – Verzeihung, Valentina –, die ebenfalls zur Weinprobe erscheinen würde, auf keinen Fall schlecht dastehen wollte.

Über die Veranstaltung wusste ich nichts. Sie sollte in einem ‹Home and Colonial› genannten Etablissement stattfinden, offenbar ein alter Club am St. James's, was spießig und förmlich klang. Von mir wurde zweifellos entsprechende Kleidung und ein angemessenes Verhalten erwartet. Außerdem wusste ich nicht, wie ich mich bei einer offiziellen Weinprobe verhalten sollte. Michael anzurufen kam nicht infrage, denn dann hätte ich nicht nur aufdringlich gewirkt, sondern mich auch zum Narren gemacht. Deshalb rief ich die einzige Person an, die alle meine Fragen würde beantworten können: Valentina.

Sie zeigte sich in höchstem Maße belustigt über die Lage, in die ich mich hineinmanövriert hatte, und wollte selbstverständlich ebenfalls zu der Weinprobe gehen. Anstatt meine Fragen am Telefon zu beantworten, schlug sie vor, shoppen zu gehen, damit ich auch ja die richtigen Sachen kaufte. Auf dem Weg wollte sie mich über die Etikette aufklären. Ich wusste, das würde bedeuten, dass ich zahlen musste, aber schließlich erwies sie mir ja einen Gefallen und nicht umgekehrt. Und obwohl es so aussieht, als wäre sie im Begriff, in ihrer Firma Karriere zu machen, scheint ihr neben den Fixkosten doch nicht allzu viel übrig zu bleiben.

Eines jedenfalls ist gewiss: Valentina sagt mir immer die Wahrheit. Die meisten meiner Freundinnen meinen, ich solle mir wegen meines Pos keine Sorgen machen, ich sähe gut aus und brauchte nicht zu befürchten, unangenehm damit aufzufallen. Ganz anders Valentina mit ihrem vollkommenen, flachen, festen und ausgesprochen weiblichen Po. Sie meint, meiner sei groß und wabblig. Da ich nicht irgendwann völlig aus dem Leim gehen wollte, war ich darauf angewiesen, die Wahrheit zu erfahren.

Es kam genau so, wie ich erwartet hatte. Wir trafen uns an

der U-Bahn-Station Knightsbridge und tigerten den ganzen Nachmittag lang auf der Suche nach dem passenden Outfit von einem Geschäft zum anderen. Wie gewöhnlich waren ihr all die Designermarken wie auf den Leib geschneidert, während sie mir auch nicht annähernd passten. Nach zwei Stunden hatte sie so viele Klamotten gekauft, dass meine Spendierlaune bereits merklich nachließ. Wie immer spürte sie genau, wann es Zeit war aufzuhören, und wandte mir ihre Aufmerksamkeit zu.

Sie hatte zwei sehr elegante Kleider in die engere Wahl gefasst, beide von bekannten Markenherstellern und beide gerade so offenherzig, dass es bei der Weinprobe noch akzeptabel wäre. Ich wollte etwas Ähnliches haben, denn ein Kleid wäre bei einer so altmodischen Veranstaltung sicherlich angemessen. Sie tat meinen Vorschlag ab und erklärte, wie lebten nicht mehr im 18. oder 19. Jahrhundert, außerdem hätten wir noch keine Kleider gesehen, die mir gepasst hätten. Ihrer Ansicht nach stünde mir ein Hosenanzug in dunklen Farben und aus einem leichten Stoff am besten.

In der Gegend gab es nichts Entsprechendes, doch schließlich wurden wir in der Fulham Road in Gestalt eines schwarzen Outfits für gerade mal fünfundvierzig Pfund fündig, was sicherlich preiswert war. Valentina meinte, sie sei zu erschöpft, um mit mir in ein Geschäft für Accessoires zu gehen, und mir taten die Füße zu weh, um zu widersprechen. Außerdem musste ich dringend etwas trinken, und so suchten wir uns ein Café in einer Nebenstraße, wo ich mich bei einer gekühlten Flasche Wein über Etikette belehren ließ.

Ohne ihre Hilfe hätte ich mich komplett lächerlich gemacht. Zum Beispiel hatte ich geglaubt, ich müsste den verkosteten Wein wieder ausspucken, und hätte mir zu diesem Zweck einen Papierkorb oder etwas ähnlich Unfeines gesucht. Außerdem hatte ich angenommen, uns würde ein Wein nach dem anderen vorgesetzt werden und Michael oder einer seiner Kollegen würde uns dazu etwas erzählen. Jetzt erfuhr ich, dass die Flaschen auf einem Tisch aufgereiht wären und wir uns selber bedienen müssten. Außerdem galt es als unfein, das Glas weiter als bis zu einem Drittel zu füllen oder zweimal vom selben Wein zu kosten. Ohne Valentinas Hilfe hätte ich bestimmt alles falsch gemacht. Als sie schließlich aufbrach, um sich für ein Date fertig zu machen, war ich ihr aus tiefem Herzen dankbar.

Außerdem war ich beschwipst, da ich den Löwenanteil vom Wein abbekommen hatte, und ziemlich scharf. Valentina hatte Michael unter der Woche getroffen und die Weinprobe für ihre Firma arrangiert. Daher wusste sie, wie er aussah, doch jedes Mal, wenn wir auf ihn zu sprechen kamen, hatte sie sogleich das Thema gewechselt. Das bedeutete, sie war zur Abwechslung einmal eifersüchtig auf mich, und das war eine völlig neue Erfahrung.

Außerdem erregte mich ihre Eifersucht. Schon oft hatte ich erlebt, dass sie meine Freunde keines zweiten Blickes würdigte. Sie hatte sich stets bemüht, rücksichtsvoll zu sein, und es war auch nicht ihre Schuld, trotzdem färbte ihre Reaktion auf mich ab, und der Sex war am Ende unbefriedigend gewesen. Ich weiß, das ist kein schöner Zug, aber ihre Eifersucht ließ das Erlebnis mit Michael umso kostbarer erscheinen.

Daran dachte ich auf dem Heimweg, schwelgte in Erinnerungen und legte mir kleine Phantasien zurecht. Ich stellte mir vor, sie sei mit mir und Michael zusammen, vielleicht in einem Restaurant, und dann müssten wir beide gehen. Ich könnte den Ausdruck ins Spiel bringen, den sie so oft mir gegenüber benutzte, wenn sie mit einem Freund allein sein wollte ‹Auszeit›. Ich weiß nicht mehr, wann ich dieses schreckliche Wort zum ersten Mal hörte, aber es muss in der Zeit gewesen sein, als ich bei Valentinas Verabredungen das ‹fünfte Rad am Wagen› spielte – als ich nach der Schule zuschaute, wie sie mit Andy Dawtry rummachte, dem bestaussehenden Jungen der ganzen Klasse. Irgendwann zwitscherte sie dann allerliebst: «Auszeit, Chrissy.» Und schon fuhr ich nach Hause, in einem kalten, feuchten Bus.

Dann gab es noch Simon Straw, in den ich heftig verliebt gewesen war und für den ich mein Top ausgezogen hatte, bloß um irgendwann festzustellen, dass er ganz vernarrt in sie war. Ich war gerade mal eine Woche mit ihm zusammen, da ließ er mich wegen ihr fallen. Eine Woche lang zeigte ich ihr die kalte Schulter – Schmollen nannte sie das. Dann erklärte sie mir mit zuckersüßer Stimme, er sei nur deshalb mit mir ausgegangen, um sie kennen zu lernen, worauf wir uns wieder versöhnten. Eines Abends gingen wir sogar zu dritt ins Kino. Mir blieb keine andere Wahl, als mich von ihm heimfahren zu lassen, was dazu führte, dass ich nach einem ‹Auszeit, Chrissy› in der Eiseskälte warten musste, während sie es auf dem Rücksitz trieben.

Der Einzige, der mich zum Lächeln brachte, war Robert Wall. Valentina und ich waren zusammen Schlittschuh laufen gewesen. Bei der Gelegenheit hatte sie ihn kennen gelernt, mit den unvermeidlichen Folgen. Anschließend fuhren wir zu einem abgelegenen Parkplatz, und nach dem üblichen ‹Auszeit, Chrissy› schlug er einen Dreier vor. Daraufhin ohrfeigte sie ihn.

Jetzt konnte ich mich rächen. Mit exaktem Timing, vorzugsweise dann, wenn er sie irgendwohin bringen musste oder wenn sie aus irgendeinem Grund nicht wegkonnte. Die Intimität zwischen Michael und mir würde allmählich intensiver, bis meine Chance käme und ich voller Mitgefühl, voller Verständnis, voller Bedauern genau wie sie früher mein Sprüchlein aufsagen würde: ‹Auszeit, Chrissy›. So müsste es sein.

Als ich heimkam, steigerte ich mich weiter in meine Rachephantasien hinein. Ich stellte mir Situationen vor, in denen sie aus irgendeinem Grund nicht wegkonnte, sondern warten musste, während wir uns liebten. Sie würde alles mitanhören, eine peinliche, aber auch erhebende Vorstellung. Ich konnte mir ihren Frust sehr gut vorstellen. Vielleicht wäre er so stark, dass sie sich die Hand in den Slip stecken und sich selbst fertig machen müsste, wie ich es einmal getan hatte.

Das war bei einer Verabredung mit Simon gewesen, wie gewöhnlich in seinem Wagen. Sie hatten mich mit einem Blind Date abgespeist, einem mageren Burschen mit rötlichem Haar, von dem ich nicht einmal den Namen behalten habe. Sogar er war offenbar mehr an ihr als an mir interessiert und beobachtete die beiden aus den Augenwinkeln, während er sich mit meinem BH abmühte. Vielleicht hätte ich ihn sogar gewähren lassen, aber er musste um halb elf zu Hause sein. Also stand ich wieder mal draußen vor dem Wagen und beobachtete Simon und Val, angeleuchtet vom orangefarbenen Schein der Straßenlaterne. Sie wusste nicht, dass ich sie sehen konnte, und ich war erstaunt, wie leidenschaftlich und erfahren sie war. Sie hatten die Neunsechzigerstellung eingenommen – nein, sie hatte ihn veranlasst, ihr die Möse zu lecken, während sie ihm den Schwanz lutschte. Ich hatte gute Sicht auf ihren lippenstiftroten Mund, der sich an seinem Steifen auf und ab bewegte. Das war zu viel für mich gewesen. Obwohl ich Angst hatte, erwischt zu werden, hatte ich es mir besorgt, versteckt im Schatten, hatte die Jeans heruntergezogen, eine Hand in den Slip gesteckt und die andere unter mein Top, hatte den Kitzler und einen Nippel gerieben, bis ich kam. Es fühlte sich toll an, doch anschließend schämte ich mich sehr. Jetzt sollte zur Abwechslung sie sich einmal schämen.

Ich wusste, dass ihr in Wirklichkeit wahrscheinlich etwas einfallen würde, um das Ganze zu unterbinden, doch darauf kam es nicht an. Als ich mit meiner Tasse Kaffee im Sessel saß, ging es mir nicht um Realität. Auch nicht darum, sie zum Zuhören zu zwingen. Ich wollte, dass sie zusah, so wie ich ihr und Simon zugesehen hatte. Sie sollte alles sehen, seinen wundervollen großen Schwanz, steif und stolz emporgereckt. Ich würde ihn in ihrem Beisein blasen, meine Hingabe und die zwischen uns herrschende Intimität zur Schau stellen. Vielleicht würde ich ihn sogar in meinem Mund kommen lassen, bloß um ihr zu zeigen, dass ich bereit war, ihm etwas zu gewähren, das sie verabscheute und bei keinem Mann jemals tat.

Das war schmutzig, ihm nicht bloß in ihrer Gegenwart den Schwanz zu lutschen, sondern ihn auch noch in meinem Mund kommen zu lassen. Ich öffnete den Reißverschluss meiner Jeans und kniff die Augen zusammen, als ich die Hand im Slip versenkte. Meine Möse war triefnass, mein Kitzler verlangte dringend nach Aufmerksamkeit. Ich schloss die Augen, streifte Top und BH ab, um meinen Brüsten Luft zu verschaffen, und begann zu masturbieren.

Sie würde ja so eifersüchtig und scharf sein. Ich würde die Begierde in ihren Augen sehen, eine starke, hoffnungslose Begierde. Vielleicht würde ich sie sogar in zuckersüßem Ton auffordern: ‹Wir haben nichts dagegen, wenn du's dir besorgst, Valentina. Dafür haben wir Verständnis, nicht wahr, Michael?› Er würde mir beipflichten. Die Scham wäre ihr anzusehen, aber sie würde es tun. Und zwar bevor er gekommen wäre, und ich würde ihm weiter den Schwanz lutschen. Er würde mir dabei zusehen, so wie er mich auf dem Golfplatz angeschaut hatte, ohne darauf zu achten, wie Valentina verlegen den Slip herunterstreifte und den Rock raffte.

Michael würde mich von hinten nehmen, wenn sie anfinge zu masturbieren, die Hände auf meinen Titten, nette Komplimente über meinen Körper murmelnd, während er mich fickte, ohne sie im Mindesten zu beachten. Sie würde als Erste kommen, mit einem leisen Schluchzer, Ausdruck von Ekstase und Frust, während er seinen Schwanz herausnähme und seinen wundervollen kleinen Trick vollführte. Ich würde sie alles mit ansehen lassen, weder meinen Körper noch meine Gefühle verstecken, während er mich zu einem wundervollen, grandiosen Orgasmus brächte, den Schwanz an meinem Kitzler, reibend, unablässig reibend, während sie neiderfüllt zuschaute …

Ich kam, und mir glühte der Kopf bei der Vorstellung, dass Michael sich an meiner Möse rieb, während Valentina uns zuschaute, die Beine gespreizt, alles offenbarend, von ihren Gefühlen überwältigt.

Ich traf mich mit Michael bei Marco's in der King's Road. Ich wäre gern vorher nach Hause gegangen und hätte mich umgezogen, doch Chrissy hatte so lange nach ihrem Outfit für die Weinprobe gesucht, dass die Zeit dazu möglicherweise nicht mehr ausgereicht hätte. Männer warten eine halbe, vielleicht auch eine Stunde, aber sie zwei oder gar drei Stunden warten zu lassen hieße den Bogen überspannen.

Das Ganze war schon ärgerlich, denn sie musste doch gewusst haben, dass solche erstklassigen Läden in ihrer Größe nichts vorrätig haben würden. Ich meine, wenn man eine Modepuppe mit ihrer Figur ins Schaufenster stellte, würde sich doch die ganze Stadt vor Lachen kringeln. Außerdem hatte ich mich schlecht gefühlt, weil ich es nicht fertig gebracht hatte, ihr von mir und Michael zu erzählen. Ich hatte es vorgehabt, doch jedes Mal, wenn sie ihn erwähnte, tat sie so begeistert, dass ich es einfach nicht über mich brachte. Je länger ich damit wartete, desto tiefer würde es sie natürlich verletzen, deshalb musste es bald geschehen.

Außerdem ärgerte ich mich, weil sie mich in eine schwierige Lage gebracht hatte, wo sie doch eigentlich hätte wissen müssen, dass Michael in einer anderen Liga spielt. Sie braucht einen netten, verlässlichen Mann; einen durchschnittlichen, treuen, der zu schätzen weiß, was er an ihr hat. Wundern aber tat es mich nicht. Sie war noch nie in der Lage gewesen, sich mit anderer Leute Augen zu sehen.

Schon auf der Schule hatte sie ihre Ziele stets zu hoch gesteckt und war folglich verletzt worden, immer wieder. Die meisten Jungs trafen sich nur aus perversem Interesse an ihren Brüsten ein paar Mal mit ihr. So sind Jungs eben, stets Extremen zugeneigt: die beste Mannschaft, der schnellste Wagen, das Mädchen mit den größten Brüsten der ganzen Schule. Lange ging es niemals gut.

In Wahrheit ist sie eine Schlampe. Sie weiß einfach nicht, wann sie zurückstecken muss. Sie merkte es auch nicht, wenn sie unerwünscht war. Immer wieder musste ich Andeutungen machen, sie solle mich mit meinem Freund allein lassen, doch sie hörte gern zu, wenn ich Sex hatte. Manchmal ließ ich sie aus respektvollem Abstand dabei zusehen, und einmal, als ich gerade mit einem Typen im Wagen zugange war, holte sie sich im Gebüsch sogar herzhaft einen runter! Manchmal frage ich mich, ob sie nicht eine verkappte Lesbe ist.

Ich hatte jedenfalls alles getan, um zu verhindern, dass sie an der Weinprobe teilnehmen würde. Ich war schon mal im ‹Home and Colonial› gewesen und wusste, wie der Laden lief. Man würde sie nicht einlassen, und somit würde sie Michael nicht treffen, und es würde keine Szene geben. Das war zwar grausam, aber nur zu ihrem Besten.

Michael erwartete mich bereits bei Marco's. Obwohl ich mich nur zwanzig Minuten verspätet hatte, bedachte er mich mit einem tadelnden Blick. Das würde sich ändern müssen, doch einstweilen war ich bereit, mich damit abzufinden, und entschuldigte mich. Den dichten City-Verkehr und einen unfähigen Taxifahrer nahm ich als Ausrede.

Er gab sich damit zufrieden, vermittelte mir aber auch weiterhin den Eindruck, ich solle mein Leben besser organisieren. Es war ein wenig so wie beim Sex mit ihm, als er ganz selbstverständlich davon ausgegangen war, dass er auch bekommen würde, was er wollte. Ich habe vor ihm schon andere Männer gekannt, die zu selbstsüchtig waren, zu sehr daran gewöhnt, ihren Willen durchzusetzen. Er würde lernen müssen, dass er damit bei mir nicht durchkam. Er würde sich mit meiner Art abfinden müssen, nicht umgekehrt. Es würde eine Menge Arbeit erfordern, aber ich würde es schaffen.

Das Essen war köstlich. Languste, Steinbutt und kleine Crêpes, alles tadellos serviert. Ich aß nicht viel, da ich beim anschließenden Sex fit sein wollte, bloß dem Wein sprach ich ausgiebiger zu. Ich ließ Michael sogar auswählen. Schließlich war er Profi, und man konnte sich darauf verlassen, dass er mich nicht den ganzen Abend lang mit einer billigen Hausmarke abspeisen würde. Auch bei der Rechnung gab es keine Probleme. Er zahlte bereitwillig.

Und so landete ich wieder in seiner Wohnung, um nach allem Dafürhalten den besten Sex aller Zeiten zu erleben. Ich war entschlossen, keinen Zweifel daran zu lassen, wer hier das Sagen hatte. Im Taxi hielt er sich zurück, was mir nur recht war. Es gibt wirklich nichts Schlimmeres, als auf dem Rücksitz eines Taxis befummelt zu werden, während man von einem Proleten aus dem East End im Rückspiegel begafft wird.

In seiner Wohnung sah es schon wieder ganz anders aus. Kaum hatte sich die Tür hinter uns geschlossen, da küssten wir uns auch schon, und im Handumdrehen hatte ich ihm Krawatte und Jackett ausgezogen. Dann hielt ich inne, um ihn ein wenig Respekt zu lehren. Meine Männer verwöhnen mich, nicht umgekehrt. Er zögerte, jedoch nur einen Moment lang, und da wusste ich, dass ich gewonnen hatte. Ich ging zum Sofa und nahm Platz, um ihm zuzuschauen.

Er war wunderbar. Nicht dass er die geringste Ahnung gehabt hätte, wie man vor einer Frau strippt, doch sein Körper machte das wieder wett. Auch sein aggressiver, rebellischer Gesichtsausdruck war umwerfend, denn er glaubte offenbar, ich hätte für ihn eine Show hinlegen sollen. Das tue ich nicht, doch das wusste er noch nicht. Aber er würde mich bestimmt darum bitten.

Als Erstes knöpfte er sich das Hemd auf, löste die Manschettenknöpfe und entblößte seinen glatten, muskulösen Oberkörper und die kräftigen Arme. Dann löste er den Gürtel und ließ die Hose herabfallen, hatte jedoch den typischen Anfängerfehler gemacht und vergessen, vorher die Schuhe auszuziehen. Als ich kichern musste, schaute er noch finsterer drein. Doch er machte weiter, zog ziemlich unbeholfen die Schuhe aus und streifte Socken und Hose ab, bis er im Slip dastand, der Größe und Form seines bereits halb steifen Schwanzes nicht verbergen konnte. Nun fand er, es sei an der Zeit, dass ich mich revanchierte.

«Und jetzt du.»

Ich drohte ihm mit dem Zeigefinger und zeigte auf den Boden vor seinen Füßen. Lächelnd schüttelte er den Kopf. Ich wiederholte die Geste ein wenig bestimmter.

«Ganz oder gar nicht, Michael, und mach mir bitte einen Drink. Dann bin ich dran.»

Er zögerte, nickte, fasste sich an den Slip und zog ihn herunter, um seinen wunderschönen großen Schwanz zu präsentieren. Ich leckte mir unwillkürlich die Lippen, beherrschte mich aber und wies mit dem Kinn in Richtung Küche. Er kickte den Slip fort und marschierte los, sodass ich freie Sicht auf seine festen Arschbacken hatte.

«Champagner?»

«Natürlich. Was sonst?»

Er akzeptierte mein Urteil und hantierte mit Flasche, Gläsern und Eiskübel. Ich entspannte mich, genoss es, bedient zu werden. Er war nicht anders als die anderen, mühelos zu leiten, froh, etwas zu tun zu haben, solange nur eine Belohnung lockte. Allerdings kommt es darauf an, ihnen die Belohnung vorzuenthalten. Sonst verlieren sie das Interesse.

Er gab einen ausgezeichneten Butler ab, entkorkte eine Flasche Bollinger und schenkte mit geübter Hand zwei Gläser ein, dann stellte er sie auf ein Tablett. Ich war versucht, ihn kniend servieren zu lassen, doch etwas in seinem Blick sagte mir, dass er nicht bereit war, zu Kreuze zu kriechen, jedenfalls im Moment noch nicht.

Ich nahm mein Glas entgegen. Er machte es sich bequem und deutete einladend ins Zimmer.

«Nein, Michael, ich habe nicht die Absicht, für dich zu strippen. Es wundert mich, dass du überhaupt fragst. Hast du denn gar keinen Respekt vor mir?»

Eigentlich hatte ich einen Schwall von Entschuldigungen von ihm erwartet. Er aber zuckte lediglich mit den Schultern und nahm einen Schluck Champagner. Die Kontrolle drohte mir zu entgleiten, doch als ich meine Fingernägel an sein Bein drückte, hatte ich seine Aufmerksamkeit wieder, und er veränderte die Haltung, damit ich an seinen Schwanz herankam. Ich ignorierte sein Angebot und streifte stattdessen mit den Fingernägeln behutsam an seinem Bein auf und ab. Er reagierte nicht, dafür aber sein Schwanz, der leicht zuckte und anschwoll. Ich sah ihm in die Augen und leckte mir über die Lippen. Meine Hand rutschte etwas höher, kitzelte seine Hoden und machte seinen Schwanz noch steifer. Er ergriff meine Hand, so geil und so leicht formbar wie jeder andere Mann.

Es waren keine Worte mehr nötig. Ich stand auf, setzte mich auf seinen Schoß, sodass sein Schwanz im Schritt gegen meinen Slip drückte. Ich schob den Tanga beiseite und nahm seinen Schwanz, der offenbar immer noch weiter anschwoll, in mich auf.

Ich ritt ihn, so wie ich's gern habe, ich oben, vollständig bekleidet, der Schwanz ganz zu meiner Verfügung. Es bestand auch kein Grund zur Eile. Michael war jetzt fügsam wie ein junger Hund, stieß bloß behutsam in mich hinein, während ich erneut zum Glas griff. Er beobachtete, wie ich einen Schluck von der goldfarbenen Flüssigkeit nahm, weidete sich voller Begierde am Anblick meiner Brüste und meiner Hüfte. Natürlich wollte er mich nackt sehen, und bestimmt würde er mich darum bitten, und mir so die köstliche Genugtuung gewähren, ihm die Bitte abzuschlagen. Ich setzte das Glas ab, als wollte ich mich ausziehen, hielt dann aber inne, damit er mich fragen konnte.

Das tat er jedoch nicht, sondern langte seinerseits zum Glas und trank gemächlich einen Schluck. Ich bewegte mich auf seinem Schwanz, kreiste mit dem Po. Er schluckte schwer, nippte nochmals und setzte das Glas ab. Ich streifte mit den Fingernägeln über seine glatte, muskelbepackte Brust. Er begann heftiger zu stoßen. Dann packte er meine Hüften. Ich wurde auf seinem Schwanz durchgeschüttelt und bekam auf einmal keine Luft mehr. Sein Griff wurde fester. Eine Hand umfasste meinen Arsch, die andere umschlang meinen Oberkörper. Seine Finger fanden gleichzeitig meinen Nacken und mein Arschloch und kitzelten mich dort. Ich wollte ihm sagen, er solle keine schmutzigen Sachen mit mir machen, er aber verschloss mir den Mund mit einem Kuss.

Dann lag ich auf einmal unten und wand mich unter ihm, während er mit unglaublicher Energie in mich hineinstieß, seinen Schwanz so schnell raus- und reinbewegte, dass mir schwindlig wurde und ich stoßweise atmete. Sein Mund wanderte zu meinem Hals, doch ich bekam noch immer kein Wort heraus, konnte nur keuchen und stöhnen, obwohl er den Finger tief in meinem Arsch hatte, was ich nicht ausstehen kann.

Nein, das trifft es eigentlich nicht. Es ist mir bloß zu intim, zu obszön, mich dort von einem Mann berühren oder auch nur betrachten zu lassen. Wenn es trotzdem einmal dazu kommt, und vermeiden lässt es sich nicht immer, bin ich überwältigt. Dagegen kann ich nichts machen, selbst wenn ich wollte, und so war es auch jetzt. Michael aber war es egal, er spielte mit meinem Körper, allein auf seine körperliche Erregung bedacht, ohne einen Gedanken an meine Würde zu verschwenden.

Er zog den Schwanz gleichzeitig mit seinem Finger aus mir heraus, und einen schrecklichen Moment fürchtete ich schon, er wolle mir den Schwanz in den Arsch stecken. Ich fragte mich, ob ich auch nur den Versuch machen würde, ihn daran zu hindern. Doch er zerrte mir nur den Slip unter dem Rock hervor, schob meine Beine hoch, umfasste sie an den Fesseln und drang abermals in mich ein. Nun stieß er schneller denn je in mich hinein, während ich mich am Sofapolster festhielt.

Ich dachte schon, er würde kommen und mich entweder unbefriedigt lassen oder mich auffordern, vor ihm zu masturbieren. Dann war er auf einmal draußen, sein Schwanz drückte gegen meine Möse, und ich wusste genau, was er vorhatte. Meine Beine teilten sich, entblößten vor ihm Möse und Arsch, einfach alles. Der Schuft schaute zu, ließ den Blick von meinem Gesicht zu meinem Arsch schweifen, während er sich an mir rieb und meinen Kitzler mit seinem steifen Schwanz bearbeitete. Er rieb mich auch mit den Fingerknöcheln, doch ich war dem Höhepunkt zu nahe, um auch nur zu begreifen, was er da tat, bis sich auf einmal ein heißer Schwall auf meine Möse ergoss.

Er war auf mir gekommen, doch das hinderte ihn nicht, seinen Schwanz noch schneller zu bewegen, während er ihn auf mir molk. Plötzlich kam auch ich, seinen Blicken schamlos ausgeliefert, während er die vollständige Kontrolle über meinen Orgasmus hatte und mich auf dem Höhepunkt hielt. Selbst als meine Möse unerträglich empfindsam geworden war, machte er weiter, während ich mich schreiend und atemlos vor Lust ins Polster krallte.

KAPITEL *DREI*

Am Tag der Weinprobe verbrachte ich den ganzen Nachmittag mit Vorbereitungen. Ein ausgiebiges Bad, ein Besuch beim Friseur und jede Menge Zeit fürs Ankleiden. Die Chancen standen gut, dass ich Michael nach Hause begleiten würde, deshalb wählte ich einen maßgeschneiderten Push-up-BH mit viel Spitze, einen sehr weiten französischen Slip, der für meinen Po am besten geeignet war, halterlose Strümpfe und Schuhe mit sieben Zentimeter hohen Absätzen, um ein bisschen größer zu wirken. Der Hosenanzug wirkte ein wenig schlicht, doch Valentina hatte unerschütterlich darauf beharrt, dass er für den Club genau das Richtige sei. Wenn ich etwas anderes anzöge, würde sie mit mir schimpfen, deshalb beließ ich es dabei.

Mit dem Taxi fuhr ich zum St. James's und holte unterwegs Val ab. Wie immer sah sie umwerfend aus, unglaublich schick und etwas gewagt, sodass ich mich schon fragte, ob sie nicht ein bisschen zu viel des Guten getan habe. Sie aber meinte lachend, sie werde schon damit durchkommen.

Und so war es auch. Auf der Eingangstreppe des Clubs stand ein mit einem langen purpurroten Rock mit Messingknöpfen bekleideter Türsteher, der geradewegs aus dem 18. Jahrhundert zu kommen schien. Er verneigte sich höflich vor Valentina, die, ohne den Gruß zu erwidern, in den Club hineinstolzierte. Mich hingegen hielt er auf.

«Entschuldigen Sie, Miss, aber Sie können so nicht eintreten.»

«Was soll das heißen?»

«Sie sind unangemessen gekleidet, Miss.»

«Unangemessen gekleidet?»

Ich senkte den Blick, da ich erwartete, der Reißverschluss wäre offen, oder man sähe durch einen Riss den Slip. Doch es war alles in Ordnung.

«Sie tragen eine Hose, Miss.»

«Eine Hose? Was ist denn dagegen einzuwenden?»

«Frauen in Hosen sind nicht zugelassen, Miss. Das verstößt gegen die Clubregeln.»

«Keine Frauen in Hosen? Warum denn nicht? Das ist doch lächerlich!»

«Tut mir Leid, Miss. Die Clubregeln.»

«Hören Sie, die Clubregeln kenne ich nicht. Kann ich wenigstens mal mit meiner Freundin sprechen? Valentina! Val!»

Sie war verschwunden. Der Türsteher rührte sich nicht vom Fleck.

«Ich ... ich nehme an einer von Michael Callington durchgeführten Weinprobe teil. Das geht doch wohl?»

«Bedaure, Miss. Kein Zutritt für Frauen in Hosen.»

«Aber ...»

Ich gab auf. Streit war mir zuwider, und der Türsteher würde bestimmt nicht nachgeben. Ich war den Tränen nahe, als auf einmal ein ernst dreinschauender silberhaariger Herr aus dem Club auftauchte und mir neue Hoffnung gab. Es war Michaels Vater.

«Major Callington?»

»Ah, Christina, meine Liebe. Wollen Sie zur Weinprobe?»

«Ja, bloß komme ich nicht rein, weil ich einen Hosenanzug trage. Könnten Sie das vielleicht klären?»

«Ich fürchte, da kann ich nichts machen, meine Liebe. Ich bin hier nicht mal Mitglied.»

«Oh.»

«Machen Sie sich nichts draus. Ich wollte gerade zu meinem eigenen Club gehen, gleich um die Ecke. Kommen Sie mit.»

«Aber …»

Ich verstummte. Er hatte mich beim Arm gefasst und geleitete mich die Straße entlang. Ich hatte nun wirklich nichts weiter vor und schwimme zudem immer am liebsten mit dem Strom als gegen ihn. Wenn ich Major Callington begleitete, bestand außerdem noch eine kleine Hoffnung, dass ich später Michael treffen würde. Daher ließ ich mich die Straße entlang und über einen Platz zu einem Gebäude führen, das dem ‹Home and Colonial› sehr ähnlich sah. Auch hier gab es einen Türsteher, der uns jedoch höflich zunickte.

Im Innern war es bis auf leises Geplauder und dem gelegentlichen Klirren von Glas sehr ruhig. Die Geräusche drangen aus dem Raum, zu dem der Major mich geleitete. Dies war der Speisesaal, erfüllt von köstlichen Düften, dem Geruch nach poliertem Holz und Antiquitäten. Staubteilchen tanzten in den Strahlen der Abendsonne, die durch die Fenster fielen.

«Möchten Sie mit mir speisen? Zumindest bekommen wir hier etwas Anständiges zu trinken.»

«Etwas Anständiges? Sind Michaels Weine denn nicht gut?»

«Gut sind sie schon, aber er hat diese Vorliebe für Australien … Ja, Ivan, für zwei Personen.»

Der Ober verneigte sich und geleitete uns zu einem etwas abseits platzierten Tisch. Ich hätte gern gewusst, ob er glaubte, Malcolm Callington spiele für mich den Sugardaddy. Bei der Vorstellung stieg mir das Blut zu Kopf, und als er mich mit einem sanften Klopfer auf den Po zu meinem Stuhl dirigierte, nahm meine Verlegenheit noch weiter zu. Ich wollte etwas sagen, doch Malcolm Callington fuhr einfach fort, als sei nichts geschehen.

«Ich wage zu behaupten, dass sich das mit der Zeit legen wird. Ich denke, wir nehmen Spargel und eine Flasche Crémant. Die Tauben sind hier gut oder vielleicht Ente … nein, Taube, und dazu natürlich Burgunder, vielleicht einen Morey.»

So plauderte er weiter, ohne meine Meinung einzuholen oder mich zu fragen, ob ich vielleicht Vegetarierin oder Allergikerin sei und ob ich die erwähnten Gerichte überhaupt mochte. Ich war froh, dass er mich aus der peinlichen Situation gerettet hatte, und ich mag energische Männer, aber irritierend war es trotzdem. Wäre er etwas weniger selbstsicher aufgetreten und nicht Michaels Vater gewesen, hätte ich bestimmt etwas gesagt.

«Nun, was fangen Sie mit Ihrer Zeit an? Sind Sie Sekretärin oder etwas in der Art?»

«Also, nein … eigentlich nicht … Ich …»

«Wunderbar, das gefällt mir bei einer Frau. Zeigt, dass Sie Ihren eigenen Kopf haben. Ich begreife nicht, warum Frauen heutzutage ständig ihrer Karriere hinterherhecheln müssen. Schließlich ist ja allgemein bekannt, dass sie jederzeit bereit sind, alles hinzuschmeißen und Kinder zu bekommen. Das macht das Ganze so lächerlich, verstehen Sie. Ganz gleich, was diese Leute über Chancengleichheit sagen, die Kinder werden immer die Frauen bekommen.»

«Ja, schon …»

«So will es die Natur. Darum kommt man nicht herum. Nun, woher stammt Ihre Familie?»

«Aus London. Meine Mum ist aus Wisbech.»

«The Fens, ausgezeichnet. Michael ist ein Blauer, wissen Sie, das hat er Ihnen doch bestimmt erzählt?»

«Nein.»

«Muss immer sein Licht unter den Scheffel stellen, das sieht ihm ähnlich. Ein verdammt guter Sportsmann, ein *wet bob*.

War ich zu meiner Zeit auch. Das hat auch Pippa und mich zusammengeführt – Pippa ist meine Frau, wissen Sie –, das und das Spanking.»

Er lachte, brach unvermittelt ab und redete mit leiser, ernster Stimme weiter.

«Ich nehme an, Sie sind … hm, ja … auch ein Fan? Ich meine, da Sie mit Michael befreundet sind?»

Ich hatte keine Ahnung, was ein ‹wet bob› ist oder was er mit Spanking meinte, nahm aber an, es habe wohl etwas mit Sport zu tun. Für alle Fälle nickte ich. Auf einmal lächelte er wieder, ja, er strahlte geradezu.

«Ausgezeichnet, ausgezeichnet! Das höre ich gern. Ich habe gewusst, dass Sie Bottom haben, ha, ha! Hören Sie, äh … ich hoffe, Sie halten mich nicht für aufdringlich oder so, aber zufällig bringen wir die *Harold Jones* nach Norfolk hoch. Sie sollten mitkommen.»

«Harold Jones?»

«Die Yacht. Bloß eine kleine Gesellschaft, versteht sich. Pippa, das ist meine Frau, wie ich bereits sagte. Tilly, ihre Schwester, und Michael. Eigentlich ein Familientreffen, aber Sie sollten mitkommen. Sie sind herzlich eingeladen.»

«Nun ja … ich meine, danke. Es wäre mir natürlich ein Vergnügen, aber sind Sie sicher, dass das in Ordnung ist, wo es sich doch um einen Familienausflug handelt?»

«Auf jeden Fall. Pippa wollte unbedingt dieses mordsgroße Cottage in Hickling Green mieten, da ist jede Menge Platz, und jemanden, der mit anpackt, kann ich immer brauchen.»

«Also … vom Segeln verstehe ich eigentlich nicht viel.»

«Ach, das Nötige werden Sie schnell lernen, solange Sie gegen ein wenig Deckschrubben, Kombüsendienst und ein bisschen Spanking nichts einzuwenden haben.»

Er nahm einen Schluck aus seinem Glas, konzentrierte sich einen Moment lang auf den Wein und sah mich dann erwartungsvoll an. Ich war mir nicht sicher, wovon er eigentlich redete, doch die Aussicht, zusammen mit dem wundervollen Michael einen Segeltörn zu machen, wollte ich mir nicht entgehen lassen.

«Vielen Dank, ich komme mit. Das ist sehr freundlich von Ihnen.»

«Ausgezeichnet. Wir werden ganz bestimmt prächtig miteinander auskommen.

«Wie lange werden wir dort bleiben?»

«Ach, etwa einen Monat, würde ich sagen, um den Sommer zu genießen, bevor die Schulferien anfangen und alles von Touristen überlaufen ist. Wir versuchen, jedes Jahr eine kleine Gesellschaft zusammenzubekommen.»

«Wird Michael die ganze Zeit über da sein? Ich meine, seine Geschäfte …»

«Geschäfte? Das ist wohl eher ein Hobby, schließlich braucht ein Mann eine Aufgabe im Leben. Für die Streitkräfte hatte er nicht viel übrig, und ich nehme an, die Kirche würde ihn nicht haben wollen. Nein, es wundert mich, dass er Sie nicht selbst eingeladen hat. Er ist sehr angetan von Ihnen.»

Nach und nach wurde mir klar, wie reich die Callingtons waren. Obwohl die Weinprobe kostenlos war, hatte Michael einen großen Raum angemietet und öffnete von jedem Wein, den er vorstellte, mindestens zwei Flaschen. Es gab keinerlei Kaufdruck, seine Kunden waren entweder mit ihm befreundet oder in der City beschäftigt. Gastronomen oder Geschäftsleute waren keine zu sehen. Offenbar ging es ihm nicht in erster Linie ums Geld.

Es gab etwa hundert verschiedene Weine, die meisten australischer Herkunft. Im Unterschied zum Großteil der Gäste hatte ich nicht vor, sie alle zu probieren. Und gewiss hatte ich nicht die Absicht, etwas zu kaufen, da meine Beziehung zu Michael schon bald einen steten Nachschub an Spitzenweinen zum Nulltarif sicherstellen würde. Allerdings musste ich ein wenig Interesse heucheln und durfte mich nicht an Michael hängen, damit er mich nicht für eine Klette hielt. Daher trank ich ein Glas vom teuersten und süffigsten der Schaumweine und plauderte mit seinen Kunden.

Das war ein ziemlich langweiliger Haufen. Größtenteils Typen, die er aus den privaten Eliteschulen kannte, andere waren Studienfreunde aus Cambridge oder aber beides zugleich. Sie machten alle einen recht wohlhabenden Eindruck, einige sahen auch gut aus und hätten mich vielleicht interessiert, wäre Michael nicht da gewesen. Was unsere Aussichten betraf, wurde ich immer optimistischer, deshalb wollte ich auf jeden Fall den Eindruck vermeiden, ich sei leicht zu haben. Mich mit einem seiner Freunde abzusetzen kam nicht infrage, nicht einmal Flirten schien ratsam. In gewisser Weise bedauerte ich, mit ihm gefickt zu haben, und hoffte, ich hätte nicht mein ganzes Geheimnis verloren.

Und so zeigte ich mich von meiner besten Seite, höflich, aber kühl gegenüber allen Männern, mit denen ich mich jeweils etwa zehn Minuten lang unterhielt. Dann trat eine junge Frau ein. Übersehen konnte man sie nicht, denn sie schien einer Titelseite von *Vogue* entsprungen – groß gewachsen, dunkelhaarig, anmutig, gekleidet nach der neuesten Kollektion von Firidolfi. Zudem strotzte sie geradezu vor Juwelen, und dabei war sie höchstens ein paar Jahre älter als ich. Cool wie nur was näherte sie sich Michael, küsste ihn und zwickte ihn in die

Wange, eine so beiläufige, intime Geste, dass es dafür nur eine Erklärung geben konnte. Sie war seine Freundin, wenn nicht gar seine Frau.

So etwas tut mir niemand ungestraft an. Um ein Haar wäre ich schnurstracks hinübermarschiert und hätte ihr alles über ihn und mich erzählt und über Chrissy Green noch dazu, um ihm dann ein Glas Rotwein aufs Hemd zu schütten. Ich hatte mich schon in Bewegung gesetzt, musste aber dann an die Wohnung und die Yacht denken und wie beiläufig er Geld ausgab. Sie war bestimmt nicht seine Frau. Seine Wohnung hatte ein Junggesellenflair. Dann musste sie eine Freundin sein oder vielleicht sogar seine Schwester ... Nein, so wurde man nicht von einer Schwester begrüßt, außerdem ruhte seine Hand leicht auf ihrer Schulter, ihrer nackten Schulter. Sie sahen sich auch nicht ähnlich. Sie musste seine Freundin sein, doch im Moment war nicht der richtige Zeitpunkt für eine Standpauke. Als ich näher trat, wandte sie sich mir mit einem strahlenden Lächeln zu.

«Hi, Sie müssen Valentina sein. Ich bin Pippa. Michael hat mir schon viel von Ihnen erzählt. Was für ein reizendes Kleid, und Sie tun recht daran, nicht so viel Schmuck zu tragen. Ich komme mir vollkommen overdressed vor.»

Für einen Moment verschlug es mir die Sprache. Was hatte Michael ihr von mir erzählt? Dass wir uns um den Verstand gevögelt hatten? Unwahrscheinlich, es sei denn, sie waren Swinger und der Mistkerl war darauf aus, uns beide gleichzeitig in sein Bett zu bekommen. Wenn dem so war, würde er noch eine weitere Lektion lernen müssen. Ich teile meine Männer nicht.

Selbst wenn er ihr gerade gesagt hatte, dass ich mit ihm befreundet war, hatte sie gleichwohl Schneid. Sie war höchstens zwei oder drei Jahre älter als ich, redete aber auf mich ein, als wüsste sie nicht ganz genau, dass ich mir das Zeug, mit dem sie behängt war und das sie wahrscheinlich buchstäblich aus Michael herausgesaugt hatte, nicht leisten konnte.

«Aber wieso denn», entgegnete ich. «Schmuck ist wie Wein. Je älter die Flasche, desto besser der Geschmack.»

Sie zuckte leicht zusammen. Michael lachte nervös auf. Ich fuhr aufgeräumt fort.

«Wo wir gerade von altem Wein sprechen, Michael veranstaltet eine Weinprobe für meine Firma, das wird bestimmt großartig. Er hat mir das ganze Angebot gezeigt. So haben wir uns kennen gelernt … in seiner Wohnung.»

«Ja, er hat erwähnt, dass Sie miteinander gearbeitet haben. Ich glaube, Sie sind bestimmt schrecklich klug, wo Sie ständig mit Computern zu tun haben. Ich würde mich dabei bestimmt furchtbar langweilen und ständig grauenhafte Fehler machen.»

«Entschuldigt mich.»

Mit dieser Bemerkung zog Michael sich hastig zurück. Ich rang mir ein Lächeln ab, obwohl ich dem kleinen Flittchen am liebsten die Augen ausgekratzt hätte. Doch ich beherrschte mich und versuchte, mich für ihre Spitzen zu revanchieren.

«Also, ich glaube, heutzutage sollte eine Frau Karriere machen, wenn sie das Zeug dazu hat. Ich begegne den Männern, die ich kennen lerne, gerne von gleich zu gleich, sonst meinen sie womöglich, ich hätte es bloß auf ihr Geld abgesehen. Sie wissen ja, wie das ist.»

Abermals zuckte sie leicht zusammen, genau wie vorhin. Sie spielte einfach nicht in meiner Liga. Und dann zog sie sich auch schon aus dem ungleichen Kampf zurück.

«Stimmt. Also, ich muss mal schauen, was Malcolm so macht. Eben war er noch da. War nett, Sie kennen gelernt zu haben.»

Sie wandte sich ab. Eins zu null für mich.

Sie zusammenzustauchen war ja gut und schön, doch es ging nicht um ihre Einstellung. Hatte ich Michael eben noch als ernsthaften Bewerber betrachtet, wollte ich ihn nun unbedingt haben. Ich lasse mich von niemandem ungestraft als Gelegenheitsfick abspeisen, und selbst wenn ich mich damit abfinden müsste, dass er im Bett seinen Willen bekam, wäre dies den Einsatz wert. Wenn ich ihn erst einmal fest am Haken hätte, sähe es schon wieder ganz anders aus. Dann würde ich es ihm heimzahlen, langsam und mit Genuss.

Ich wandte mich wieder den Weinen zu. Das Mädchen war verschwunden, und Michael öffnete Flaschen und so weiter. Ich entschied mich für einen Roten und schenkte mir ein großes Glas Shiraz ein, was mir den tadelnden Blick irgendeines Wichtigtuers einbrachte.

An den Wänden hingen Schlachtengemälde, auf denen sich Soldaten gegenseitig umbrachten, und während ich meine Lage überdachte, tat ich so, als betrachtete ich sie. Sie war offenbar seine Freundin, und zwar schon seit geraumer Zeit, den vielen Klunkern nach zu schließen. Mittlerweile war sie ihm bestimmt langweilig geworden, sonst hätte er sich nicht mit Chrissy Green abgegeben. Also zeigte die Beziehung erste Risse. Vielleicht war sie ihm ja zu anspruchsvoll? Es sah ganz danach aus, doch ich wünschte, ich hätte mich getäuscht, denn ein großzügiger Mann war mir lieber.

Das brachte mich auf eine neue Idee. Er hatte mir noch keine Geschenke gemacht, nicht ein einziges. Offenbar war es ein Fehler gewesen, ihm so schnell nachzugeben. Ich hätte ihn warten lassen sollen, denn jetzt glaubte er bestimmt, ich sei leicht zu haben. Nun, so würde es nicht bleiben. Bevor er auch nur einen Blick auf meine Brüste werfen dürfte, würde ich …

Nein, so würde es nicht laufen. Das war offenbar ihr Spiel, und er wollte etwas anderes. Das schien logisch und erklärte auch, weshalb er Chrissy Green gebumst hatte. Anders war sie gewiss. Zum einen war sie eine Schlampe und hätte nicht im Traum daran gedacht, ihm etwas vorzuenthalten, um einen Vorteil daraus zu ziehen. Außerdem war sie billig, nicht bloß was den Sex angeht, sondern überhaupt. Ihre Vorstellung von einem Geschenk war ein Blumenstrauß und eine Tafel Schokolade aus dem Supermarkt. Ihre Vorstellung vom Ausgehen erschöpfte sich darin, ins Kino zu gehen, eine Currywurst zu essen und auf dem Rücksitz eines Wagens zu bumsen.

Ich würde mich nicht wie sie verhalten, um keinen Preis. Für Michael war ich bereit, vieles in Kauf zu nehmen, doch es gibt Grenzen. Damit, dass er oben war und schmutzige Sachen machte, konnte ich mich abfinden. Eine Zeit lang würde ich auch ohne anständige Geschenke auskommen. Auf diese Weise würde er bald erkennen, dass ich etwas Besseres bin, und nicht lange, und er wäre so anhänglich wie ein junger Hund, wie alle anderen, und seine Freundin wäre Geschichte. Bis dahin würde ich den Sonnenschein spielen.

Es war unmöglich, Malcolm Callington nicht zu mögen. Er war ein wenig barsch, und ich merkte, dass er mich oder zumindest meine Brust mochte, doch er hielt sich zurück und blieb höflich und freundlich. Er besaß die gleiche Selbstsicherheit wie sein Sohn, vielleicht sogar ein bisschen mehr davon, und hatte früher bestimmt ebenso gut ausgesehen wie Michael. Ich musste zugeben, dass ich unter anderen Umständen, wenn er nicht verheiratet und ich nicht scharf auf seinen Sohn gewesen wäre, vielleicht, nur vielleicht, Interesse bekundet hätte.

Valentinas Reaktion konnte ich mir mühelos vorstellen. Sie

würde mich gnadenlos damit aufziehen, dass ich mit einem älteren Mann ginge, doch ich kenne sie so gut, dass ich ihr die unterschwellige Eifersucht anmerken würde. Außerdem wäre es meine Wahl gewesen, während sie gern die Männer für mich aussucht, zumindest behauptet sie immer, die, die ich selbst auswähle, seien vollkommen unmöglich. Und er gehörte der Oberschicht an, was sie bestimmt wurmen würde.

Er trank wie ein Loch, anfangs Schaumwein, dann Burgunder, eine halbe Flasche süßes, klebriges Zeug zum Nachtisch und anschließend einen großen Brandy. Ich nehme an, ich hatte etwa die Hälfte davon abbekommen, denn jedes Mal, wenn mein Glas sich leerte, schenkte er großzügig nach. Beim Aufbruch war ich mehr als beschwipst. Als er mich beim Arm fasste, ließ ich ihn gewähren. Einerseits handelte es sich sicherlich bloß um altmodische Höflichkeit, andererseits war ich froh, mich an ihm festhalten zu können.

Als wir am ‹Home and Colonial› ankamen, war die Weinprobe beendet. Valentina war nirgendwo zu sehen, Michael aber stand auf dem Gehsteig und unterhielt sich mit einem sehr hübschen dunkelhaarigen Mädchen im Pelzmantel. Es versetzte mir einen Stich, sie so nahe beieinander stehen zu sehen, doch als Malcolm uns vorstellte, kam ich mir dumm vor.

«Ah, da bist du ja, Pippa. Christina, ich möchte Ihnen Pippa vorstellen, meine Frau. Pippa, das ist Christina. Der sture Bock wollte sie nicht reinlassen, da hab ich sie im Club zu einem kleinen Essen eingeladen. Michael, dass du die Hübschen immer vor uns verstecken musst!»

Mit einem leichten Schlag auf den Po schob er mich Michael entgegen. Ich meinte, ein besitzergreifendes Funkeln in Michaels Augen wahrzunehmen, dann erwiderte er: «Ich hatte mich schon gefragt, wo du abgeblieben bist, Chrissy. Schön, dass du dich um sie gekümmert hast, Dad.»

«Gern geschehen.»

«Hat Valentina dir nicht erzählt, was passiert ist?», fragte ich.

«Sie hat kein Wort gesagt.»

«Oh. Ist sie noch da?»

«Nein, ich glaube nicht. Ich glaube, sie ist schon gegangen.»

«Oh.»

«Weißt du, wie du nach Hause kommst?»

«Ja … ich meine, das ist kein Problem. Ich wohne in Islington.»

«Es wäre mir ein Vergnügen.»

Malcolm Callington grinste wölfisch, und ich konnte mir denken, was ihm durch den Kopf ging. Pippa war auch nicht besser: Sie zwinkerte mir zu, als sie zu ihrem Wagen gingen, einem tiefroten Jaguar. Ich blieb mit Michael allein zurück, und auf einmal war mir ganz schwindlig vor Erregung und vom Alkohol.

Ich schmiegte mich an ihn. Er wehrte sich nicht, und damit war die Angelegenheit entschieden. Wären nicht so viele Menschen um uns herum gewesen, hätte ich ihn gebeten, mich an Ort und Stelle zu nehmen. Wie die Dinge lagen, gingen wir aber zu seinem Wagen und fuhren in östlicher Richtung, erst an den hellen Lichtern des West Ends vorbei, dann durch ruhigere Straßen. Es war schon eine ganze Weile her, dass ich in einem Auto Sex gehabt hatte, dabei mag ich das köstliche Prickeln, wenn man nicht weiß, ob jemand zuschaut. Ich hätte ihn beinahe gebeten, in eine stille Nebenstraße abzubiegen, doch in der Upper Street wurde es wieder hell und geschäftig, und die Gelegenheit war verstrichen.

«Wohin?»

«Ich dirigiere dich. Bieg in die Essex Road ab.»

Er nickte und gehorchte. Ich musste es tun. Alles andere wäre dumm gewesen. Ich bat ihn, ein-, zweimal abzubiegen. Beim dritten Mal gelangten wir in eine lang gestreckte Straße, die von alten Lagerhäusern und dem Kanal gesäumt wurde. Beim vierten Mal Abbiegen landeten wir in einer Gasse. Ich bat ihn anzuhalten. Er schaute verwundert drein.

«Hier?»

«Ja. Genau richtig.»

Ich hatte mich losgeschnallt und wandte mich ihm lächelnd zu. Er lachte leise in sich hinein, streichelte mir erst die Wange, dann den Hals und die Brüste. Ich seufzte, als er über den Nippel streifte. Meine Bluse ging auf, mein BH verschwand, und dann präsentierte ich ihm und der dunklen Nacht meine bloßen Titten. Er umfasste sie mit den Händen, knetete sie behutsam und fuhr mit den Daumen über die Nippel. Ich schloss genießerisch die Augen, ließ ihn mit meinen Brüsten spielen. Er nahm einen Nippel in den Mund, saugte an der steifen Knospe und reizte die Spitze mit den Zunge. Ich drückte die Brust heraus, presste mein Fleisch in sein Gesicht. Seine Hand fand den Weg zu meiner Hose, knöpfte sie auf und schob sich in meinen französischen Slip.

Ich lag einfach da und schnurrte zufrieden, während er sich an meinen Brüsten verlustierte, mit dem Mund von einer zur anderen wechselte und dabei gleichzeitig meine Muschi liebkoste. Ich wollte seinen Schwanz, vor allem aber wollte ich mich hingeben, ihn vollständig gewähren lassen, denn ich wusste, er würde sich Zeit lassen und mich zum Höhepunkt bringen.

Er hatte tatsächlich keine Eile. Mir wurde erst bewusst, dass er seinen Gürtel gelöst hatte, als er einen Teil seines Gewichts auf mich verlagerte. Dann kippte meine Sitzlehne langsam nach hinten, und seine Küsse wurden leidenschaftlicher. Er masturbierte mich, steckte mir kurz den Zeigefinger in die Möse, bis er den Kitzler gefunden hatte. Ich legte die Arme um ihn und hielt ihn umschlungen, während er mit mir spielte und mich dem Orgasmus immer näher brachte.

Als dieser einsetzte, kam es mir so plötzlich und gut, so lange und intensiv, dass ich mich ganz außer mir an ihn presste, während er an Titten und Möse seinen Zauber wirken ließ. Im Moment der größten Lust presste er seinen Mund auf den meinen und küsste mich leidenschaftlich, während mein Höhepunkt verebbte und ich wohlig und zufrieden auf dem Sitz lag.

Ich hatte gar nicht gemerkt, dass er den Schwanz rausgeholt hatte. Zwischendrin hatte ich die hübsche Vorstellung gehabt, ich würde mich damit revanchieren, dass ich ihn blies. Doch dazu bekam ich gar keine Gelegenheit. Kaum hatte er aufgehört, mich zu küssen, da drehte er mich mit seinen starken Armen auf den Bauch, ehe ich vor Überraschung auch nur quieken konnte.

Im nächsten Moment lag er auf mir, zog Hose und Slip herunter, streichelte und tätschelte meinen Arsch, um in mir das Bedürfnis zu wecken, ihn anzuheben, damit er in mich eindringen konnte. Ich schaffte es nicht, denn ich konnte mich aufgrund seines Gewichts nicht rühren, doch das machte es nur noch besser und steigerte meine Erregung. Seine Liebkosungen wurden heftiger, die Schläge auf den Po fester, bis ich mich zu fragen begann, ob er vielleicht pervers sei und mich züchtigen wolle.

Dann hielt er unvermittelt inne, und sein harter, heißer Schwanz zwängte sich zwischen meine nackten Pobacken. Ich war nass von meinem eigenen Saft, und als er die Eichel für einen Moment gegen mein Arschloch drückte, fürchtete ich schon, er wolle mich dort ficken. Ich quiekte protestierend, doch da war er schon ein Stück tiefer gerutscht, und das Quieken ging in ein Keuchen über, als er meine Möse mit seinem Schwanz ausfüllte.

Er fickte mich, stieß rasend schnell in mich hinein, sein straffer, muskulöser Bauch klatschte gegen meine Pobacken, als würde ich tatsächlich gezüchtigt. Ich bekam keine Luft mehr, keuchte in das Sitzpolster und dachte daran, wie er mich zum Orgasmus gebracht hatte, welche Stellung wir einnahmen und welchen Anblick wir böten, wenn uns jemand sähe. Ich war oben und unten nackt, meine Titten wurden am Polster zusammengequetscht, die Hose war unten, der Slip hing mir auf den Schenkeln. Er war in mir drin und fickte mich, der Mann, der mich hatte kommen lassen, der Mann, der so wundervoll mit meinem Körper spielte. Als ich mir wünschte, jemand sähe uns und dass dies Valentina wäre, zog er plötzlich den Schwanz aus mir heraus und benetzte meine Pospalte mit heißem Sperma.

Ich konnte nicht mehr klar denken. Als er sein Gewicht von mir nahm, reckte ich den Arsch. Ich fasste mir an die Möse und masturbierte, rieb mich hektisch, lag nackt, geil, wollüstig vor ihm und jedem, der uns zuschauen mochte, solange sie nur wussten, dass ich zu ihm gehörte. Als ich kam, schrie ich in absoluter Ekstase seinen Namen heraus, berauscht von meiner Vorstellung, vom Ficken, von Michael.

KAPITEL *VIER*

Das einzig Vernünftige, was ich tun konnte, war, vor dem Ende der Weinprobe zu gehen. Ich hätte Michael zwingen können, sich zu entscheiden, wen von uns beiden er nach Hause begleiten wollte, doch das wäre zu riskant gewesen und hätte womöglich nicht das von mir gewünschte Ergebnis erbracht. Deshalb fuhr ich heim.

Ich hatte erwartet, Chrissy würde auf der Straße auf mich warten, doch sie war nicht da. Das war ärgerlich, denn jetzt wäre eine prima Gelegenheit gewesen, ihr behutsam reinen Wein über Michael einzuschenken und mir freie Bahn zu schaffen. Ich hätte sie zu einem Drink eingeladen und ihr von Pippa erzählt. Sie hätte sich aufgeregt, aber da sie ihn nur einmal gebumst hatte, wäre es keine große Sache gewesen. Außerdem war sie es gewohnt, Liebhaber zu verlieren.

Auf diese Weise wäre ich fein heraus gewesen. Wenn Pippa den Laufpass bekäme, würde ich Chrissy gegenüber andeuten können, dass sie teilweise der Anlass gewesen sei. Sie würde mir umso dankbarer sein und sich noch spendabler als sonst zeigen. Dass ich vorher Sex mit Michael gehabt hatte, brauchte sie nicht zu wissen. Das wäre ideal gewesen.

Nicht ideal hingegen war, dass sie nicht auf mich gewartet hatte. Ich kam vor Hunger um, musste mich jedoch mit einem Salat in einer Pizzeria begnügen, bevor ich mit der U-Bahn heimfuhr. Während der Fahrt bemühte ich mich, die Dinge positiv zu sehen, und stellte mir Pippas Gesicht vor, wenn sie erfuhr, dass ich mit Michael zusammen war. Leicht fiel mir das nicht, denn ich war mir ziemlich sicher, dass er sie in diesem Moment in seiner Wohnung bumste, und Chrissys Geplapper hätte mich auf andere Gedanken gebracht.

Zu Hause war es noch schlimmer. Ich sah fern und dachte dabei an Michael und Pippa. Ich war ziemlich scharf und betrunken. Ich erwog sogar, mir einen runterzuholen, doch das wäre zu entwürdigend gewesen, falls die beiden es tatsächlich gerade miteinander trieben. So was überlasse ich lieber Frauen wie Chrissy. Ich habe das nicht nötig.

Ich tat es trotzdem. Ich wollte nicht, doch es war die einzige Möglichkeit einzuschlafen, das Bedürfnis war einfach zu stark. Eine Weile spielte ich nur mit meinen Brüsten und sagte mir, dass ich irgendwann schon einschlafen würde. Ich tat es nicht, und bald darauf gab ich nach. Ich schloss die Augen, schob die Finger in den Slip und rieb mich, während ich mir vorstellte, wie es sich mit ihm angefühlt hatte, auf ihm, sein Schwanz in mir drin, auf ihm reitend …

Meine Erregung wuchs rasch, ich hob die Schenkel, spreizte sie und versenkte mehrere Finger in meiner Möse, ehe ich mich wieder dem Kitzler zuwandte. Ich war im Begriff zu kommen und hatte den Kopf voller schmutziger Gedanken: Ich stellte mir vor, wie ich ihn geritten hatte, wie er mich entkleidet hatte, wie ich ihn dazu gebracht hatte, mich zu verwöhnen, wie er mich genommen, mich umgedreht hatte, in mich eingedrungen war, mich leidenschaftlich gefickt und mit seinem Schwanz zum Orgasmus gebracht hatte, und dann war es mit meiner Selbstbeherrschung endgültig vorbei. Als ich kam, schimpfte ich ihn einen Mistkerl, denn selbst auf dem Höhepunkt musste ich daran denken, was er in diesem Moment wahrscheinlich mit Pippa trieb, was mich wütend machte und beschämte. Vor dem Einschlafen war mein Denken beherrscht von einem einzigen Gedanken. Ich musste mich wieder mit Michael treffen, und zwar bald.

Wenn ich hinsichtlich Michael noch schwankend gewesen war, so war ich mir jetzt sicher. Ich war verliebt.

Er hatte mich nicht nach Hause gebracht. Er war mit in meine Wohnung gekommen. Der Rest der Nacht war ein Traum gewesen. Ich weiß nicht mehr, wie oft wir uns liebten, Michael stets energisch, aber zärtlich, stets dominant, aber voller Rücksichtnahme auf meine Bedürfnisse. Mit seinen Fingern, seiner Zunge und vor allem seinem wundervollen, wunderschönen Schwanz verschaffte er mir mehr Orgasmen, als ich in einem ganzen Jahr gehabt hatte – die Höhepunkte, die ich mir selbst verschafft hatte, mal außer Acht gelassen. Bei ihm gab es keine Grenze. Ich tat es nackt, bei voller Beleuchtung, auf dem Rücken, auf der Seite, vorgebeugt, aber vor allem auf allen vieren vor ihm kniend, mit hochgerecktem Arsch, was mich zum Kichern brachte, weil es so wundervoll geil war. Sein Standvermögen war beispiellos, und er wurde immer wieder steif.

Als ich schließlich einschlief, ruhte mein Kopf auf seiner Brust, und er hatte den Arm um mich gelegt. Es wurde bereits hell, und ich schlief zufrieden bis gegen Mittag. Normalerweise bin ich kein Morgentyp, doch als er meine Hand behutsam zu seinem bereits steifen Schwanz leitete, gab ich seinem Verlangen bereitwillig nach. Ich steckte den Kopf unter die Bettdecke, nahm ihn in den Mund und lutschte ihn, bis er kam, dann schluckte ich.

Bedauerlicherweise musste er nach der Weinprobe noch aufräumen, weshalb er nur einen Kaffee trank und dann ging. Anschließend schwebte ich im siebten Himmel, und erst als sein Wagen davonfuhr, fiel mir ein, dass ich ganz vergessen hatte, ihm zu erzählen, dass ich auf die Yacht eingeladen worden war. Ich beschloss, ihn damit zu überraschen.

Ich wollte der ganzen Welt von meinem Glück erzählen, vor allem aber Valentina. Ich konnte mir denken, wie es nach der Weinprobe bei ihr weitergegangen war. Sie war bestimmt mit einem gut aussehenden Mann nach Hause gegangen. Das war schon häufig passiert, wenn wir miteinander ausgegangen waren, während ich am Ende allein geblieben war. Diesmal war es mir egal. Ich hatte das Gleiche getan wie sie, und zwar mit dem besten Mann, der zu finden gewesen war.

Es war nicht ratsam, sie auf der Arbeit anzurufen, denn sie hatte dann wenig Zeit, da die Firma bezüglich privater Anrufe sehr strenge Regeln hatte. Deshalb rief ich sie am Abend an und stellte fest, dass sie ebenso mitteilungsbedürftig war wie ich.

«Valentina, hi. Hier ist Chrissy.»

«Chrissy, hi. Wo bist du denn gestern Abend abgeblieben? Was ist passiert?»

«Etwas Wundervolles, das ist passiert. Nach der Weinprobe hab ich Michael getroffen. Ich war mit ihm zusammen, die ganze Nacht.»

«Mit Michael? Mit Michael Callington?»

«Genau dem. Val, es war wundervoll. Er ist ein wirklich toller Liebhaber, so liebevoll und geil. Du kannst dir gar nicht vorstellen, was er alles angestellt hat! Zuerst haben wir es im Wagen getrieben, so scharf war er. In meiner Wohnung schlug ich vor, Kaffee zu machen, und da hob er mich einfach hoch, setzte mich auf den Küchentisch und nahm mich an Ort und Stelle. Er ist ja so stark! Er hob mich hoch, als wär ich federleicht! Im Bad hat er es dann wieder gemacht, ich aufs Klo gestützt, richtig derb! Und im Bett … Ach, Val, er war ja so toll im Bett.

Er ist ganz vernarrt in meinen Körper, und er liebt meinen Po! Ich weiß gar nicht, wie oft wir es gemacht haben, aber jedenfalls bin ich noch nie so oft in einer Nacht gekommen. Val, er ist einfach wundervoll, der Beste, einfach der Beste. Bin ich nicht das glücklichste Mädchen auf der Welt?»

Sie sagte nichts, was mich keineswegs störte. Ich wollte sie nicht ärgern, aber ich hatte immer, bei jeder Gelegenheit, hinter ihr zurückstehen müssen, und jetzt war ich endlich mit einem tollen Mann zusammen, bei dem sie bestimmt nicht würde abstreiten können, dass er allererste Wahl war. Ich fuhr fort.

«Außerdem wurde ich zu einem Ausflug nach Norfolk eingeladen. Wir fahren mit der Yacht seines Vaters hin, mit der *Harold Jones*, nächstes Wochenende, bloß weiß er das noch nicht, also verrat ihm nichts, wenn er für euch die Weinprobe veranstaltet. Ich möchte ihn überraschen. Die Familie hat dort ein Cottage, in Hickling Green, und wir werden auf der Yacht und im Haus zusammen sein, die ganze Zeit. Es ist ja so romantisch! Du musst mich begleiten und bei der Auswahl eines Badeanzugs beraten. Ich hab schon seit Jahren keinen neuen mehr gekauft. Glaubst du, Rot steht mir, oder –»

Sie fiel mir ins Wort.

«Tut mir Leid, Chrissy. Ich würde ja gern mit dir reden, aber ich muss Schluss machen. Ich fühl mich nicht gut.»

Sie legte auf. Einen Moment lang stand ich enttäuscht mit dem Hörer in der Hand da, doch es dauerte nicht lange, da fiel mir die Nummer einer anderen Freundin ein.

Dass sie Michael Callington fickte und mir alles brühwarm auftischte, war einfach zu viel für mich. Daher schützte ich Unwohlsein vor und legte auf. Was sie erzählt hatte, reichte tatsächlich aus, mir den Appetit zu verderben. Ich meine, Chrissy Green fickte Michael Callington, während ich mir im Bett, an ihn denkend, einen runterholte!

So etwas sah vielleicht ihr ähnlich, aber nicht mir, Valentina de Lacy. Sie war so verknallt in ihn wie ein Teenager in einen pickligen Schuljungen; einfach jämmerlich. Bloß war das kein Schuljunge, und er war auch nicht picklig: Es ging um Michael Callington. Mir vorzustellen, dass er es mit Pippa trieb, war schon schlimm genug, aber mit Chrissy war es einfach unerträglich. Ich meine, wie kam er bloß dazu? Welchen Grund hatte er, sie zu begehren, nachdem er mich gehabt hatte? Okay, ich war gegangen, und vielleicht war es bloß ein Fall von ‹Im Sturm läuft ein Schiff jeden Hafen an› oder ‹Im Suff sind alle Fotzen gleich›, wie es einer ihrer gewöhnlichen Exlover mal ausgedrückt hatte.

Damit, dass er sie mal eben im Wagen fickte, hätte ich mich abfinden können. Ihren Worten zufolge hatte er sie im Wagen und in der Küche gefickt. Er hatte sie ... nein, gefickt war das falsche Wort. Es gab ein besseres – aufgespießt. Aufgespießt passte zu Chrissy. Sie war eine Sau – eine kleine, dicke, geile Sau.

Sie hatte ihn nicht verdient. Er bedeutete ihr nicht einmal etwas, jedenfalls nicht so viel wie mir. Ich meine, es gibt doch gewisse Grundregeln, an die wir uns alle halten müssen, sonst herrscht Chaos. Manche Menschen sind attraktiver als andere; so wurden sie eben erschaffen. Manche sind ein Volltreffer, andere eine Null. Auf einer Skala von eins bis zehn war Michael Callington eine Neun ... nein, er war eine Zehn, keine Frage. Chrissy Green war vielleicht eine Fünf, Durchschnitt ... nein, eher eine Vier. Vier und Zehn passten nicht zusammen.

Das hatte ich ihr schon so oft erklärt, sie aber wollte es einfach nicht wahrhaben. Ihre Beziehungen endeten stets in einer

Katastrophe, und diesmal würde es nicht anders sein. Meine Stimmung vermochte das jedoch nicht zu heben. Eher fühlte ich mich noch schlechter, denn ich würde am Ende wie immer die Scherben aufsammeln müssen.

Eines aber wusste ich mit Bestimmtheit: Ihretwegen würde er Pippa nicht verlassen. Eigentlich hatte ich ihr das sagen wollen, und das wär's dann gewesen. Sie wäre mit einem lauten, matschigen Knall auf dem Boden der Realität gelandet, geradewegs auf ihrem fetten Hinterteil. Jetzt aber war ich mir nicht mehr so sicher. Nein, ich würde ihr nichts erzählen. Ich würde zusehen, wie sie sich noch tiefer verstrickte, damit sie die Lektion diesmal begriff. Es würde einige Schauspielerei meinerseits erfordern, doch das war es mir wert.

Es sollte mich auch nicht daran hindern, meinerseits mit Michael herumzumachen. Ich meine, bloß weil die dumme kleine Sau sich zum Narren machen wollte, brauchte ich doch nicht zurückzustehen, oder? Mich traf keine Schuld!

Also rief ich Michael an. Da ich wusste, dass er nicht nur Pippa, sondern auch Chrissy hinter meinem Rücken bumste, fiel es mir schwer, einen freundlichen Ton anzuschlagen, doch ich schaffte es. Die Firmenweinprobe sollte am Donnerstag stattfinden, doch so lange wollte ich nicht warten und schlug deshalb ein Treffen am Dienstag vor. Er willigte ohne das geringste Schwanken in der Stimme ein.

Er war ein richtiger Scheißkerl. Ich meine, er hielt es anscheinend für vollkommen in Ordnung, drei Freundinnen gleichzeitig zu haben – ob es noch mehr waren, wusste ich nicht. Ich nehme an, er war es gewohnt, dass die Frauen aufgrund seines Aussehens auf ihn flogen, doch das war noch lange kein Grund, ein solches Schwein zu sein! Aber so sind die Männer eben.

Die Verabredung lief gut. Wir speisten im La Tournelle und wollten anschließend bei ihm der Leidenschaft frönen – zumindest nahm ich das an, bis er den Wagen im East End in irgendeinem abgelegenen Gewerbegebiet parkte. Seine Absicht war klar. Er hatte Chrissy im Wagen gefickt. Jetzt war ich an der Reihe.

Das war gar nicht gut. Es war schon lange, sehr lange her, dass ich Sex im Auto gehabt hatte, mindestens drei Jahre. Dazu war es nur deshalb gekommen, weil wir nicht gewusst hatten, wohin wir sonst hätten gehen sollen. Sex im Wagen ist unbequem und würdelos, und man kann davon ausgehen, dass immer irgendein Schmutzfink im Gebüsch versteckt ist, der sich dabei einen runterholt.

Hier gab es kein Gebüsch, doch das war auch der einzige Pluspunkt. Als ich unter dem Rock den Slip abstreifte, fühlte ich mich mies und hatte Angst, jemand könnte vorbeikommen. Es war genau der richtige Ort für einen Quickie im Stehen an der Wand – etwas, das ich nicht ausstehen kann. Denkbar war auch, dass sich hier Betrunkene erleichterten oder dass regelmäßig die Polizei vorbeischaut.

Trotzdem konnte ich mich nicht weigern, denn schließlich hatte Chrissy es hier mit ihm getrieben. Pippa wahrscheinlich auch, und ich wusste bereits, dass er nicht der Typ war, den eine Frau mal eben auf die Schnelle Respekt lehren konnte. Dann würde er seine Wahl treffen, und wenn ich seine Auserwählte sein wollte …

Also zog ich den Slip aus, machte mich über seinen Schwanz her und lutschte ihn eifrig; die Liegesitze boten uns ausreichend Platz. Ich wollte, dass es schnell ging, deshalb spielte ich mit mir, bemühte mich aber, nicht zu viel zu zeigen, und zog den Rock gerade so weit hoch, dass ich mit der Hand herankam. Peinlicherweise war ich triefnass, doch das machte es mir zumindest leichter.

Ihm gefiel das offenbar, denn er wurde im Handumdrehen steinhart. Das brachte mich auf die Idee, ihn in meinem Mund kommen zu lassen, um es schnell hinter mich zu bringen. Ich spitzte die Lippen und bearbeitete die Eichel, was die meisten Männer in Sekundenschnelle kommen lässt. Für Michael Callington galt das nicht. Er stöhnte nur lustvoll und streichelte mich im Nacken.

Es wäre ganz, ganz leicht gewesen, mich gehen zu lassen, mit einem großen Schwanz im Mund und dem Finger an der Möse. Allein die ständigen Beleuchtungswechsel außerhalb des Wagens hielten mich davon ab, denn jedes Mal, wenn das Lichtmuster wechselte, schaute ich hoch, da ich erwartete, ein grinsender Perverser oder ein Streifenpolizist würde zu uns hereinschauen.

Michael störte sich nicht daran, sondern genoss meine Bemühungen, ihn zum Kommen zu bringen, machte aber keinerlei Anstalten, der Aufforderung Folge zu leisten. Schließlich gab ich es auf und legte mich zurück, lächelte ihn an und spreizte nach einem nervösen Blick aus dem Fenster die Schenkel. Er erwiderte mein Lächeln, hob mich hoch und pflanzte mich einfach auf seinen Schwanz.

Ich wollte protestieren, doch meine Möse war ausgefüllt, ehe ich auch nur ein Wort herausbrachte. Er war so stark, dass er mich wie eine Puppe hochheben und mich auf sich setzen konnte. Dabei streifte er mir den Rock hoch, sodass ich eine fürchterlich peinliche Stellung einnahm, den nackten Hintern hochgereckt, die Backen gespreizt. Sogleich begann er sich zu bewegen, was sich gut anfühlte, doch ich hatte Mühe mitzuhalten. Und die ganze Zeit über fürchtete ich, jemand könnte durch die Windschutzscheibe spähen und mich sehen. Nicht bloß meinen nackten Po, sondern auch alles andere, das Arschloch und vor allem, wie sich sein großer, dicker Schwanz zwischen den Schamlippen raus- und reinbewegte.

Doch daran konnte ich nichts ändern. Er hielt mich fest, knabberte an meinem Hals und fickte mich mit kurzen, harten Stößen, immer weiter, bis ich ganz benommen war. Schließlich barg ich das Gesicht an seiner Schulter, während in meinem Innern Verlegenheit und Lust miteinander wetteiferten. Zumindest würde sich keiner meiner Bekannten in diese Gegend verirren und mich ertappen.

Als er innehielt und nach seinem Schwanz langte, wusste ich genau, was er vorhatte. Ich konnte mich nicht mehr beherrschen. Ich reckte den Arsch noch höher, brachte ihn in eine noch kompromittierendere Position, falls das überhaupt möglich war, und er drückte die Eichel an meine Möse und rieb sie daran. Benommen vor Lust klammerte ich mich an ihn. Ich wollte genommen werden, so sehr, dass ich wollte, ein anderer Mann klettere über mich, schöbe mir wie Michael den Rock hoch, fülle mich im Moment des Orgasmus aus und bediene sich wie Michael meines Arschs.

Ich konnte nicht mehr an mich halten. Als es mir kam, stellte ich mir vor, von einem Polizisten ertappt zu werden, von einem jungen, geilen Polizisten, der einen hochgereckten Arsch und eine weit offene Möse der Pflichterfüllung vorzog. Er würde die Tür öffnen und mich besteigen, ehe wir reagieren könnten, mich einfach ficken, fest und tief, während Michael mich mit seinem Schwanz zum Kommen brächte … nein, er würde mich in den Arsch ficken, meine Stellung und meine hilflose Erregung ausnutzen, ein Wildfremder, der mich auf die denkbar schmutzigste Art und Weise nähme.

Als ich kam, schrie ich auf, dann biss ich in Michaels Jacke, versuchte mich zu beherrschen. Es war aussichtslos. Ich wackelte mit dem Po, rieb mich ebenso an ihm wie er sich an mir, während mir immer wieder durch den Kopf ging, wie leicht es in dieser Stellung doch wäre, mich in den Arsch zu ficken.

Es war ein guter Orgasmus, richtig toll, doch kaum war er vorbei, da kehrte auch schon wieder meine Angst zurück. Ich richtete mich auf; ob er noch kommen wollte, war mir egal. Als ich den Slip hochzog, stellte ich fest, dass er bereits gekommen war. Beim Hinsetzen wurde es noch schlimmer. Mein Slip war dermaßen voller Saft, dass ich das Gefühl hatte, ich hätte mir in die Hose gemacht. Der Rock und die Bluse waren verrutscht, sodass ich mich richtig unbehaglich fühlte.

Irgendwie schaffte ich es im Wagen nicht, meine Kleidung zu richten. Draußen war es recht dunkel, einzig eine trübe orangefarbene Straßenlaterne brannte in zehn Meter Entfernung, und da wir bislang noch niemanden gesehen hatten, riskierte ich es, auszusteigen. Ich zog gerade den zweiten Strumpf hoch, als direkt neben mir eine Gestalt aus einem Eingang hervortrat. Mein Herz raste und beruhigte sich nur wenig, als ich sah, dass es sich um eine Frau handelte.

Ihre Profession war nicht zu übersehen. Minirock aus rotem Leder, Netzstrümpfe, Stöckelschuhe und eine schwarze Lederjacke, deren Reißverschluss bis zum Brustansatz geöffnet war. Sie hatte eine Menge blond gefärbtes Haar, eine Menge Schminke im Gesicht und eine Menge Selbstbewusstsein. Sie sprach mich an.

«Hab ich mich also doch nicht getäuscht, als ich deinen Arsch nicht erkannt hab. Du schaffst gerade an?»

Ich konnte mir denken, was sie meinte. Vor Empörung verschlug es mir die Sprache, und das Blut schoss mir ins Gesicht. Sie fuhr fort: «Wie viel nimmst du für die bizarre Nummer?»

«Ich … nein, ich bin keine …»

Es war sinnlos. Ich konnte kaum sprechen, außerdem hätte ich meine Gefühle sowieso nicht in Worte fassen können. Sie hielt mich für ein Callgirl, eine Nutte. Sie hatte meinen nackten Arsch gesehen, hatte gesehen, wie Michael mich gefickt und auf mir gekommen war.

Es war unerträglich. Als ich wieder einstieg, war mein Gesicht so heiß, dass ich meinte, ich würde in Flammen aufgehen. Michael hatte seine Kleidung mittlerweile wieder gerichtet und kurbelte gerade die Sitzlehnen hoch. Er lachte. Offenbar fand er das lustig. «Fahr los!», fauchte ich ihn an.

Als ich die Tür zuschlug, tönte mir die Stimme der Prostituierten im Ohr.

«Zu gut für uns, wie? Hochnäsige Schlampe!»

Sie spuckte mitten auf die Windschutzscheibe, als Michael gerade die Kupplung kommen ließ. Er musste wenden, und während er manövrierte, beschimpfte sie uns, belegte mich mit einer ganze Latte von Schimpfnamen und lachte mich aus. Ihre letzte Bemerkung schrie sie mit sich überschlagender Stimme, und damit traf sie mich bis ins Mark.

«Deine Fotze sieht mit einem Schwanz drin auch nicht besser aus als meine, du blasierte Kuh!»

Sie hatte alles mitangesehen. Vielleicht hatte sie uns sogar von Anfang an beobachtet, hatte gesehen, wie ich gefickt hatte und gekommen war. Das war demütigend, doch Michael fand es bloß lustig, betrachtete das Ganze als einen Witz. Er versuchte, es auf die leichte Schulter zu nehmen, sah aber schließlich ein, dass ich nicht reden wollte.

Trotzdem fuhr er zu seiner Wohnung, ohne mich auch nur zu

fragen, ob ich vielleicht nach Hause wollte. Ich war wie betäubt und brauchte dringend einen Drink. Daher fand ich mich damit ab, felsenfest entschlossen, nach allem, was mir dieser Mistkerl angetan hatte, nie wieder Sex mit ihm zu haben.

Wenn ich schlechte Laune habe, möchte ich, dass meine Umgebung das mitbekommt und mich in Ruhe lässt. Ich wollte, dass Michael mir einen großen Brandy einschenkte und mich meinen Gedanken überließ, in Reichweite, falls ich ihn brauchte, aber ansonsten unsichtbar. Stattdessen tat er etwa vier Spritzer Brandy in ein Glas und schenkte sich dann selbst eins ein. Anstatt zerknirscht zu sein, schlug er vor, auf den Balkon zu gehen. Ich schüttelte den Kopf und gab ihm zu verstehen, dass ich von ihm erwartete, er würde auf meine Gefühle Rücksicht nehmen. Daraufhin zuckte er die Schultern und ging ins Schlafzimmer.

Das war nun wirklich ein starkes Stück. Er nahm meine Gefühle einfach nicht ernst und tat so, als wäre es eine Kleinigkeit, dass uns eine Nutte beim Bumsen zugesehen und mich für ein Callgirl gehalten hatte. Ausgerechnet mich! Bedauerlicherweise erinnerte mich eine Stimme im Hinterkopf daran, wie wohlhabend er war und dass er es mit Pippa und Chrissy trieb. Wäre Chrissy mit ihm das Gleiche passiert wie mir, hätte sie darüber gelacht, die kleine Schlampe. Schließlich stellte ich meinen verletzten Stolz hintan und trat zu ihm auf den Balkon hinaus. Er betrachtete die Yacht.

«Wunderschön, nicht wahr?»

Das war die Gelegenheit, seinen Urlaub zu Sprache zu bringen, ohne erkennen zu lassen, dass ich bereits davon wusste. Ich pflichtete ihm bei.

«Ja, wunderschön. Ich nehme an, du hast nicht viel Zeit, damit zu segeln?»

«Ach, eigentlich schon. Am Wochenende segeln wir zufällig nach Norfolk.»

«Nach Norfolk?»

«Ja, wir segeln gemächlich die Küste entlang, dann bleiben wir ein paar Wochen in den Broads, bis es dort zu überlaufen ist.»

«Ein paar Wochen? Und was ist mit deinem Geschäft?»

«Ach, darum kann sich Graham kümmern. Im Sommer mache ich gern eine Weile Urlaub.»

So reich war er also.

«Das klingt wundervoll. So romantisch.»

Ich rückte näher an ihn heran, presste mich an ihn. Er legte den Arm um mich. Eigentlich hätte er auf den Köder anspringen sollen, stattdessen nippte er am Brandy und lachte.

«Romantisch wohl kaum, das ist nicht Daddys Art. Da heißt es, alle mit anpacken, und wehe, jemand macht einen Fehler! Segelst du?»

«Nein. Ich werde leicht seekrank.»

«Schade. Aber du würdest dich schon dran gewöhnen. Jedenfalls scheinst du mir nicht der Typ zu sein, der es auf die harte Tour mag.»

«Das stimmt. Ich mag's lieber sanft, auf die weibliche Tour.»

«Pippa kann es gar nicht hart genug sein.»

Das war zu viel. Er konnte nicht von mir erwarten, dass ich dazu schwieg.

«Michael. Findest du es in Ordnung, Pippa zu erwähnen, nachdem wir uns gerade erst geliebt haben?»

Er musterte mich verdutzt, als wäre es die natürlichste Sache der Welt, mit der einen Freundin intime Details über die andere auszutauschen. Das schickte sich einfach nicht. Aber vielleicht war sie ja doch seine Schwester oder eine Ex. Ich wollte es wissen, wollte mich aber auch nicht zum Narren machen oder ihn unter Druck setzen. Valentinas Regeln für den Umgang mit Männern, Kapitel ‹Rivalen›: Wer Druck macht, wird fallen gelassen.

«Sie ist wunderschön.»

Seine Erwiderung gab mir den Rest.

«Sie sieht hinreißend aus, das stimmt, und man kann viel Spaß mit ihr haben. Ihr beide solltet euch mal richtig kennen lernen. Sie wird bei dem Törn auch dabei sein. Vielleicht möchtest du ja mitkommen?»

Niemand bezeichnet seine eigene Schwester als hinreißend … na ja, jedenfalls würden das nur wenige tun. Es klang auch nicht so, als rede er von einer Ex. Mein anfänglicher Verdacht hatte sich bestätigt. Sie waren Swinger und wollten, dass ich mitmachte, mit ihnen ‹gemächlich an der Küste entlangsegelte›, nur wir drei … nein, wir vier, denn Chrissy würde ebenfalls mitkommen. Das setzte dem Fass die Krone auf. Ich meine, der Mann hatte wirklich Mumm! Nicht genug, dass er mich mit seiner verdorbenen Freundin zu verkuppeln suchte, er wollte auch noch Chrissy einspannen. Also, wenn er auch nur einen Moment geglaubt haben sollte, dass ich bei so etwas mitmachen würde, dann würde ich ihn eines Besseren belehren. Ich setzte gerade zu einer Bemerkung an, da klappte ich den Mund wieder zu, als mir auf einmal einfiel, dass Chrissy gesagt hatte, ihre Teilnahme an dem Törn solle eine Überraschung sein.

Gruppensex würde ich nicht mitmachen, hegte aber den bösen Verdacht, Chrissy werde nichts dagegen einzuwenden haben. Nicht dass sie schon Erfahrung damit gehabt hätte, doch es stand außer Frage, dass es sie anmachte, mich beim Sex zu belauschen und mir sogar dabei zuzuschauen. Vielleicht hatte sie sich ja die ganze Zeit gewünscht, dabei mitzumachen?

Möglich war es schon, denn sie wusste schließlich, wie ich darüber dachte, daher hätte sie mich nie zu fragen gewagt. Sollte Michael mit Pippa und Chrissy einen flotten Dreier veranstalten, könnte ich sehen, wo ich bliebe – nämlich draußen vor der Tür.

Einen Moment lang erwog ich, das ganze traurige Durcheinander zu beenden. Ich könnte Michael sagen, was ich von ihm und seiner verdorbenen Freundin hielt. Ich könnte ihm auch einen Knüppel zwischen die Beine werfen, was seine Pläne mit Chrissy betraf. Bedauerlicherweise kannte ich seine Reaktion bereits – er würde lachen.

Und Pippa ebenso. Ich konnte mir gut vorstellen, wie die beiden, wahrscheinlich im Bett, sich auf meine Kosten über die ganze Angelegenheit lustig machen und sogar behaupten würden, ich sei prüde, weil ich bei ihren perversen Spielchen nicht mitmachen wollte. Das war so ärgerlich, dass ich die Vorstellung nicht ertrug. Doch das war noch nicht alles.

Es gibt weiß Gott nicht viele anständige Männer. Wenn sie gut aussehen, sind sie entweder verheiratet oder geschieden und haben Kinder, oder sie sind schwul oder gar alles zugleich. Und jetzt, da ich endlich geglaubt hatte, den Richtigen gefunden zu haben oder jedenfalls einen, den ich nach meinen Vorstellungen formen konnte, stellte sich heraus, dass er ein Perverser war! Das war ungerecht, aber so leicht gebe ich mich nicht geschlagen.

KAPITEL *FÜNF*

Ich sagte, ich wolle nach Norfolk mitkommen. Was blieb mir anderes übrig?

Das bedeutete nicht, dass ich vorhatte zu segeln, jedenfalls nicht, wenn ich es verhindern konnte. Zunächst einmal musste ich mir freinehmen, konnte dieses Problem jedoch lösen, indem ich mit dem alten, kahlköpfigen Fettsack flirtete, der die Personalabteilung leitet. Zum Glück war er im Unterschied zu Michael ein ganz normaler Mann und Wachs in meinen Händen. Ich bekam zwei Wochen Urlaub, auf Kosten einiger Kollegen, deren Leben sowieso zu langweilig war, als dass es ihnen etwas ausmachen könnte.

Als Nächstes musste ich alles daransetzen, dass Michael mit dem Auto fuhr und die Yacht vergaß. Am Tag der Firmenweinprobe stand endlich mein Plan. Ich hatte ihm bereits gesagt, dass ich leicht seekrank würde; da er wollte, dass ich mitkomme, konnte ich hier nachlegen. Ich würde ihm anbieten, das Cottage für den Besuch vorzubereiten, falls er mich hinführe, eine großzügige Geste, die er zu schätzen wusste. Dann würde ich dort auf ihn und Pippa warten, und alles wäre bereit, zumindest würde er das glauben.

Freitagabends würden wir losfahren, und er würde natürlich über Nacht bleiben. Am Morgen hätte ich ihn dann so weit, dass er mit mir allein bleiben wollte, sonst wäre er mir entglitten. Für mich wäre dies ein großes Opfer, etwas, das ich seit Jahren nicht mehr getan hatte und das meinen Regeln strikt zuwiderlief, obwohl ich es widerwillig auch genoss. Trotzdem wäre es den Einsatz wert. Dessen ungeachtet, was er über Pippas Segelleidenschaft gesagt hatte, schien sie mir nicht eine Type zu sein, die eine 20-Meter-Yacht allein an der Küste von East Anglia entlangsteuert, während Chrissy ihr bestimmt im Weg stehen würde.

Auf diese Weise hätten wir das Cottage allein für uns, Pippa wäre hoffentlich verärgert, dass er sie meinetwegen im Stich gelassen hatte, und Chrissy würde sich wegen Pippa über ihn ärgern. Die Chancen standen gut, dass sie sich gegenseitig in die Haare geraten oder aber miteinander ins Bett gehen würden, um sich zu trösten, was einfach nur komisch wäre.

Sicher, es gab viele Hindernisse, und ich brauchte eine große Portion Glück, doch ich hatte nur wenig in der Hand und musste das Beste daraus machen. Was das Glück betrifft, so war es bislang immer auf meiner Seite gewesen, und sollte es mich diesmal verlassen, musste ich es eben aus eigener Kraft schaffen.

Tatsächlich schien mir das Glück gesonnen. Die Weinprobe war ein großer Erfolg, was mein Ansehen im Büro schlagartig hob. Anschließend hielten die Damen im Büro – angefangen bei dem Mädchen, das die Post verteilt, bis zu unserer einzigen weiblichen Gesellschafterin – Lobreden auf Michael. Ich wich ihm nicht von der Seite und sonnte mich in seinem Glanz.

Er hatte nur sehr wenig getrunken und eine Menge geredet, deshalb war er auf der Heimfahrt nüchtern. Ich war beschwipst, tat aber so, als sei ich regelrecht betrunken, was meinen Vorschlag umso glaubhafter machte. Er schluckte alles, und am nächsten Morgen fuhren wir nach Norfolk, so einfach war das.

Um mit meinem Opfer die maximale Wirkung zu erzielen, hielt ich mich in der Nacht zurück und überließ ihm die

Initiative. Ich zog mich sogar vor ihm aus, keinen vollständigen Striptease, sondern eher ein Necken, was mir einen steifen Schwanz und einen guten Fick auf dem Sofa einbrachte, noch ehe wir überhaupt zu Bett gegangen waren. Im Schlafzimmer nahm er mich ordentlich ran, ich auf dem Rücken, auf den Knien, in Seitenlage und stehend an der Wand, doch ich behielt stets die Kontrolle. Obwohl er bereits in mich eingedrungen war, lutschte ich ihm danach sogar bereitwillig den Schwanz und nahm seine Eier in den Mund, was ich normalerweise nicht tue. Ich verstieß sogar gegen meine eigenen Regeln und ließ ihn kommen. Das war aber den Einsatz wert, verschaffte es mir doch eine Ausrede für eine ausgiebige Säuberungsaktion. Als ich fertig war, schlief er bereits, wodurch ich Gelegenheit bekam, in aller Ruhe sein Handy lahm zu legen.

Das war um drei Uhr morgens, trotzdem stand er frühmorgens gut gelaunt auf, machte sich in der Wohnung zu schaffen und brühte Kaffee. Ich versuchte ihn mit dem Angebot, ihm in aller Ruhe einen zu blasen, wieder ins Bett zu locken, doch darauf ließ er sich nicht ein. Anscheinend wollte er aus irgendeinem Grund rechtzeitig zum Mittagessen in Norfolk sein und erklärte, wir müssten aufbrechen, damit er mein Gepäck abholen könne. Ich war nicht in der Stimmung, mich zu streiten, deshalb ließ ich mich in die Dusche schieben und kleidete mich in Eile an.

Ich hatte bereits fertig gepackt, trödelte jedoch in meiner Wohnung herum, denn ich wollte einen beschäftigten Eindruck machen und Zeit schinden. Dann fuhren wir los. Michael hielt sich an keinerlei Geschwindigkeitsbegrenzung und fuhr den größten Teil der Autobahnstrecke über 180 Stundenkilometer. Zu Mittag waren wir nicht nur in Norfolk, sondern hatten auch schon die Hauptstraße weit hinter uns gelassen und fuhren durch dichten Wald. Unvermittelt hielt er an. Ich ahnte, was kommen würde.

Wir waren an der Einmündung eines Weges zum Stehen gekommen, der tief in den Wald hineinführte. Der Weg war sehr matschig. Es gab die übliche Menge an Bäumen und Grün. Michael schaute umher, als hätte er in einem Designerladen freie Auswahl. Ich unterdrückte ein Seufzen.

«Hierher bin ich manchmal gefahren, als ich noch aufs College ging», sagte er. «Ich glaube, das ist einer der schönsten Orte in ganz England.»

Er streckte die Hand aus. Ich ergriff sie und ließ mich den Weg entlangführen. Ich ahnte, was ihm durch den Kopf ging, Gedanken, die ebenso schmutzig wie romantisch waren. Ich sollte Recht behalten.

«Und sehr abgeschieden. Das ist das Schöne an East Anglia. Es ist niemals überlaufen, von der Küste mal abgesehen, aber wenn man die Augen aufmacht, findet man selbst dort einsame Flecken. Ja, wenn ich Gelegenheit dazu hatte, bin ich immer hierher gekommen …»

Wahrscheinlich mit einer pickeligen Studentin, die er hier, wo niemand ihre Lustschreie hören konnte, um den Verstand gefickt hatte.

«Man kann hier auch wunderbar joggen. Wenn ich laufe, zumal an einem solchen Ort, kann ich immer klarer denken. Fährst du oft aufs Land? Ich nehme an, in deinem Job hast du nicht oft Gelegenheit dazu?»

«Hin und wieder. Ich mag die North Downs, dort gibt es wundervolle Wanderwege.»

Von denen ich nie einen zu Gesicht bekommen hatte. Chrissy hingegen schon, und die hatte mir davon erzählt und mir Dias gezeigt.

«Stimmt, und eine tolle Landschaft. Aber es ist dort nicht so einsam. Hier können wir den ganzen Nachmittag verbringen, ohne gestört zu werden.»

Ich konnte mir denken, an welche Beschäftigung er dabei dachte. Mein Verdacht bestätigte sich.

«Sex im Freien hat seinen besonderen Reiz, meinst du nicht auch?»

«Ja.»

«Es ist so natürlich, und heute ist ein wunderschöner Tag, warm, aber nicht zu heiß.»

«Ja, ganz wundervoll.»

In Wirklichkeit dachte ich an Matsch und feuchtes Gras, Käfer, Mücken und dicke, weiche Raupen. Wenn ich etwas noch weniger ausstehen kann als Sex im Auto, dann ist es Sex im Freien. Man läuft nicht nur Gefahr, dabei überrascht zu werden, es ist auch noch unbequem. Selbst wenn ich oben bin, knie ich doch immer in irgendetwas Widerlichem oder auf einem Ameisennest. Wenn ich unten liege, krabbeln mir die Ameisen zwischen die Pobacken. Das war ein weiterer Minuspunkt meiner Pläne, doch ich tröstete mich dem Gedanken an die bevorstehende gemeinsame Zeit.

Er führte mich tiefer in den Wald hinein, wo zumindest die Gefahr einer Entdeckung äußerst gering war. Wir gelangten zu einer Lichtung, die er offenbar kannte, mit einem dichten, hohen Grasteppich und beschattet von zwei großen Bäumen, ich glaube, es waren Eichen. Es war nicht so schlimm, wie ich erwartet hatte, trotzdem war ich ziemlich sauer, bis er sich auszuziehen begann und meine Hormone sich zu Wort meldeten.

Egal, unter welchen Umständen, es lohnte sich, ihn strippen zu sehen. Er hatte einen wirklich tollen Körper, die Haut glatt und goldbraun, darunter bewegten sich feste Muskeln. Zu wissen, wie stark er war, machte es noch besser, und ich schaute ihm nur zu und ließ den Anblick auf mich wirken, bis er splitternackt im durchbrochenen Sonnenschein vor mir stand.

Ich meinte, er wollte, dass ich mich ebenfalls vor ihm auszog, er aber trat näher und küsste mich. Als sich unsere Münder begegneten, tastete er nach den Knöpfen meiner Bluse. Er löste den ersten, dann den zweiten, bis ich ihn an mich drückte und ihn mit weit offenem Mund küsste, während die harte Beule seines Schwanzes gegen meinen Bauch drückte. Er hielt inne, fasste mich bei den Handgelenken, hob ganz sanft meine Arme hoch und legte mir meine Hände auf den Kopf. Diese dominante Geste weckte meinen inneren Widerstand, dennoch behielt ich die Hände oben und ging auf das Spiel ein.

Er entkleidete mich weiter und küsste die nackte Haut, die er entblößte. Erst kam die Bluse dran, ein Knopf nach dem anderen, während sein Mund langsam von meiner Kehle über die Brüste bis zum Bauch wanderte. Dabei ließ er sich viel Zeit, und als er endlich den Nabel erreichte, wünschte ich, er würde mir Rock und Slip runterreißen und sein Gesicht in meinem Geschlecht vergraben. Er richtete sich jedoch wieder auf, streifte mir behutsam die Bluse von Schultern und Armen und küsste währenddessen jeden Quadratzentimeter Haut.

Der Drang, ihn zu berühren, wurde immer stärker, doch das Spiel begann mir allmählich Spaß zu machen. Ich wusste, wie ich mich fühlen würde, wenn er fertig wäre, und als er mir die Ärmel abgestreift hatte, ließ ich mir die Hände klaglos wieder auf den Kopf legen. Meine Nippel verlangten danach, geküsst zu werden, und ich hoffte, er würde sich als Nächstes den BH vornehmen und sich anschließend wieder nach unten vorarbeiten. Stattdessen öffnete er den Rockverschluss, streifte den Rock hinunter, küsste meine Hüften, meinen Bauch bis zum Rand des Slips und meinen Arsch.

Als seine Zunge die Pofalte entlangwanderte, glaubte ich schon, das wär's gewesen. Sein Schwanz war fast steif, und ich meinte, er werde meinen Oberkörper nach vorn drücken, den Slip beiseiteschieben, mich von hinten lecken und dann ficken. Doch das tat er nicht, sondern begnügte sich damit, meinen Arsch mit der Zunge zu liebkosen, bevor er sich wieder den Beinen zuwandte. Er streifte die Strümpfe hinunter, einen nach dem anderen, ganz langsam, mich unablässig küssend. Ich trat aus den Schuhen und den Strümpfen.

Einen Moment lang kniete er vor mir und küsste mir die Füße, was mir eine besondere Genugtuung verschaffte. Ich stellte mir vor, wie es wäre, wenn er mich anschließend mit der Zunge in den siebten Himmel lecken würde. Dann richtete er sich wieder auf, tastete nach dem BH-Verschluss und knabberte an den Brüsten. Im nächsten Moment lösten sich die Körbchen, und er nahm ganz behutsam einen Nippel zwischen die Zähne. Ich schloss die Augen und seufzte wohlig, während er daran saugte, von einer Brust zur anderen wanderte, bis beide vor Erregung schmerzten. Er berührte sie auch, umfasste sie mit seinen starken, männlichen Händen und ließ sich so viel Zeit, dass ich richtig scharf auf seinen Schwanz war.

Als seine Hände schließlich zum Gummiband des Slips wanderten, wusste ich, was als Nächstes kam. Er streifte den Slip über meine Hüften, über die Knie, ließ ihn auf den Boden fallen. Ich kickte ihn kichernd weg, mittlerweile war ich splitternackt und vollständig gedankenlos. Nur das, was Michael mit mir tat, nahm ich wahr. Er näherte sein Gesicht meinem Geschlecht, schob die Zunge zwischen die Falten und leckte mir den Kitzler. Das war's. Die Hände weiter auf dem Kopf zu behalten war mir nun vollständig unmöglich. Ich krallte meine Finger in sein Haar, drückte seinen Kopf fester an mich. Er leckte heftiger, legte die Hände um meinen Arsch. Er schob die Finger zwischen die Backen, drang in mich ein und machte sich in meinem Innern zu schaffen. Einen Finger hatte er mir in den Arsch gesteckt, doch das machte mir nichts aus, denn das Einzige, was zählte, war meine Lust, als er mich zum Orgasmus brachte, mich leckte und befingerte, bis sich meine Muskeln an seinem Gesicht verkrampften und ich zum Höhepunkt kam.

Hätte er mich nicht festgehalten, wäre ich bestimmt zusammengebrochen. Es war so gut und währte so lange und hörte auch dann nicht auf, als ich meine Finger längst hätte wegnehmen müssen, wenn ich es mir selbst gemacht hätte. Am Ende zitterte eins meiner Beine unkontrollierbar, und ich war nass von Schweiß und meinem eigenen Saft.

Er legte mich ins Gras, stützte mich mit seinen Händen. Ich zog die Beine an und spreizte sie auseinander. Er fasste sich an den Schwanz und legte sich auf mich, rieb sich an meiner Möse, bis sein Schwanz ganz in mich eindrang. Es kam mir nicht einmal in den Sinn, gegen den Ritt zu protestieren, ich ließ ihn einfach gewähren und schlang ihm die Arme um den Hals, während er in seinem üblichen wilden Tempo loslegte.

Wie immer begann ich augenblicklich lustvoll zu stöhnen. Er ließ sich auch jetzt Zeit, genoss meinen Körper in vollen Züge. Nach einer Weile drehte er mich in seine Lieblingsstellung um, sodass er meinen Arsch im Blick hatte, als er abermals in mich eindrang. Mit seinen großen Händen packte er meine Hüften, und dann fickten wir wieder, leidenschaftlich und schnell, während meine Brüste das Gras streiften und sein Bauch gegen meine Arschbacken klatschte.

Ich wollte, dass er kam, und ich wusste, wenn ich es überhaupt tun wollte, nämlich ihm meinen Arsch überlassen, dann war dies der richtige Zeitpunkt. Er wollte es bestimmt, andererseits war es das Einzige, was er nicht einfach so tun würde. Ich stieß meinen Arsch gegen ihn. Er fickte mich in rasendem Tempo, immer schneller und heftiger, bis es mir den Atem verschlug. Als er nach einer Weile langsamer wurde, fand ich meine Stimme wieder.

«Wenn du willst … kannst du … kannst du es tun … Michael.»

Es gab keinerlei Peinlichkeit, keine verlegene, atemlose Unterhaltung. Er wusste, was ich meinte, so wie ich wusste, was er wollte. Er hielt inne, zog langsam den Schwanz heraus, hob ihn an und tastete nach meinem Arschloch. Ich senkte das Gesicht ins Gras und sagte mir, es werde die Mühe schon lohnen. Dann drängten wir uns einander entgegen, sein Schwanz glitt in mich hinein, und ich stöhnte auf.

Als er in mich eindrang, stieß er einen gedehnten, wohligen Seufzer aus. Ich biss mir auf die Lippen und versuchte mir einzureden, es bereite mir keine Lust. Das war gelogen. Es kam mir fürchterlich schmutzig vor, aber es war richtig gut. Mehr denn je wollte ich kommen, und mit einem letzten Anflug von Scham und Schuldgefühl fasste ich mir an die Möse. Während ich mich zu reiben begann, schob er ihn weiter hinein. Jetzt war es passiert. Ich wurde in den Arsch gefickt, obendrein noch im Freien, und ich fand es toll.

Ich ließ mich gehen, denn ich konnte mich nicht länger beherrschen. Er war in mir drin, bis zum Anschlag, füllte mich vollständig aus. Nur noch ein paar Berührungen, und ich würde kommen, zum ersten Mal seit Jahren wieder mit einem Schwanz im Arsch.

Auch für ihn war es nicht das erste Mal. Er wusste genau, worauf es ankam, bewegte sich langsam und behutsam, um mir nicht wehzutun, und hielt die ganze Zeit meinen Arsch fest. Das gab mir den letzten Kick. Von seinen kräftigen Händen festgehalten zu werden verlieh mir die Sicherheit, mich von meiner schmutzigsten Seite zu zeigen. Es brachte mich zum Kommen. Meine letzten Bedenken und Hemmungen verflüchtigten sich, als ich mir reibend einen langen, wundervollen Höhepunkt verschaffte, mit geschlossenen Augen und die unbeschäftigte Hand ins Gras gekrallt, vollständig auf den Schwanz in meinem Innern konzentriert.

Während ich mich rieb, hielt er mich fest, bewegte seinen Schwanz langsam in mir vor und zurück, bis ich fix und fertig war. Dann meinte er, er sei so weit, und ich wusste, dass er in meinem Arsch kommen würde. Ich machte keinerlei Anstalten, ihn daran zu hindern, sondern blieb auf allen vieren knien, lieferte mich ihm aus, während er immer heftiger und schneller in mich hineinstieß. Mit einem letzten, festen Stoß kam er.

Es dauerte gute zehn Minuten, bis ich das Erlebnis so weit verarbeitet hatte, dass ich wieder reden konnte. Mittlerweile lagen wir nebeneinander im Gras, noch immer nackt, ich mit dem Kopf auf seiner Brust. Mein Arsch fühlte sich wund an, und ich grollte ihm ein wenig, wollte mein Opfer aber auch nicht wirkungslos verpuffen lassen. Zunächst ordnete ich meine Gedanken, dann sprach ich ihn an.

«Michael?»

«Ja?»

«Dir ist doch wohl klar, dass das etwas Besonderes für mich war, oder? Normalerweise mache ich das mit keinem Mann, aber ich hab gewusst, dass du es wolltest.»

«Danke ... Woher hast du's gewusst?»

«Ach, das hab ich aus deiner Art geschlossen. Okay, ich mag's auch, aber es ist was Besonderes, etwas sehr ... Intimes. Hör mal, ganz im Ernst, ich möchte das nicht gern mit jemand anderem teilen, und das mein ich auch so. Vor allem nicht mit Pippa.»

«Du meine Güte, natürlich nicht!»

«Gut. Ich bin froh, dass du das einsiehst. Mir ist es wirklich ernst damit, verstehst du?»

«Ja, natürlich. Das versteh ich vollkommen.»

«Du kannst es wieder tun, aber nur, wenn wir allein sind, richtig allein. Ich meine, nicht nur allein im Bett. Ich meine vollständig allein. Deshalb hab ich dich eben gelassen.»

«Ich verstehe. Glaube ich.»

«Natürlich verstehst du nicht, du Dummerchen. Männer begreifen einfach nicht, wie empfindsam Frauen in diesen Dingen sind.»

Er gab mir keine Antwort. Ich streichelte seine Brust, streifte behutsam mit den Fingernägeln über seine Haut. Nach einer Weile redete ich weiter.

«Wir werden heute Abend im Cottage allein sein, nicht wahr?»

«Heute Abend? Heut Abend schon, aber ich muss zurück nach –»

«Heut Abend, Michael, im Bett, nur wir beide, völlig sorgenfrei. Nach ... nach alldem muss ich kuscheln. Bitte sag ja.»

«Aber ich muss um halb elf auf der Yacht sein.»

«Michael ... bitte? Bitte, bitte?»

«Also ... ich schätze, es reicht, wenn ich morgen früh aufbreche.»

Ich schmiegte mich mit einem zufriedenen Schnurren an

seine Brust. Etwas kitzelte mich am Fuß, doch ich achtete nicht darauf. Ich lächelte. Von Anfang an hatte ich gewusst, was er wollte. In ihrem Innern sind alle Männer schmutzige kleine Jungs, und Michael Callington stellte keine Ausnahme dar.

Malcolm Callington hatte mir klargemacht, dass ich bis Samstag um halb elf auf der Yacht sein müsse. Sie wollten mit der Flut auslaufen, und das würden sie auch tun, Chrissy hin oder her.

Eigentlich hätte ich es problemlos schaffen müssen, dann aber wäre ich doch noch um ein Haar zu spät gekommen. Vor Aufregung konnte ich nicht einschlafen, und morgens verschlief ich. Von da an ging alles schief. Da war zunächst einmal der Kater. Eine Nachbarin hatte sich bereit erklärt, ihn zu versorgen, doch sie war nicht zu Hause, weshalb ich ihr Geld, Wohnungsschlüssel und einen Zettel mit Anweisungen unter der Tür durchschieben musste. Dann kam mir eine meiner Reisetaschen in die Quere, die ich schon seit Jahren hatte, die aber genau in dem Moment, als ich sie hochhob, weit aufriss, sodass sich Slips, BHs, Tops und alles andere auf den Boden ergossen.

Als ich das Taxi bestellte, teilte man mir mit, ich müsse eine Dreiviertelstunde warten. Daher schleppte ich mein Gepäck zur Ecke Highbury, nur um festzustellen, dass anscheinend sämtliche Taxis besetzt waren. Schließlich nahm ich die U-Bahn, saß fast eine halbe Stunde lang vor King's Cross in einem Tunnel herum und verlief mich anschließend auf dem Weg von der Haltestelle zu Michaels Wohnung. Als ich dort ankam, stellte ich fest, dass ich keine Ahnung hatte, wie ich zur Rückseite des Gebäudes gelangen könnte. Man sollte eigentlich meinen, das sei offensichtlich, doch das war nicht so. Es handelte sich um ein umgebautes Lagerhaus, an das sich weitere Lagerhäuser direkt anschlossen. Ich versuchte es durch die Tiefgarage, in der ich mich beinahe wieder verlaufen hätte.

Schließlich fand ich den Weg, eine kopfsteingepflasterte Gasse, die von der Hauptstraße abzweigte, aber keine Verbindung zu Michaels Straße hatte. Plötzlich sah ich die Yacht dort liegen, von der Persenning bereits befreit, und jemand machte die Leinen los: Pippa. Ich rannte, stolperte unter der Last des Gepäcks und versuchte gleichzeitig zu winken. Sie sah mich und hielt kopfschüttelnd inne, die Hände in die Hüfte gestemmt. Malcolm tauchte an Deck auf, dann noch jemand, eine Frau. Ich hatte Pippa erreicht und stammelte eine Entschuldigung.

«Tut mir Leid … der Kater … die U-Bahn … alles …»

Malcolm lehnte sich an die Reling und lachte.

«Also, diesmal sehen wir's ihr nach, was meint ihr, Mädels? Kommen Sie an Bord, und verstauen Sie Ihr Gepäck. Tilly wird Ihnen Ihre Koje zeigen.»

Ich lächelte die Frau an, die Tilly sein musste – sie sah ihrer Schwester sehr ähnlich: groß gewachsen, dunkelhaarig und sehr hübsch. Sie erwiderte mein Lächeln und half mir an Bord, dann geleitete sie mich unter Deck und zeigte mir, wo ich meine Sachen verstauen sollte. Als der Motor ansprang, erbebte das ganze Boot. Wir waren unterwegs, fuhren erst gemächlich den schmalen Kanal hinter Michaels Wohnung entlang und gelangten dann auf die Themse, zur Rechten die Tower Bridge und das wundervolle Stadtpanorama. Pippa und Tilly waren an Deck, mit allen möglichen Dingen beschäftigt, von denen ich keine Ahnung hatte. Ich bemühte mich, ihnen nicht im Weg zu sein, und war damit zufrieden, die Aussicht zu bewundern, während wir, überragt von den Hochhäusern der Canary Wharf, in östlicher Richtung den Fluss entlangtuckerten.

Also hatte es doch noch geklappt, bloß Michael ließ sich noch immer nicht blicken. Malcolm war im Ruderhaus, und ich ging zu ihm, um mich für die Einladung zu bedanken. Er sprach mich als Erster an.

«Wir dachten schon, Sie wären verschütt gegangen, Mädchen. Schön, dass Sie's doch noch geschafft haben.»

«Danke. Es ist sehr freundlich von Ihnen, mich mitzunehmen.»

«Keine Ursache. Die Freude ist ganz meinerseits.»

«Michael wird Augen machen, nicht wahr?»

«Michael? Der ist nicht an Bord, meine Liebe. Ehrlich gesagt, habe ich keine Ahnung, wo er steckt.»

KAPITEL *SECHS*

Als ich aufwachte, schien die Sonne. Michael lag schlafend neben mir. Ich sah auf die Uhr – zweiundzwanzig nach elf. Gut gemacht, Valentina.

In der Küche stand ein Fresspaket. Darin war auch Kaffee, den ich dringend brauchte. Ich stand auf und stieg leicht schwankend die Treppe hinunter.

In der Nacht war es hoch hergegangen. Nach unserem schmutzigen kleinen Ausflug in den Wald waren wir in einem Country Pub zum Essen eingekehrt. Anschließend waren wir über Nebenstraßen gemächlich durch Norfolk gefahren, bis wir schließlich Hickling Green erreichten. Das Cottage lag nicht im Dorf, sondern an einer langen, unbefestigten Straße, die anscheinend ins Nichts führte. Das Haus machte auf mich einen etwas zu rustikalen Eindruck, war aber unbestreitbar schön. Es lag in einem Garten mit Mauer, und vom oberen Stockwerk aus hatte man Ausblick auf einen großen, schilfgesäumten See.

Mittlerweile war ich müde geworden, wozu der Wein zum Essen seinen Teil beigetragen hatte, deshalb ging ich nach oben, um ein Nickerchen zu machen, während Michael das Gepäck ins Haus brachte. Es war schwül, deshalb entkleidete ich mich bis auf T-Shirt und Slip, legte mich aufs Bett und schlief auf der Stelle ein.

Beim Aufwachen spürte ich Michaels Lippen an meinem Po. Er küsste mich ganz sanft und hatte den Slip ein Stück runtergezogen, damit er an die Pobacken herankam. Ich wehrte mich nicht. Ganz allmählich wechselte ich vom Schlaf in einen angenehm schläfrigen erotischen Dämmerzustand hinüber. Es dauerte nicht lange, da streifte er mir den Slip runter und schob das Top hoch. Er leckte mich, bedächtig und lange, bis ich kurz vor dem Orgasmus stand, die Hände in sein Haar gekrallt und meine Möse an seinem Gesicht.

Kurz bevor es mir kam, hielt er inne und drang in mich ein. Wir fickten eine Ewigkeit lang, dann brachte er mich leckend zu einem wahrhaft glorreichen Höhepunkt. Mittlerweile hatte er einen Finger in meinem Arsch, und noch ehe ich richtig gekommen war, ersetzte er ihn durch seinen Schwanz. Stöhnend und bebend zog ich die Beine an, um ihn in mich aufzunehmen. Zehn Minuten später war er zum zweiten Mal an diesem Tag in meinem Arsch gekommen.

Das dritte Mal war in den frühen Morgenstunden gewesen. Wir hatten noch zwei weitere Male Sex gehabt, und da er es nicht wieder probiert hatte, obwohl er die ganze Zeit die Zügel in der Hand behalten hatte, nahm ich an, er habe entweder genug oder aber nehme Rücksicht auf meinen bereits wunden Arsch. Ich irrte mich. Als ich bereits meinte, ich könnte endlich gefahrlos einschlafen, spürte ich, wie sein Schwanz zwischen meinen Pobacken steif wurde. Als ich die Schenkel fügsam ein wenig öffnete, wurde mir erst ein mit Speichel benetzter Finger und dann sein Schwanz ins Arschloch geschoben.

Jedes Mal, wenn ich daran denken musste, lief mir ein Schauder über den Rücken. Trotz aller damit einhergehenden Lust war auch Groll dabei, weil er es einfach für selbstverständlich nahm und offenbar keinerlei Schuldgefühle dabei hatte. Die unangenehmen Gedanken verdrängte ich jedoch, denn ich sagte mir, es sei für eine gute Sache, und das entschuldige alles.

In der Küche gab es Brot, deshalb steckte ich zwei Scheiben in den Toaster und entschied mich nach kurzem Zögern für

Butter und Marmelade. Schließlich sah es ganz danach aus, als würde ich all meine Kräfte brauchen. Ich schmierte gerade Butter auf den Toast, als ich Michael die Treppe runterkommen hörte. Obwohl es unser beider Entscheidung gewesen war, die ganze Nacht über zu vögeln, rechnete ich damit, dass er zornig auf mich wäre und eine Erklärung von mir verlangen würde. Dem war jedoch nicht so. Unter dem Morgenmantel hatte er eine deutlich erkennbare Beule, und sein Grinsen verriet, was er von mir erwartete. Ich versuchte es mit einem tiefen Seufzer.

Es funktionierte nicht. Er trat hinter mich, schob mir den Schwanz zwischen die Arschbacken und fasste mir an die Brüste. Ich ließ ihn damit herumspielen, und es dauerte nicht lange, da wurden meine Nippel unter seinen Fingern steif. Er lachte leise in sich hinein und schob mir das Top hoch. Meine Brüste sprangen hervor, für jeden im Garten deutlich zu sehen. Er umfasste und knetete sie. Das war angenehm, doch ich fürchtete, jemand könnte uns beobachten.

«Komm schon, Michael, das reicht.»

«Unsinn, ich fange doch gerade erst an.»

Er ließ meine Brüste los und langte mir an den Arsch. Er knetete ihn, dann spreizte er die Backen und schob einen Finger dazwischen. Während er mir das Arschloch kitzelte, küsste er meinen Nacken.

«Michael, sei nicht unanständig …»

«Heute Nacht klang das aber ganz anders.»

«Ich weiß, aber jetzt sind wir in der Küche! Ich versuche, Toast zu schmieren.»

Ich bemühte mich, das Kichern aus meiner Stimme herauszuhalten, doch es gelang mir nicht. Es fühlte sich einfach zu gut an.

«Also dann mach weiter, du Schlingel, aber bitte nicht … das. Nicht hier.»

«Was soll ich nicht machen?»

«Du weißt schon … das … was du im Wald und heute Nacht gemacht hast.»

«Ich habe keine Ahnung, wovon du redest.»

«Hör auf, Michael! Du weißt ganz genau, was ich meine. Nämlich den Schwanz dorthin zu tun, wo jetzt dein Finger ist.»

«Was, hierhin?»

Ich schnappte nach Luft, als er den Finger in mir bewegte, zwar nur ein bisschen, doch es ging mir durch und durch. Als er ihn weiter hineinsteckte, stöhnte ich unwillkürlich auf. Er lachte leise und schob den Finger rein und raus.

«Nicht, Michael, bitte nicht hier!»

Mit der anderen Hand langte er um mich herum und tunkte den Zeigefinger in die Butter.

«Michael!»

Er kicherte bloß, legte mir die Hand zwischen die Schulterblätter und drückte mich mit sanfter Gewalt auf den Tisch nieder.

«Nein, Michael, nicht schon wieder. Ich bin ganz wund!»

«Dafür gibt's Butter.»

«Aber Michael! Wenn jemand kommt, der Eigentümer etwa oder …»

«Der Eigentümer lebt in Norwich. Und jetzt sei still.»

«Michael, nein! Tu's nicht …»

Ich verstummte seufzend. Sein butterbeschmierter Finger hatte mein Arschloch gefunden, nahm die Stelle des anderen Fingers ein, wurde tief hineingeschoben und tastete darin herum. Michael ließ das schmutzige Schuljungenkichern vernehmen, das ich mittlerweile schon kannte. Ich konnte ihn nicht aufhalten, verspürte aber ebenso viel Groll wie Lust. Er war so eigensinnig und fordernd, dabei machte er mich so scharf wie noch kein anderer Mann zuvor. Das bedeutete jedoch nicht, dass ich ständig in den Arsch gefickt werden wollte.

«Bitte nicht, Michael! Können wir nicht … einfach mal normal sein?»

«Hmm … ist gut.»

Es geschah ganz beiläufig. Ich hatte nicht mal mitbekommen, dass er mir den Morgenmantel geöffnet hatte, da stieß sein Schwanz auf einmal an die Öffnung meiner Möse, und dann war er in mir drin und vögelte mich derb von hinten. Ich beugte mich über den Tisch, drückte eine Titte auf den Buttertoast, den ich mir gerade hatte schmecken lassen wollen, und schon fickten wir auf dem Küchentisch. Als er schneller wurde, fasste er mich bei den Hüften, sodass ich mich nicht einmal mehr dann hätte rühren können, wenn ich es gewollt hätte. Er war so schnell, so stark, stieß wie rasend in mich hinein. Und es war auch schmutzig. Ich spürte, wie die Butter in meinem Arschloch schmolz und als warmes Rinnsal dorthin floss, wo er seinen Schwanz rein- und rausschob. Ich wusste, was er wirklich tun wollte.

Und es geschah, wie vorhergesehen. Sobald ich in einem Zustand atemloser Ekstase war, zog er seinen Schwanz heraus und schob ihn mir geradewegs in den Arsch. Ich schnappte protestierend nach Luft und versuchte mich aufzurichten, doch es war bereits zu spät. Ich war zu erregt und zu gut gebuttert, um ihn am Eindringen zu hindern. Die Eichel war bereits drinnen. Dann folgte der Rest, und während ich meine Gefühle ins Tischtuch keuchte, drang er weiter in mich ein.

Auch diesmal wieder ließ er sich Zeit, schob den Schwanz

rein und raus, tätschelte währenddessen meine Arschbacken und spreizte sie auseinander, damit er seinen Schwanz in Aktion beobachten konnte. Ich schäumte innerlich vor Groll und versuchte mir einzureden, ich würde ihn hassen, doch es funktionierte nicht. Es fühlte sich zu gut an, nicht nur das, was er mit mir tat, sondern auch die Tatsache, dass er mich so fest im Griff hatte. Obwohl ich mir sagte, ich gäbe mich ihm nur deshalb hin, um Pippa und Chrissy loszuwerden, war mir bewusst, dass ich mich selbst belog. Ich begehrte ihn und wollte das, was er tat.

Ein letztes Mal bäumte sich mein Groll auf, als er unter meinem Bauch hindurch zum Kitzler langte. Als ob ich ein Spielzeug wäre, masturbierte er mich, bestimmt um mich gefügig zu machen und damit ich mich um seinen schmutzigen Schwanz zusammenzog. Aber als er ihn gefunden hatte, verflüchtigten sich alle bitteren Gedanken.

Er rieb und stupste den Kitzler, ohne auch nur einen Moment innezuhalten. Nicht lange, und ich klammerte mich an die Tischplatte und wackelte mit dem Arsch, um seinen Schwanz noch tiefer hineinzubekommen, um die Reibung zu verstärken, alles nur, damit die Erfahrung noch schmutziger und geiler würde. Außerdem stellte ich mir vor, ein lüsterner alter Perverser schaue uns zu. Nein, schlimmer noch, eine ehrbare Dame aus dem Dorf, deren Augen sich vor Entsetzen weiteten, als sie mitansah, wie ich bäuchlings auf dem Tisch lag, während Michael seinen großen Schwanz in meinem Loch raus- und reinschob. Da kam es mir, und ich fing an zu plappern, sprudelte völlig außer mir einen Schwall obszöner Wünsche hervor. Stöhnend stieß er noch tiefer in mich hinein und kam in meinem Arsch.

Auf meinem Höhepunkt angekommen, drehte ich einfach

durch, schrie und hämmerte mit den Fäusten auf den Tisch, nannte ihn ein Schwein und sagte ihm, dass ich ihn liebe. Er rammte sein Ding immer tiefer in mich hinein, während er mir unablässig den Kitzler rieb. Ich zog mich um seinen Schwanz zusammen, bloß war das nicht der richtige Ort, nicht da, wo es sein sollte. Er hatte mich mit Butter eingeschmiert und mir den Schwanz in den Arsch gesteckt, woran ein Mann nicht einmal denken sollte, er aber hatte es getan, und jetzt kam er darin und und …

Er hatte mich ebenfalls zum Kommen gebracht, und ich hatte es gewollt und wusste nun, dass ich auch beim nächsten und übernächsten Mal nachgeben würde. Als der Höhepunkt verebbte, fühlte ich mich besiegt. Der Groll gewann allmählich wieder die Oberhand über die Ekstase, bis er mich beherrschte. Michael hatte mich benutzt, so war es. Ich war völlig geschafft und mit Schweiß bedeckt, das wirre Haar hing mir ins Gesicht, mein Hintern war klebrig, eine Titte mit Butter und Krümeln beschmiert. Michael grinste bloß und genoss anscheinend den Anblick. Einen Moment lang vergaß ich mich.

«War das nötig?»

Er machte ein verdutztes Gesicht.

«Es hat dir doch Spaß gemacht, oder? Ich meine, gehört zu haben, das sei etwas ganz Besonderes für dich.»

«Ich … ich mag es auch, Michael, aber das war das vierte Mal seit gestern!»

«Weil es für dich so intim ist, muss ich mich halt ranhalten. Schließlich werden in drei oder vier Tagen Dad, Pippa und Tilly hier sein.»

Ich hielt mich abseits, während die anderen die Segel setzten. Ich verstand nicht mal, wovon sie redeten, geschweige denn, was sie da taten, doch es funktionierte offenbar. Wir hatten die Sturmflutbarriere bereits hinter uns gelassen, und der Flusslauf verbreiterte sich. Am Ufer tauchten Sümpfe und verfallene Speicher auf, als Malcolm uns zusammenrief. Er wirkte ausgesprochen zufrieden mit sich, sein Tonfall aber war recht ernst.

«Ihr wisst alle, worauf es ankommt, aber für Chrissy gehe ich nochmal alles durch. Ich bin der Captain, was ich sage, wird gemacht, und zwar pronto. Pippa ist der Maat; Tilly ist ein tüchtiger Seemann. Ich wage zu behaupten, dass Sie, Chrissy, bald alles Nötige lernen werden, aber bis dahin passen Sie auf, dass Sie niemandem auf die Füße oder sonstwohin treten. Habe ich mich klar ausgedrückt?»

«Jawohl, Sir.»

Pippa und Tilly hatten im Chor geantwortet, wie zwei Schulmädchen, die von der Direktorin zusammengestaucht wurden. Das Ganze war eine Art Rollenspiel, doch ich wusste, dass es Malcolm ernst war. Mir gefiel seine Haltung: streng, aber spielerisch. Ich nickte, er aber fixierte mich mit durchdringendem Blick, dann fuhr er fort.

«Sie werden ganz unten auf der Leiter stehen, meine Liebe, nichts weiter als ein Galeerensklave.»

Ich konnte nicht anders: Ich lächelte und ließ mich auf das Spiel ein.

«Jawohl, Sir.»

Tilly kicherte. Malcolm grinste zufrieden.

«Gut. Also, ich muss sagen, ich freue mich sehr auf den Törn. Wir werden abends immer ganz zivilisiert anlegen, und mit etwas Glück werden wir unterwegs ruhige See haben. Es gelten die üblichen Regeln, Tilly kann Chrissy ins Bild setzen. Noch Fragen?»

Die beiden Frauen schüttelten die Köpfe und antworteten wieder im Chor.

«Nein, Sir.»

Da ich keine unnötigen Fragen stellen wollte, schloss ich mich ihnen an.

Ich begann mich damit abzufinden, dass Michael nicht an Bord war. Offenbar war ihm etwas dazwischengekommen, und er hatte es nicht mehr rechtzeitig aufs Boot geschafft, aber wenn wir abends unsere Liegeplätze per Telefon durchgäben, könnte er uns einholen. Bis dahin würde ich den Törn genießen und mich darauf freuen, mehrere Wochen mit ihm zusammen zu verbringen.

Es würde großartig werden. Wir würden segeln, schwimmen und ausgedehnte Spaziergänge machen, zwischendurch hätten wir geilen Sex. Ich liebe Sex im Freien, die frische Luft an der nackten Haut und den angenehmen Kitzel, dass mich jemand sehen könnte. So, wie er mich im Wagen geliebt hatte, konnte ich mir gut vorstellen, wie er mich im Freien nahm. Es wäre an einem ruhigen, aber nicht zu ruhigen Ort, und er würde mich ins hohe Gras legen und ordentlich durchficken, weil ihm eben danach war. Oder es wäre richtig riskant, im Cottage mit den anderen gleich nebenan, ich über einen Tisch gebeugt oder in einem Sessel zusammengerollt. Rock hoch, Slip runter, und schon würde sein wundervoller großer Schwanz ganz tief in mich hineingleiten.

Doch das war Zukunftsmusik. Im Moment konnten wir nicht einmal miteinander in Kontakt treten. Ich hatte das Handy zwar eingepackt, konnte es aber nirgends finden. Wahrscheinlich hatte ich es verloren, als die Reisetasche aufgerissen war. Malcolm hatte auch keins mit und hielt offenbar auch nicht viel von Handys, denn Pippa und Tilly hatten ebenfalls keins mitgenommen. Auch in anderer Hinsicht war er recht herrisch und tat so, als wären wir seine Bediensteten. Den beiden Frauen aber schien es nichts auszumachen.

Ich machte mir Gedanken über Malcolm und Pippa. Er war mindestens dreißig Jahre älter als sie. Als ich sie dabei beobachtete, wie sie auf der Yacht ihren Aufgaben nachging, wurde mir einiges klar. Es schien ihr nichts auszumachen, von ihm herumkommandiert zu werden, denn sie genoss es sogar. Anscheinend hatte das für sie einen nahezu sexuellen Reiz.

Deren Beziehung zu Tilly konnte ich ebenfalls nicht einschätzen. Sie trug nichts weiter als die Rettungsweste, Bootsschuhe und einen knappen grünen Bikini, der ihren Po kaum verhüllte. Zweimal hatte ich mitbekommen, wie Malcolm ihr auf den Hintern geklopft hatte. Einmal hatte er es auch bei mir gemacht, und zwar in Pippas Beisein. Tilly hatte bloß gekichert.

Nicht dass es mich wirklich störte, solange sie nur kein Interesse an Michael zeigte. Da sie aber freundlich war, ohne jede Spur von Eifersucht und Zickigkeit, konnte ich wohl davon ausgehen. Fragen konnte ich schlecht, doch wenn sie von ihm sprach, dann klang es eher schwesterlich.

Nachdem ich zu dem Schluss gekommen war, dass sie keine Rivalin darstellte, kamen wir recht gut miteinander aus. Sie war zweiundzwanzig, ging noch zur Uni und studierte in Bristol zu reinen Bildungszwecken englische Literatur. Die Callingtons kannte sie recht gut und ließ sich bereitwillig über Michael aus. Ich wusste, dass er in Cambridge gewesen war, und hatte vermutet, er habe eine Privatschule besucht. Ich hatte jedoch nicht gewusst, dass er fünf Jahre lang eine feste Freundin gehabt und sich erst dieses Frühjahr von ihr getrennt hatte.

Noch lieber als über Michael tratschte sie über Malcolm und

ihre Schwester. Pippa hatte an einer Schule unterrichtet, deren Vorstand Malcolm angehörte, und sie hatten ein Jahr lang eine Affäre miteinander gehabt, bis Michaels Mutter dahinter kam und sich scheiden ließ. Offenbar war es ein richtiger Skandal gewesen, und Tilly wollte sich gerade den saftigen Details zuwenden, als Malcolm sie aufforderte, ihm bei einem Manöver zu helfen.

Ich schaute ihnen zu und fragte mich, ob ich einige der Handgriffe oder womöglich alle ebenso schnell ausführen könnte und was Pippa und Malcolm wohl angestellt hatten, dass Tilly so viel Aufhebens davon machte. Bestimmt war es ganz schön peinlich gewesen, und ich wollte es unbedingt wissen.

Da ich sie mittlerweile ein wenig kannte, wunderte ich mich nicht, als Malcolm Tilly lautstark dafür zusammenstauchte, dass sie eine Leine am falschen Ort oder mit einem falschen Knoten befestigt hatte. Er ließ sie die Prozedur wiederholen, dann schalt er sie aus, weil sie gekichert hatte, und sagte etwas, das ich nicht verstand.

«Ich glaube, jetzt ist sie fällig, Pippa.»

Pippa nickte. Tilly sagte: «Wegen einer solchen Kleinigkeit?»

«Und wegen der Widerworte.»

«Hey, das ist unfair!»

«Widerworte.»

«Ach, komm schon, Malcolm, nicht in Chrissys Gegenwart, noch nicht …»

Er hob mahnend den Zeigefinger, und sie verstummte unvermittelt. Als sie aufs Hauptdeck zurückkam, biss sie sich auf die Lippen und machte den Eindruck, als wolle sie jeden Moment in Tränen ausbrechen, was mir etwas kindisch vorkam, da er sie doch bloß ausgeschimpft hatte. Aus irgendeinem

Grund wich sie auch Pippas Blick aus und setzte sich abseits von den anderen an die Reling, wo sie einen ziemlich verlorenen und nervösen Eindruck machte.

Ich fragte mich, was da vorging und warum meine Anwesenheit dabei eine Rolle spielte. Ihre Verlegenheit war so offensichtlich, dass es sich um etwas Peinliches handeln musste. Vielleicht war sie ja dazu verdonnert worden, das Bikinioberteil auszuziehen. Ich konnte mir nur schwer vorstellen, dass ein Mann, zumindest wenn er modern war, ein Mädchen zu etwas Derartigem zwingen würde. Doch Malcolm Callington war alles andere als modern, und auf Political Correctness pfiff er bestimmt.

Die Vorstellung war eigentümlich erregend, und ich fragte mich, ob diese Regel wohl auch für mich gelte, wobei ich sogleich ein erwartungsvolles Kribbeln im Magen und anderswo spürte. So etwas hätte ich auch Michael zugetraut, und wäre er an Bord gewesen, hätte ich ihm mit Freuden gehorcht, auch in Gegenwart der anderen. So aber war ich mir nicht so sicher.

Malcolm gab Anweisungen.

«Kurs auf Rainham, dann segeln wir vor dem Wind. Los geht's.»

Er und Pippa bedienten verschiedene Leinen und kurbelten an den kleinen Winschen, bis die *Harold Jones* langsam und ohne viel Krängung parallel zum Ufer fuhr. Erst als das Manöver abgeschlossen war, ließ Malcolm sich abermals vernehmen.

«Pippa, halt Kurs. Chrissy, etwas weiter achtern haben Sie die beste Aussicht. So, junge Dame, jetzt zu dir.»

Ich begab mich nach hinten. Pippa zwinkerte mir zu. Tilly hatte sich mit tiefrotem Gesicht erhoben. Ganz langsam zog sie die Rettungsweste und die Bootsschuhe aus, legte sie sorgfältig beiseite, was Malcolm aus irgendeinem Grund zum Kichern brachte. Nurmehr mit dem grünen Bikini bekleidet, stellte sie sich mit gesenktem Kopf vor ihn, wobei sie mir den Rücken zuwandte. Erst als Malcolm auf seinen Schoß klopfte, begriff ich, was er vorhatte – er wollte ihr den Hintern versohlen.

Ich glotzte mit offenem Mund und brachte kein Wort heraus. Zunächst meinte ich, es handele sich um einen etwas groben und plumpen Scherz, doch das war nicht der Fall. Er fasste die sich windende Tilly beim Handgelenk und zog sie auf seine Knie nieder, ohne sich an ihrem Protest zu stören. Stattdessen packte er sie nur noch fester. Ein Bein schlang er um ihre Wade und bog ihr den Arm auf den Rücken, sodass sie sich nicht mehr rühren konnte. Als er das Knie anzog, hob sich ihr runder, rosiger Arsch. Da sich der Stoff in der Pofalte eingeklemmt hatte, war eine Backe nahezu vollständig entblößt.

Es war unglaublich primitiv, unglaublich erniedrigend, dabei zeigte er keinerlei Eile, sondern bereitete sie auf die entwürdigende und vollkommen unangemessene Bestrafung vor, als wäre das alles ganz alltäglich. Sie tat mir Leid, doch ich traute mich nicht einzugreifen. Schlimmer noch, ein böser Teil von mir wollte es so haben, wollte dabei zuschauen, wie eine andere Frau den Hintern versohlt bekam.

Dann kam der eigentliche Schock. Er streifte ihr das Bikinihöschen herunter!

Davon machte er kein großes Aufhebens, sondern schob den Daumen unters Gummiband, zog die Hose runter und den Stoff aus ihrem Schritt, bis er freie Sicht auf ihre Möse hatte. Doch damit nicht genug. Als das Höschen unten war, packte er ihren Arm fester und befreite ihre Titten, die nackt herunterbaumelten, sodass sie zu wackeln anfingen, als er sich über ihren Hintern hermachte.

Das Schreckliche war, dass er ohne jede Vorwarnung, Ermahnung oder sonst etwas mit dem Schlagen begann, sodass ihre Pobacken unter seiner Hand bebten und tanzten. Sie drehte augenblicklich durch, trat aus und wand sich schreiend, hatte aber keine Chance – er war einfach zu stark. Dabei blieb er ganz ruhig, vollkommen sachlich, als wäre es die normalste Sache der Welt, eine erwachsene Frau zu entblößen und ihr den nackten Arsch zu versohlen.

Pippa schaute mit einem reizenden kleinen Lächeln zu. Offenbar fand sie es nicht nur in Ordnung, dass ihre kleine Schwester gezüchtigt wurde, sondern genoss es sogar. Das erschien mir grausam, noch schlimmer als Malcolms Verhalten, und aus ihren vorausgegangenen Bemerkungen schloss ich, von mir werde erwartet, dass auch ich meinen Spaß daran hatte. Das war schlimm, weil es zeigte, wie sie von mir dachten; noch schlimmer aber war, dass es mir tatsächlich Vergnügen bereitete.

Ich konnte einfach nichts dagegen tun. Es tat offenbar höllisch weh, und ich konnte mir vorstellen, welch schreckliche Demütigung es bedeutete, nackt, splitternackt, den Hintern versohlt zu bekommen, während man alles herzeigte, buchstäblich alles. Nicht dass sie versucht hätte, etwas zu verbergen. Die meiste Zeit über strampelte sie und bockte mit weit gespreizten Schenkeln. Ihre Arschbacken öffneten und schlossen sich unter den Schlägen, sodass er bestimmt das kleine Loch dazwischen sehen konnte. Sie schlug auch mit den Armen um sich und kreischte in höchsten Tönen. Es war primitiv und abstoßend, einer Frau so etwas anzutun, dennoch genoss ich es.

Und Malcolm desgleichen. Sein ernster Gesichtsausdruck machte allmählich einem zufriedenen Lächeln Platz. Er blickte ständig auf ihren Arsch, schwelgte in dem obszönen Anblick und setzte die Hiebe absichtlich so, dass sich die Backen teilten.

Außerdem achtete er darauf, dass ihr ganzer Hintern gleichmäßig bedacht wurde, und klatschte seine Hand auf die strammen kleinen Backen, bis der ganze nackte Vollmond ihres Arschs einheitlich rot leuchtete. Er schlug auch auf ihre Schenkel, was sie noch lauter schreien ließ und ihn weiter befeuerte.

Malcolm ließ eine letzte Salve von Schlägen auf ihren Allerwertesten niedergehen, dann hörte er endlich auf. Er ließ sie los, und sie blieb einfach liegen, erschöpft, ermattet, die Beine noch immer weit gespreizt, jedes obszöne Detail ihrer Muschi und ihres Arschs für ihn und mich deutlich sichtbar. Ihre Arschbacken waren vollständig gerötet, bis hinein in die Spalte, und ein paar dunklere Stellen würden sich wohl noch zu blauen Flecken auswachsen.

Als sie sich schließlich aufrichtete und mit geschlossenen Augen an den malträtierten Hintern fasste, öffnete sie leicht den Mund. Dann zog sie das Bikinihöschen über die Schenkel hoch und rannte unter Deck, ohne ihren Po oder die Titten zu bedecken. Malcolm lachte leise in sich hinein und rief ihr nach: «Beim nächsten Mal gibt's das Tauende, Mädchen!»

Ich erwartete, dass Pippa ihr folgen würde, doch das tat sie zu meinem Erstaunen nicht. Nach einer solch schrecklichen Erfahrung war Tilly bestimmt trostbedürftig, und trotz meiner perversen Reaktion tat sie mir unheimlich Leid. Ich ertrug es nicht, noch länger an Deck zu bleiben, denn die Nippel standen unter dem BH wie Korken hervor, was mir furchtbar peinlich war. Deshalb ging ich ihr nach und erwartete, sie würde in Tränen aufgelöst sein.

Das war jedoch nicht der Fall. Sie kniete in ihrer Koje, das Bikini-Oberteil noch immer unten, den nackten Po in die Luft gereckt, die kleinen runden Brüste ans Polster gedrückt und die Hand zwischen den Schenkeln. Sie masturbierte.

KAPITEL **SIEBEN**

Pippa war Michaels Stiefmutter. Ich hatte mich von einem Mann als Sexspielzeug benutzen lassen. Ich war fünfmal in den Arsch gefickt worden, und Pippa war Michaels Stiefmutter.

Das war einfach nicht fair! Der Idiot hätte mir das auch eher sagen können oder die blöde Chrissy, denn wenn sie auf der Yacht mitfuhr, wusste sie vermutlich Bescheid. Vor Verärgerung hätte ich Michael beinahe von ihr erzählt, hielt mich aber zurück und ging rasch nach oben, um zu duschen. Das war auch dringend nötig.

Die ganze Angelegenheit war vollkommen verfahren. Ich hatte nicht nur Dinge mit Michael getan, zu denen ich mich normalerweise niemals hergegeben hätte, denn ich behielt sie mir nur für besondere Gelegenheiten vor. Aber es hatte mir sogar Spaß gemacht, und das war noch schlimmer. Außerdem hatte ich meiner potenziellen Schwiegermutter erstklassige Vorwände geliefert, mich niederzumachen, und steckte bis zum Hals in der Tinte. Das einzig Gute war, dass Michael nach allem, was wir getan hatten, bestimmt kein Interesse mehr an Chrissy Green hätte.

Gleichwohl würde ich mich damit abfinden müssen, dass sie wie ein liebeskrankes Schoßhündchen umherschleichen würde. Das würde sie bestimmt tun, denn sie sah niemals ein, dass sie unerwünscht war. Ich hatte schon öfter erlebt, dass sie geglaubt hatte, sie habe allein schon deshalb einen Anspruch auf einen Mann, weil sie ihn als Erste kennen gelernt oder als Erste mit ihm gevögelt oder sich im Kino in der hintersten

Reihe von ihm die Brüste hatte betatschen lassen oder was weiß ich.

Anstatt zwei Wochen voller Sex zu genießen, würde ich nun Chrissy ertragen und mich Michaels spießigem alten Trottel von einem Vater, seiner hochnäsigen Schlampe von Ehefrau sowie Tilly, die Pippas Schwester war und sich wahrscheinlich ebenfalls als blasiertes Miststück erweisen würde, von der besten Seite zeigen müssen. Das war einfach nicht fair!

Ich duschte, wusch mir das Haar und salbte mein armes, wundes Arschloch. Ich wollte vor allem allein sein und meine Gedanken ordnen, und wenn Michael glaubte, ich sei verärgert, weil er mich zu oft in den Arsch gefickt hatte, dann war mir das nur recht. Es war an der Zeit, dass er ein wenig Respekt lernte und einsah, dass man mich wie eine Dame und nicht wie eine Schlampe behandeln musste.

Während ich auf dem Klodeckel saß und mir das Haar föhnte, wurde mir klar, dass diese Vorgehensweise ohnehin am klügsten war. Da er nun wusste, wie toll der Sex mit mir sein konnte, würde er bestimmt mehr wollen. Deshalb musste ich ihn auf Abstand halten, nicht vollständig, aber doch so weit, dass er in Zukunft Rücksicht auf meine Gefühle nähme. Ein bisschen Getue, und er würde schon bald alle Hebel in Bewegung setzen, um mich wieder glücklich zu machen, so begierig, mir zu Gefallen zu sein, wie ein Mann es nur sein konnte.

Wenn ich ihn erst einmal da hätte, wo ich ihn haben wollte, würde ich noch drei Tage warten, bis ich sicher war, dass er mir gehörte. Es kam vor allem darauf an, dass er sich irgendwie festlegte, bevor ich mich von ihm wieder in den Arsch ficken ließ oder selbst auch nur daran dachte. Mit Pippa als Rivalin wäre dies zu riskant gewesen. Solange ich es bloß mit Chrissy zu tun hatte, bestand kein Anlass zur Sorge.

Ich ging ins Schlafzimmer, um mich anzukleiden, und wählte ein blaues Sommerkleid und Sandalen, denn ich wollte hübsch aussehen, ohne aufgedonnert zu wirken. Michael war noch immer unten und kochte Eier. Ich ging ins Wohnzimmer, ohne ihn zu beachten. Er kochte weiter Eier. Ich setzte mich so, dass er mich sehen konnte, damit er merkte, dass ich wütend auf ihn war. Er kochte weiter Eier. Er machte Toast. Er aß Toast mit Ei. Er trank einen Kaffee. Dann kam er ins Wohnzimmer.

«Es ist ein wundervoller Tag. Sollen wir rudern gehen? In Horsey kenne ich einen Pub. Wir könnten nach Horsey Mere rudern und dort zu Mittag essen.»

Ich schaute hoch und fragte mich, ob er wirklich so unsensibel war oder genau wusste, wie ich mich fühlte, und einfach keine Lust hatte, sich mit mir zu befassen. Ich hatte den unangenehmen Verdacht, dass ich die Antwort kannte und auch die Folgen, die es haben könnte, wenn ich weiterhin schmollte. Nein, ich schmollte nicht, es war mein gutes Recht, wütend zu sein! Außerdem reizte mich die Vorstellung, zu rudern und mit meinem wunden Po auf einer harten Unterlage zu sitzen, nicht im Geringsten.

Er ließ sich weiter darüber aus, mit mir rudern zu wollen. Jedem anderen Mann hätte ich eine Abfuhr erteilt, sodass er sich ein paar Stunden den Kopf über mich zerbrochen hätte und dann mit eingekniffenem Schwanz angekommen wäre. Ich hätte mich zufrieden ein wenig gesonnt. Michael hingegen traute ich ohne weiteres zu, den ganzen Tag lang vergnügt in den Broads umherzurudern, ohne auch nur an mich zu denken. Ich hätte mich gesonnt, wäre aber nicht zufrieden gewesen.

Ich willigte ein. Wenn ich ihn nicht dazu bringen konnte, sich in meiner Abwesenheit Gedanken über mich zu machen, wollte ich ihm meine Gefühle eben aus nächster Nähe klarmachen. Vergnügter denn je suchte er Sachen zusammen, während ich so tat, als läse ich das Buch über das beliebte Norfolk, das ich mir geschnappt hatte.

Zum Cottage gehörte auch ein Boot, ein Ruderboot. Trotz all seiner Fehler erwartete Michael zum Glück nicht, dass eine Frau körperliche Arbeit verrichtete, wenn sie keine Lust dazu hatte. Und so saß ich so gemütlich, wie es unter den gegebenen Umständen möglich war, hinten und tauchte einen Finger ins Wasser, während er durch einen kleinen Kanal im Schilf ruderte und dann ins offene Wasser hinaussteuerte.

Er ruderte, wie er fickte, schnell und heftig, von einer gelegentlichen Pause unterbrochen. Der einzige Unterschied bestand darin, dass er in den Ruderpausen die Himmelsrichtung bestimmte oder irgendeinen Vogel bewunderte, anstatt mir den Kitzler zu reiben oder sich mit meinem Arschloch zu beschäftigen. Ich ließ ihn gewähren und bemühte mich, in der Sonne nicht allzu sehr zu erschlaffen und vom Anblick seiner arbeitenden Muskeln und der großen Beule an der Vorderseite seiner Shorts nicht zu geil zu werden.

Ich scheiterte kläglich. Zu groß war die Versuchung, meine sorgfältig ausgearbeiteten Pläne beiseite zu schieben, ein stilles Plätzchen zu suchen und einfach zu ficken, ficken, ficken …

Er war offenbar mit ganz ähnlichen Gedanken beschäftigt. Nicht dass er etwas gesagt hätte. Das war auch nicht nötig. Sein stilles Lächeln und die Blicke, die er über meinen Körper wandern ließ, sagten schon alles. Es wäre so leicht gewesen angesichts der vielen kleinen Schilfinseln, die als Versteck wie geschaffen waren. Da das Boot kein besonders bequemer Ort zum Ficken war, hätte ich einen Vorwand, mich auf alle viere niederzuknien und mein Hinterteil zu präsentieren …

Was dachte ich denn da? So etwas passte nicht zu mir, zu Valentina de Lacy. Ich schlief mit Männern in einem Bett mit schwarzen Satinlaken. Die Männer bettelten mich an, ihnen auch nur einen Kuss zu gestatten. Ich ließ Männer dem Sex abschwören, weil neben mir alles andere wertlos war. Ich präsentierte meinen Po nicht einem muskelbepackten Flegel, damit er mich in einem Ruderboot in den Arsch fickte!

Ich riss mich zusammen und wartete darauf, dass Michael Sex vorschlug, fest entschlossen, ihn abzuweisen. Ich wollte mehr. Ich wollte ihn zurückweisen, damit er mich anbettelte, und ihn dann immer noch nicht erhören. Doch ich wusste, das würde er nicht tun. Er würde einfach nur selbstzufrieden lächeln und warten. Wie es aussah, hatte er nicht mal den Anstand, mich zu fragen, sodass ich ihn auch nicht zurückweisen konnte. Gut aussehende Männer sind häufig richtige Schweine, er aber setzte allem die Krone auf.

Und so ging es weiter, Michael ruderte und ließ hin und wieder eine alberne Bemerkung über die Vogelwelt oder vorbeikommende Boote fallen, während ich auf der hinteren Sitzbank allmählich immer schärfer wurde, allerdings ohne es mir anmerken zu lassen. Als wir den See hinter uns ließen, wurde der Kanal schmaler, sodass er mehr auf die Richtung als auf meine Beine achten musste. Er ruderte noch immer schnell und verfehlte zweimal, ohne auch nur mit der Wimper zu zucken, große Flussboote um Haaresbreite, bis er schließlich in einen noch schmaleren Kanal abbog. Für mich war das eine Wildnis aus Feuchtigkeit, Schilf und Wasserpflanzen, er aber wirkte ganz begeistert. Er wusste auch, wohin wir fuhren, denn als er irgendwann anlegte und mir ans Ufer half, stellte sich heraus, dass der Pub ganz in der Nähe lag.

Es war ein typisches Landgasthaus, bevölkert von Schwach-köpfen, die einen unverständlichen Dialekt sprachen und dunkelbraunes Bier tranken, aber das Essen war in Ordnung, und es gelang uns sogar, eine trinkbare Flasche Chardonnay zu bekommen. Außerdem war es im Innern kühl, was mir nach der langen Ruderpartie in der sengenden Sonne nur recht war und mir half, meine Gefühle zu beruhigen.

In der Ferne waren Dünen auszumachen, und Michael mein-te, dort gebe es einen einsamen Strand, ideal zum Schwimmen. Ich erklärte, ich hätte keinen Badeanzug dabei, woraufhin er nur mit den Achseln zuckte und mir vorschlug, nackt zu ba-den. Das redete ich ihm zu meiner Genugtuung schnell wieder aus, trotz der schmutzigen Bilder, die sein Vorschlag in meiner Vorstellung wachrief. Er zuckte bloß mit den Schultern.

Nach dem Essen fühlte ich mich etwas besser und angenehm beschwipst. Ich konnte mir sogar vorstellen, nach unserer Rückkehr ins Cottage Sex zu haben, und sagte mir, er müs-se trotz seines kühlen Verhaltens doch ein wenig verunsichert oder zumindest verwundert sein. Schließlich hatte ich gemeint, für mich sei es etwas Besonderes, in den Arsch gefickt zu wer-den, und die wahren Gründe für meine Verärgerung konnte er unmöglich ahnen. Es ist gut, wenn Männer verwirrt sind. Dann geraten sie aus dem Gleichgewicht.

Ich war es falsch angegangen. Er war nicht der Typ, der sich ohne triftigen Grund entschuldigte und um Sex bettelte. Es war falsch gewesen, ihm die kalte Schulter zu zeigen. Flirten war besser. Dann könnte ich ihn zurückweisen oder zumindest hinhalten. Auf dem Rückweg zum Boot ließ ich mich von ihm beim Arm nehmen, denn ich wollte ihm Hoffnung machen. Ich sagte auch dann kein Wort, als er mich beim Einsteigen in den Po zwickte. Anschließend machte ich es mir auf der hinteren Sitzbank bequem und achtete darauf, viel Bein und den Ansatz des Slips zu zeigen.

Beim Einsteigen lächelte er zwar anerkennend, sagte aber nichts. Als er zu rudern begann, spiegelte sich in seiner Miene Zufriedenheit, ja sogar Selbstgefälligkeit wider. Offenbar war die Welt für ihn in Ordnung. Ich konnte mir mühelos vorstellen, was in seinem Männerhirn vorging. Er hatte gut gegessen und ein Glas guten Wein getrunken. Er ging einer seiner Lieblingsbeschäftigungen nach, mit einer hübschen Frau als Gesellschaft, und das bedeutete, dass er in Kürze einer weiteren seiner Lieblingsbeschäftigungen frönen würde. In der Steinzeit hätte er ganz ähnliche Gedanken gewälzt.

Sollte ihn mein Verhalten verwirrt haben, so ließ er es sich jedenfalls nicht anmerken. Ich lehnte mich zurück, machte es mir so bequem wie möglich und zupfte das Kleid so zurecht, dass ich noch etwas mehr Bein zeigte.

Das fühlte sich gut an, und mein Bedürfnis nach Sex wurde allmählich stärker. Dennoch nahm ich mir vor, ihn mindestens einmal abzuweisen. Er ruderte jetzt langsamer, bewegte uns mit der Kraft seiner Arme gemächlich durchs Wasser, als hätten wir alle Zeit der Welt. Ich schenkte ihm ein träges Lächeln und ließ einen Arm ins Wasser baumeln.

Das Wasser war wunderbar kühl und machte mir Lust, auf seinen Vorschlag einzugehen und zu schwimmen. Außerdem musste ich pinkeln, was ich im Pub leider versäumt hatte. Wir waren noch nicht weit gekommen, und um ein Haar hätte ich ihn gebeten, wieder umzukehren, tat es dann aber doch nicht. Valentinas Regeln für den Umgang mit Männern: Sprich nie mit einem Mann über Körperfunktionen, sonst ist deine geheimnisvolle Aura dahin. Mach dir vor ihm in den Schlüpfer, und du kannst dich nicht nur von deiner Aura verabschieden.

Genau dazu würde es kommen, wenn er nicht einen Zahn zulegte. Ich beherrschte mich notgedrungen und forderte ihn zur Eile auf, als wir den kleinen See überquerten und in den Kanal einbogen. Stattdessen wurde er noch langsamer und ließ das Boot zwischen dem Schilf treiben. Er legte einen Finger an die Lippen und zeigte hinter mich.

«Sumpfweihen. Links von den Bäumen ist gerade eine aus dem Schilf aufgeflogen.»

Ich drehte mich um. Es gab nichts zu sehen außer Wasser, Schilf, Bäumen und Himmel. Ich lächelte schwach.

«Hab sie wohl verpasst. Na ja, dann halt ein andermal.»

«Warte einen Moment. Sie fliegen über dem Schilf, bleiben aber selten lange in der Luft, also halt die Augen auf. In Großbritannien wären sie vor ein paar Jahren beinahe ausgestorben.»

«Ja, aber …»

«Pst.»

Er hob abermals den Arm. Über dem Schilf nahm ich Flügelgeflatter wahr, einen langweilig braunen Vogel, dem ich auf der Stelle das vollständige Aussterben wünschte. Michael ruderte noch immer nicht weiter, sondern starrte unentwegt zu der Stelle, an der der Vogel aufgeflogen war.

«Ich glaube, das ist ein Paar. Warten wir noch.»

Ohne meine Meinung einzuholen, steckte er ein Ruder in den Schlick, um das Boot zu fixieren, und blickte mit leerem Blick übers Schilf hinweg. Die Zeit verstrich. Nichts rührte sich. Ich musste etwas sagen.

«Michael, können wir nicht allmählich mal weiter?»

«Willst du denn die Weihen nicht sehen?»

«So viel liegt mir nicht daran, und außerdem … Also, es wäre ein schöner Nachmittag im Cottage, warm und behaglich, genau richtig für Sex, meinst du nicht auch?»

Er lachte leise in sich hinein, mehr passierte nicht.

«Noch einen Moment.»

Ich legte eine andere Platte auf und schob die Unterlippe vor.

«Willst du nicht ein bisschen herumspielen?»

«Schon, aber warum sollen wir zurückrudern, um Sex zu haben? Nicht weit von hier ist ein kleiner Seitenkanal …»

«Nicht im Boot, Michael! Ich will es bequem haben. Ich will mich zurücklegen, dich in die Arme schließen und dich küssen, von Kopf bis Fuß …»

«Also, ich glaube, das kriegen wir auch hier hin. Es gibt da eine kleine grasbestandene Insel, vollkommen versteckt.»

«Draußen mag ich's nicht, Michael …»

«O doch, das tust du.»

«Nein, ich … okay, okay! Ich muss pinkeln, kapiert?»

«Oh. Dann pinkle doch über den Bootsrand ins Wasser.»

«Über den Rand!»

«Warum nicht? Niemand sieht dich. Sollte sich uns eine Segelyacht nähern, sehen wir rechtzeitig den Mast, und Motorboote würden wir hören.»

«Aber du guckst mir dabei zu!»

«Macht das was aus? Ich meine, immerhin …»

«Ja, das macht mir was aus! Wie kannst du das nur sagen? Ich meine, das ist doch nicht das Gleiche, Sex und … und Körperfunktionen!»

«Ich sehe da keinen Unterschied.»

«Ich schon! Ich bin eine Frau. Ich lege Wert auf ein wenig Privatsphäre!»

«Wie du meinst, aber bis zum Cottage brauchen wir noch gut drei Stunden.»

«Drei Stunden!»

«Mindestens. Wenn wir in den Hickling Broad abbiegen, rudere ich voll gegen den Wind, und das Boot ist sehr leicht.»

«Du meine Güte! Dann leg irgendwo an!»

Er schaute skeptisch drein. Ich sah das Problem. Beide Seiten des Kanals waren dicht mit Schilf bewachsen. Wenn ich ausstieg, würde ich nass werden. Das Wasser wirkte tief und der Untergrund ausgesprochen matschig. Ich musste etwas unternehmen, sonst würde ich mir tatsächlich noch ins Höschen machen. Er begann wieder zu rudern und hielt auf eine Ansammlung von Weiden zu, die über dem Schilf aufragten. Die wuchsen bestimmt auf einer kleinen, grasbestandenen Erhebung.

Vom Kanal aus war die Stelle gut zu überblicken, doch es gab kaum Alternativen. Er schwenkte das Boot herum, bis es mit dem stumpfen Ende gegen die Erhebung stieß. Ich packte einen Zweig, kletterte hinaus und blickte mich hektisch um, als ich das Kleid hochschlug. Eine Mastspitze war nirgends zu sehen, und zu hören war nur ein fernes Quieken. Wahrscheinlich verzehrte die Sumpfweihe gerade eine Ratte.

Ich streifte den Slip runter und ging in die Hocke. Als ich im Begriff war, loszulassen, bemerkte ich, dass Michael mir zuschaute und wieder den schmutzigen kleinen Jungen spielte.

«Michael!»

«Ja?»

«Guck nicht, du Schwein!»

«Du siehst reizend aus.»

«Du meine Güte! Würdest du dich bitte umdrehen? Wenn du zuschaust, kann ich nicht!»

Er lachte leise in sich hinein, schwenkte das Boot aber herum. Ich ließ los, schloss die Augen und seufzte wohlig, als der Druck auf meine Blase nachließ. Einen Moment lang fand ich es ganz nett, im Freien zu pinkeln, bis ich ein leises Motorengeräusch vernahm.

«Da kommt ein Boot, Valentina», sagte Michael.

«Ich hab's gehört!»

Ich presste mit aller Macht, wurde fertig, wand mich und schaffte es gerade noch, den Slip hochzuziehen, als an der Kanalbiegung auch schon der weiße Bug des Bootes auftauchte. Ich stand noch immer auf der Erhebung, als es vorbeifuhr, ein kleines Boot mit vier Personen, ausnahmslos alte Spießer, die mich, wie ich meinte, vorwurfsvoll anstarrten. Sie ahnten bestimmt, was ich soeben getan hatte, und ich errötete heftig, während Michael das Boot wieder näher heranmanövrierte.

Verlegen stieg ich ein. Einen Moment früher, und sie hätten mitangesehen, wie ich mir den Slip hochzog oder, schlimmer noch, wie ich gerade pinkelte. Ich mochte gar nicht daran denken und wünschte mich zurück in meine Wohnung oder sonstwohin, wo es nicht grün und nass war und wo es angemessene Sanitäreinrichtungen gab.

Michael ruderte gemächlich weiter, wenn auch schneller als zuvor. Er hatte die Beine gespreizt, um sich abzustützen, sodass ich freie Sicht auf seinen Hosenschlitz hatte. Ich musste unwillkürlich hinschauen und bemerkte, dass er eine volle Erektion hatte, die sich unter der Hose so deutlich abzeichnete, als habe er sie mit einer Wurst ausgestopft.

«Du gemeiner Kerl!»

«Was ist denn?»

«Du hast einen Steifen bekommen, als du mich beim Pinkeln beobachtest hast!»

«Klar, was hast du denn erwartet? Du bist wunderschön, Valentina, und du hast eine richtige Schau daraus gemacht.»

«Hab ich nicht!»

Er kicherte erst, dann lachte er als Reaktion auf meinen Gesichtsausdruck laut heraus. Ich hätte ihn um ein Haar geohrfeigt, beherrschte mich aber gerade noch rechtzeitig und schlug stattdessen ins Wasser, ein kläglicher kleiner Platscher, von dem etwa zwei Tropfen sein Bein benässten, während ich den Rest abbekam. Er lachte erneut, klatschte mit dem Ruder aufs Wasser und bespritzte mich und das Heck des Bootes. Ich schnappte nach Luft, das Haar klebte mir am nassen Gesicht, das Kleid an Brust und Bauch.

Wütend stand ich auf und trat genau in dem Moment einen Schritt auf ihn zu, als das Boot ins Schilf pflügte. Daraufhin verlor ich das Gleichgewicht und ruderte wild mit den Armen, dann fing er mich auf, und ich landete bäuchlings auf seinem Schoß. Ich holte mit der Hand aus, er aber lachte nur und schlug mir das Kleid hoch. Ich schrie auf, als mein Slip zum Vorschein kam.

«Nein! Du Schuft!»

Er lachte glucksend und patschte mir auf den Po. Er hatte mich fest im Griff, und einen wahrhaft schrecklichen Moment lang meinte ich, er wolle mir den Slip runterziehen und mir den Hintern versohlen, was das Fass wirklich zum Überlaufen gebracht hätte. So etwas tut mir niemand an, niemand, doch ich wusste, er war dazu imstande, und in meiner Stimme mischten sich Panik und Zorn.

«Wag es bloß nicht!»

Er ließ wieder sein leises Lachen vernehmen, das mich rasend machte. Währenddessen tastete er nach dem Gummiband des Slips und begann ihn abzustreifen. Mir wurde klar, dass ich auf dem Schoß eines Mannes den Hintern versohlt bekommen würde – eine unerträgliche Demütigung für eine moderne Frau. Ich schrie erneut, der Panik nahe.

«Nein! Das ist mein Ernst, du Schuft, nein!»

Er hielt inne, den Slip halb von meinem Po gepellt.

«Nein? Wirklich nicht?»

«Ja, wirklich nicht! Für wen hältst du mich eigentlich?»

«Oh.»

Er ließ mich los. Vorsichtig setzte ich mich wieder und funkelte ihn aus sicherem Abstand an. Vor Empörung war mir ganz heiß geworden, und vorübergehend fand ich keine Worte. Er lächelte nach wie vor, und sein Schwanz war noch immer steif. Er war ein richtiger Perverser und vermutlich immun gegen alle Vorwürfe. Ich fauchte ihn trotzdem an.

«Tu das nie wieder! Und sieh mich an! Du bist wirklich ein Schuft, Michael Callington.»

«Das hast du schon mal gesagt. Übrigens siehst du richtig gut aus.»

Sein Blick wanderte zu meinen Brüsten. Meine Hände taten desgleichen, bloß um festzustellen, dass die Nippel unter dem feuchten Stoff steif geworden waren. Er fasste sich an den Reißverschluss der Shorts.

«Nein, Michael, nicht hier!»

«Warum nicht? Im Schilf kann uns niemand sehen.»

Er stand auf und zog den Reißverschluss runter. Sein Schwanz sprang heraus, vollständig erigiert, so steif, dass die Eichel glänzte.

«Michael, nicht …»

Er trat vor. Ich wollte gleichzeitig schlagen und mich umdrehen und den Arsch hochrecken. Er stand unmittelbar über mir, streckte mir den Schwanz ins Gesicht. Als mir sein Geruch in die Nase stieg, zuckte meine Möse.

«Du Schuft!»

Sein Schwanz wanderte in meinen Mund, ich saugte mit geschlossenen Augen. In mir brannte noch die Empörung über sein Verhalten, wurde aber von meiner Geilheit in den Hintergrund gedrängt. Er lachte leise, schaute zu, wie ich ihn lutschte und in meinem Mund behutsam masturbierte. Unentwegt saugend hob ich den Po an und schlug das Kleid hoch. Mit einem letzten Anflug von Empörung streifte ich mir den Slip herunter.

Michael nahm den Schwanz aus meinem Mund und bückte sich. Er schob die Arme unter mich, hob mich von der Sitzbank hoch, drückte meine Beine nach oben und ließ seinen Schwanz sanft in mich hineingleiten. Ich schlang ihm die Arme um den Hals, und dann fickten wir im schaukelnden Boot.

Das nasse Kleid klebte mir auf der Haut, während er mich auf seinem Schwanz hin- und herschaukeln ließ; erst war es ein angenehmer Kitzel, dann, als meine Erregung wuchs, störte es mich zunehmend. Ich ließ ihn los und streifte mir das Kleid über den Kopf, sodass ich nun splitternackt von seinen Armen gehalten wurde, meine Möse bis zum Rand ausgefüllt von seinem wundervollen großen Schwanz. Er fasste mir unter den Arsch, stützte mich, kitzelte mich in der Pofalte. Ich schluchzte auf, als er mit der Fingerspitze die wunde Stelle berührte und sie betastete.

«Nein, Michael, nicht schon wieder. Ich bin ganz wund … wirklich.»

Er schob mir einen Finger ins Arschloch, behielt den Schwanz aber in mir drin, zog mich näher an sich heran und küsste mich mit offenem Mund. Immer schneller stieß er in mich hinein, bis ich am ganze Körper bebte und keuchte. Ich klammerte mich an ihn, ergab mich abermals dem überwältigenden Kitzel des Ausgeliefertseins. Er schob den Finger tiefer in meinen Arsch hinein, seine Stöße wurden heftiger, meine

Möse rieb sich an seinem Schritt. Ich wand mich, presste den Kitzler gegen sein dichtes Schamhaar und merkte, dass mir zum Kommen nicht mehr viel fehlte.

Ich stellte mir uns beide vor, ich nackt, er noch immer bekleidet, im Freien, meine Möse ausgefüllt von seinem Schwanz, während mein Arsch mit seinem Finger drin in die Luft ragte. Es war so obszön und auch riskant, denn falls ein Boot vorbeikäme, wären wir nur durch einen schmalen Schilfsaum abgeschirmt. Es brauchte bloß jemand das Schilf beiseite zu drücken. Dann würde ich dabei ertappt, wie ich meinen Arsch auf Michaels Finger wand, meine Möse weit geöffnet und aufgespießt von seiner dicken Latte, fickend, nackt und geil …

Das Boot schaukelte heftig hin und her, stieß gegen das uns umgebende Schilf. Ich war kurz vor dem Kommen, spürte, dass auch er sich jeden Moment tief in meine Möse ergießen würde. Ich musste den Höhepunkt als Erste erreichen, solange sein Schwanz noch in meiner Möse war und sich bewegte. Meine Bewegungen wurden heftiger, meine Phantasien schmutziger. Ich stellte mir vor, ich würde ertappt, nackt, doppelt aufgespießt von seinem Finger und seinem Schwanz. Im Boot wären zwei ältere Ehepaare, und alle vier würden uns angewidert anstarren, den straff gespannten rosigen Fleischring, in dem sein Schwanz sich vor- und zurückbewegte, mein offenes Arschloch mit seinem Finger drin, jeden Quadratzentimeter Haut, während ich im Freien und splitternackt fickte …

Ich kam und schrie laut auf, als der Orgasmus einsetzte. Michael stöhnte, stieß wie rasend in mich hinein, um mich zu einem weiteren Höhepunkt zu bringen und dann zu einem dritten, als er den Schwanz bis zum Anschlag in mich hineinrammte, und ich spürte, dass er in mir gekommen war. Ich hielt ihn fest, ließ ihn sein Sperma in meine Möse spritzen, während ich auf den Wellen des Orgasmus ritt, weiter und weiter, dahintreibend mit geschlossenen Augen, unser beide Münder weit geöffnet, in wechselseitiger Ekstase begriffen.

Ein letztes Mal stieß er fest in mich hinein, dann war es vorbei. Ich klammerte mich an ihn, zitterte in der warmen Luft an seiner Brust, während das Schilf meine nackte Schulter streifte und das Boot aus seinem Versteck hinausglitt. Michael fluchte, ließ mich los und griff zu den Rudern. Auch ich gab ihn frei und ließ mich vor der Sitzbank auf den Hintern plumpsen, während wir in den Kanal hinaustrieben. Meine Beine waren weit gespreizt, sodass die ganze Besatzung der großen Yacht in unserer Nähe freie Sicht auf meine nasse, klaffende Möse hatte.

Seit Tillys Züchtigung schwirrte mir der Kopf. Von Leuten wie ihr … wie ihnen hatte ich schon gehört. Verstanden hatte ich sie nie, oder vielmehr hatte ich nicht glauben können, dass Frauen wirklich Spaß daran hatten. Ich meine, den Hintern versohlt zu bekommen tut doch weh, außerdem ist es unglaublich demütigend für eine Frau. Tilly hatte Schmerz empfunden und war gedemütigt worden, dennoch hatte sie ihren Spaß dabei gehabt. Anschließend hatte sie sogar masturbiert.

Als ich sie überraschte, war ich zunächst sprachlos und schaute zu, wie sich ihre Finger in den feuchten, fleischigen Falten ihrer Möse bewegten. Dann bemerkte sie mich und lächelte mich an – ein träges, zufriedenes Lächeln und das genaue Gegenteil dessen, was ich erwartet hatte. Sie masturbierte nicht nur aufgrund der Züchtigung, sondern war vollkommen mit sich im Reinen.

Ich entschuldigte mich und zog mich eilig zurück. Ich war völlig durcheinander und wollte allein sein, doch wohin sollte ich mich wenden? Tilly hatte nicht einmal innegehalten, als sie mich bemerkt hatte, und mir kam der schreckliche Gedanke, sie habe gewollt, dass ich ihr zusah. Vielleicht hatte sie sogar geglaubt, ich hätte von vornherein vorgehabt, ihr zuzusehen oder womöglich sogar mitzumachen!

Die Vorstellung schockierte mich so sehr, dass ich, Malcolm hin oder her, mit rotem Gesicht wieder an Deck auftauchte. Er und Pippa waren zum Glück gerade mit einem Manöver beschäftigt, denn ein anderes Boot kam auf uns zu, eine Art Lastkahn mit gewaltigen Segeln. Deshalb beachteten sie mich nicht, und das war mir nur recht.

Seitdem hatte ich versucht, meine Gefühle zu ordnen. Ich fühlte mich verwirrt und verletzlich und fragte mich unwillkürlich, ob von mir erwartet wurde, dass auch ich mir zur Strafe für irgendeinen Fehler den Hintern versohlen ließ, und wie ich mich verhalten würde, wenn es so weit war.

Ich kannte die Antwort oder wusste vielmehr, welche Antwort ich darauf hätte geben sollen, nämlich ein entschlossenes Nein. Leider war ich mir gar nicht mehr so sicher, ob das wirklich noch für mich zutraf. Es hatte mich erregt, Tillys Züchtigung beizuwohnen, das abzustreiten hatte keinen Sinn, und eine leise, aber beharrliche innere Stimme sagte mir, dass ich es ebenfalls genießen würde. Ich versuchte das zu leugnen, es zu verdrängen, redete mir ein, ich sei schwach und wolle mich nur dem Unvermeidlichen fügen, indem ich so tat, als wollte ich es selbst.

Das hatte ich schon häufiger getan. Diesmal aber war es anders. Immer wieder stellte ich mir vor, wie sie sich wohl gefühlt haben musste, als sie auf seinem Schoß gelegen und er ihr den nackten Arsch versohlt hatte. Dabei versetzte ich mich im Geiste in ihre Lage. Zunächst stellte ich mir vor, Michael züchtige mich, was es mir zumindest gestattete, mir einen kleinen Rest von Stolz zu bewahren. Auf diese Weise fand ich heraus, dass ich meinen Stolz überhaupt nicht bewahren wollte. Ich wollte Sex mit Michael. Von seinem Vater wollte ich den Hintern versohlt bekommen.

Offenbar ahnten sie, wie mir zumute war, denn nachdem Pippa mir eine Tasse Tee gebracht hatte, ließen sie mich in Ruhe. Tilly wirkte verlegen, als sie wieder an Deck auftauchte, aber nur ein bisschen. Dann ging sie wieder nach unten, um Essen zu machen, während ich Muße hatte, die wundervolle QE2-Brücke zu bestaunen, unter der wir hindurchglitten, und mir Gedanken über das Hinternversohlen zu machen.

Das war einer der Punkte auf Valentinas Liste der verbotenen Dinge. Gemeint waren sexuelle Handlungen, die sich für eine Frau nicht schickten, weil sie respektlos waren, und dazu gehörten Analsex, Striptease, Sex auf allen vieren, Fesselspiele, das Hinternversohlen und viele andere Dinge, die ich vergessen hatte. Für einige der Punkte hatte ich noch nie Verständnis gehabt. Dazu zählten Striptease, denn der macht einfach Spaß, und die Hündchenstellung liebe ich. Ich wusste, sie hatte Recht, denn die Männer flogen auf sie, während meine Freunde sich mir gegenüber meistens äußerst respektlos verhielten. Ich musste an John McLaren denken, der mich in der Umkleide der Squash-Anlage gevögelt hatte und, während ich ihm gerade den Schwanz sauber leckte, kundtat, er sei mit einem anderen Mädchen zum Essen verabredet. Valentina hätte ihn gebissen, aber sie wäre gar nicht erst in so eine Lage hineingeraten.

Was das Hinternversohlen angeht, war ich immer einer Meinung mit ihr gewesen. Nicht dass mich das Thema sonderlich berührt hätte. Das ist eines der Dinge, die schmutzige alte

Männer gern mit erheblich jüngeren Frauen tun, und erotisch nur in dem Sinne, dass es den Mann anmacht, wie andere erotische Phantasien auch. So hatte ich immer gedacht. Malcolm Callington war zwar kein schmutziger alter Mann, aber Tilly war recht jung. Trotzdem hatte es sie erregt, und zwar mehr als ihn.

Das brachte mich auf den Gedanken, wie es wohl gewesen wäre, wenn er hätte kommen wollen. Er hätte es sich von ihr besorgen lassen können, sie auf allen vieren und den geröteten Po hochgereckt, ihm mit schwingenden Titten den Schwanz lutschend, ein richtig obszönes Bild. Wahrscheinlicher hätte er aber Pippa mit nach unten genommen und sie gefickt, eine Vorstellung, bei der ich erschauerte. Ich fragte mich, ob er ihr ebenfalls den Hintern versohlte. Bestimmt tat er das. Und beim nächsten Mal täte er es in meinem Beisein, Pippa bäuchlings auf seinem Schoß oder die beiden Frauen Seite an Seite, die blanken Hintern einladend hochgereckt …

Ich hielt inne, und das Blut schoss mir in die Wangen, als ich merkte, wie dringend ich masturbieren wollte.

KAPITEL *ACHT*

Warum gerade ich?

Ich bin die Frau mit einem Plan. Ich bin die, die stets weiß, was sie will und wie sie es bekommen kann. Ich bin Valentina de Lacy.

Ich habe Köpfchen und sehe gut aus. In der Schule habe ich mich angestrengt. Auf dem College habe ich mich angestrengt. Ich habe einen Beruf ergriffen, in dem ich es mit lauter begüterten Männern zu tun habe. Ich brauche bloß einen zu heiraten, entweder einen Softie, der mir für den Rest meines Lebens freie Hand lässt, oder jemanden, von dem ich mich Gewinn bringend scheiden lassen kann. Es könnte so einfach sein.

Das Leben ist niemals einfach, wie ich herausgefunden habe und wie Michael Callington es gerade wieder bestätigt. Er hatte nahezu perfekt gewirkt mit seinem guten Aussehen, dem Geld und seiner Lässigkeit. Klar wären ein paar Korrekturen nötig gewesen, aber schließlich gibt es ja noch Valentinas Regeln für den Umgang mit Männern: Männer sind formbar, also pack's an. Bedauerlicherweise sieht es ganz so aus, als ob Michael Callington eine Ausnahme darstellt.

Immer wieder hatte ich versucht, ihn auf meine Linie zu bringen, und das vor allem beim Sex, denn da ist es am einfachsten, weil die Frau stets die Moral für sich in Anspruch nehmen kann. Wieder und wieder war ich gescheitert und hatte schließlich für ihn die Schlampe gespielt und es obendrein auch noch genossen.

Er ließ sich einfach nicht aus der Ruhe bringen. Nach dem

Vorfall im Ruderboot war ich vollkommen aufgebracht gewesen. Es war schrecklich gewesen, beobachtet zu werden, und um meine Blöße zu bedecken, musste ich mich auf alle viere niederlassen, den Leuten auf der Yacht meinen nackten Arsch entgegenstrecken und ihnen alles zeigen. Als ich mich wieder bedeckt hatte, stellte ich fest, dass mein Slip in eine widerlich braune Wasserlache gefallen war, die sich unter den Sitzbänken gesammelt hatte. Er war triefnass und schmutzig, deshalb musste ich auf dem Rückweg unter dem Kleid nackt bleiben.

Michael fand den Vorfall einfach nur komisch und meinte, ich solle drüber lachen. Als ich ihm sagte, was ich von ihm hielt, lachte er auch darüber. Anschließend bewahrten wir eisiges Schweigen. Oder jedenfalls galt das für mich. Er ruderte, bewunderte die Landschaft und machte hin und wieder eine Bemerkung über Vögel oder irgendwelche Boote.

Im Bootshaus ließ er sich endlich dazu herab, meine Gefühle zur Kenntnis zu nehmen, wenn auch ganz anders, als ich es mir gewünscht hätte.

«Sollen wir einen Spaziergang nach Hickling machen und dort Tee trinken, oder willst du den ganzen Tag schmollen?»

«Ich schmolle nicht!»

Er lachte, vertäute das Boot und trat hinaus in den Sonnenschein.

«Weißt du, was mein Vater mit dir machen würde?», sagte er.

«Nein, und ich will's auch nicht wissen.»

«Er würde dich übers Knie legen und dir kräftig den Hintern versohlen.»

«Dann würde ich dem alten Perversling in die Eier treten und ihn anschließend anzeigen.»

Er lachte erneut, wenn auch mit einer Spur weniger Selbstvertrauen, vielleicht sogar mit einem Unterton von Enttäuschung. Zweimal hatte er eine Andeutung gemacht, einmal praktisch, einmal hatte er es bloß vorgeschlagen. Zweimal hatte ich deutlich gemacht, was ich davon hielt. Jetzt wusste er Bescheid. Alles hat irgendwo seine Grenze, und mir den Hintern versohlen zu lassen kam überhaupt nicht infrage.

Gegen Abend war ich mir vollkommen sicher, dass Malcolm Callington mich übers Knie legen und mir den Hintern versohlen würde, ob ich wollte oder nicht. Als ich den Tee getrunken hatte und Tillys Verlegenheit verflogen war, hatten sie begonnen, Scherze über Tillys geröteten Po zu machen. Offenbar genoss sie die Aufmerksamkeit, und mir wurde klar, dass ihre Verlegenheit weniger von der Züchtigung herrührte, sondern vor allem daher, dass sie anschließend masturbiert hatte.

Sie und Pippa befanden sich in einem Zustand nervöser Erregung, die offenbar sexueller Natur war. Tillys Bikinihöschen hatte sich wieder zwischen den Pobacken eingeklemmt, sodass jede Menge stark gerötete Haut zu sehen war. Anscheinend machte ihr das nichts aus, ganz im Gegenteil, denn als Reaktion auf die Scherze zog sie eine Schnute und rieb sich demonstrativ den Hintern.

Ihren Bemerkungen war zu entnehmen, dass das Gleiche auch Pippa oder sogar mir hätte passieren können, zumindest gingen sie anscheinend davon aus. Malcolm war sehr zufrieden mit sich, und ich hatte den Eindruck, er sei scharf. Welcher Mann wäre das nicht gewesen, nachdem er mit einem hübschen Mädchen so verfahren war? Er brauchte mir bloß seine Aufmerksamkeit zuzuwenden, und schon würde ich das Höschen runterziehen und mir in Pippas und Tillys Beisein den nackten Arsch versohlen lassen. Ich wusste, ich würde mich wehren und austreten, genau wie Tilly, und redete mir ein, er würde von mir ablassen, wenn ich nur ordentlich Theater machte. Das war die Stimme der Vernunft. In meinem Herzen sah es ganz anders aus, da mischte sich Erwartung mit dem erschreckenden Wunsch, mich hinzugeben und die Züchtigung womöglich sogar zu provozieren.

Doch das tat ich nicht. Den ganzen Tag lang zeigte ich mich von meiner besten Seite und führte alles, was von mir verlangt wurde, so schnell und so gut wie möglich aus. Nichts geschah, doch in meine Erleichterung mischte sich mehr als nur ein wenig Enttäuschung, als die Segel schließlich geborgen wurden und die *Harold Jones* unter Motor in eine kleine Bucht einlief. Dort gab es einen Pub, das Mainbrace, und davor eine Anlegestelle. Die *Harold Jones* legte bei den anderen Yachten und Motorbooten an und wurde vertäut.

Offenbar legten sie am ersten Tag immer hier an, und ich hatte gehofft, wir würden hier Michael treffen. Doch er war nicht da, und als ich ihn vom Pub aus anrief, ging er nicht ran. Das war Besorgnis erregend und auch ärgerlich, aber Pippa erklärte wie zuvor Malcolm, Michael möge Handys nicht und lasse seines im Urlaub lieber ausgestellt. Damit musste ich mich zufrieden geben und darauf hoffen, dass er dann eben morgen zu uns stoßen würde, wenn wir im Deben anlegen würden, kurz hinter Felixstowe.

Es war ein wundervoller Abend, und wir beschlossen, draußen zu speisen. Malcolm kümmerte sich mit der gewohnten Mischung aus Entschiedenheit und Chauvinismus ums Abendessen und bestellte für uns, wobei ihm eine hochgezogene Braue reichte, um sich zu vergewissern, dass ich gegen den Krabbensalat keine Einwände hatte. Er wählte auch den Wein aus, ohne unsere Meinung einzuholen.

Der Garten war zunächst noch recht belebt, und die Unterhaltung kreiste um allgemeine Themen, ganz ohne die anzüglichen Scherze übers Hinternversohlen, die sie auf der Yacht ständig gemacht hatten. Jedenfalls ließen wir uns Zeit, und als Malcolm in den Pub hineinging und eine Runde Brandy bestellte, wiederum ohne uns gefragt zu haben, wurde es bereits dunkel.

Als ich an meinem Brandy nippte und zuschaute, wie hinter dem Wald die Sonne unterging, verflog meine Besorgnis, und ich wurde ein wenig kühner. Ich wollte unbedingt mit Tilly sprechen, und als Malcolm und Pippa aufbrachen, um entlang des alten Treidelpfads, der vom Pub aus landeinwärts führte, einen Spaziergang zu machen, bekam ich dazu Gelegenheit. Die meisten Gäste waren entweder gegangen oder hielten sich im Pub auf, sodass wir uns ungestört unterhalten konnten. Ich hätte sie gern gefragt, warum sie das mit sich machen lasse, doch die Antwort kannte ich bereits. Andererseits hätte ich auch gern gewusst, wie es sich anfühlte. Ich überlegte noch, was ich sagen sollte, als sie mir aus der Klemme half.

«Du hast dich heute gut benommen. Ich dachte, du würdest unartig sein.»

Ich errötete auf der Stelle und plapperte heraus, was mir gerade durch den Sinn ging.

«Ich … ich weiß nicht so recht, wie es bei euch läuft.»

«Ganz einfach. Es gibt Regeln, und man kann alles richtig machen. Verstößt man gegen die Regeln oder macht etwas falsch, bekommt man den Hintern versohlt. Das ist ein Mordsspaß.»

«Aber … ich meine … ich weiß, es hat dir gefallen, aber … er hat dich vorher nicht um Erlaubnis gefragt. Er hat dich einfach geschlagen!»

«So ist es am besten. Wenn man weiß, dass man es durchstehen muss, dass er es einfach tut, egal, was ich mache oder sage, ist die Erfahrung umso stärker. Magst du es lieber, wenn es weniger streng zugeht?»

«Ich mag es überhaupt nicht! Ich meine, ich mache das nicht, ich steh nicht auf solche Sachen.»

«Oh, ich verstehe! Dann wirst du Malcolm lieben!»

«Wie meinst du das?»

«Wenn du so tust, als würde es dir nicht gefallen. Das mag er. Ich auch. O Mann, ich freu mich schon drauf, wenn du Haue kriegst!»

«Ich mein's ernst, Tilly!»

«Ja, klar, Chrissy. Ich glaube dir ja.»

«Nein, wirklich! Das ist mein voller Ernst!»

«Du verarschst mich doch nicht, oder? Ich dachte … ich meine, Malcolm glaubt doch, du stehst drauf.»

«Nein! Überhaupt nicht! Weshalb sollte er das glauben?»

«Weil du's selbst gesagt hast! Im Club. Jedenfalls hat er uns das erzählt, andernfalls hätte er dich bestimmt nicht eingeladen.»

«Warum das denn nicht?»

«Also wirklich! Weil es auf dem Boot eben so läuft, darum! Hast du das nicht gewusst?»

«Nein, woher denn? Moment mal, weiß Michael eigentlich Bescheid?»

«Ob Michael Bescheid weiß? Selbstverständlich weiß Michael Bescheid! Mal im Ernst, Chrissy, du solltest aufhören herumzunölen. Daddy … äh … Malcolm hat gesagt, er habe dich beim Essen im Club ausgehorcht.»

»Also, das stimmt nicht.»

»Soll das ein Scherz sein?»

»Keineswegs. Nein, warte mal. Ist Spanking ein anderer Ausdruck fürs Hinternversohlen?»

«Ja, natürlich.»

«Ich … ich dachte, das hätte etwas mit Sport zu tun.»

Sie sagte nichts, saß einfach nur da und musterte mich wie eine Idiotin, dann auf einmal lächelte sie breit.

«Also, das ist wirklich komisch, Chrissy! Weißt du, einen Moment lang hab ich dir wirklich geglaubt.»

«Ich scherze nicht, Tilly. Ich hatte keine Ahnung, wovon er da redete.»

«Mein Gott, das war kein Scherz?»

«Nein!»

«Dann magst du es wirklich nicht, den Hintern versohlt zu bekommen?»

«Nein! Ja. Ich weiß nicht. Mir hat noch nie jemand den Hintern versohlt!»

«Wirklich nicht?»

«Nein!»

«Aber die Vorstellung gefällt dir, hab ich Recht?»

Sie betrachtete mich lächelnd. Ich war feuerrrot geworden, was so gut wie ein Eingeständnis war. Sie lachte, ein so fröhliches, schelmisches Lachen, dass ich unwillkürlich lächeln musste.

«Ach, meine Liebe, was sollen wir jetzt mit dir anfangen?»

«Bitte erzähl den anderen nichts. Das wäre mir peinlich.»

Sie kicherte. Ihre Miene hatte sich aufgehellt und wirkte so fröhlich und durchtrieben, dass sich meine Röte noch vertiefte. Ich versuchte es erneut, in geradezu flehendem Ton.

«Bitte?»

«Also gut, aber wenn ich Malcolm nichts sage, wird er dir den Hintern versohlen.»

«Nein!»

«Dann muss ich's ihm sagen.»

«Nein!»

«Also, du musst dich entscheiden, Chrissy. Was ist dir lieber, die Peinlichkeit oder ein geröteter Po?»

Sie schwelgte in meiner Verlegenheit und Verwirrung. Ihr Lächeln war das einer Wahnsinnigen, einer Teufelin. Ich hatte noch nie ein Gesicht gesehen, das gleichzeitig so schalkhaft und so hübsch gewesen war. Aber sie hatte Recht, ich musste mich entscheiden, und wenn ich sie bat, ihm alles zu erzählen und ihn zu bitten, mich zu verschonen, dann würde er mich für eine Vollidiotin halten. Außerdem wäre dann zwei Tage lang schlechte Stimmung an Bord, sodass der ganze Törn verdorben wäre. Das wäre schade. Andererseits hatte ich Angst davor, dass er mir den Hintern versohlte.

Ich brauchte Zeit zum Überlegen, musste wieder einen klaren Kopf bekommen.

«Er … er wird mich doch wohl nicht heute Abend schlagen wollen, oder?»

«Solange wir festgemacht haben, nicht. Nicht dass es ihm etwas ausgemacht hätte, und Pippa hätte bestimmt nichts dagegen, wenn alle es mitbekämen, aber im Moment ist er befriedigt, außerdem müssen wir morgen früh lossegeln, deshalb werden wir gleich in die Koje gehen.»

«Befriedigt? Weil er dir den Hintern versohlt hat?»

«Nein, du Dummchen. Was meinst du eigentlich, was er und Pippa gerade machen?»

«Sie sind … Er verhaut sie gerade? Im Wald?»

«Wenn dort keine Leute sind, ja.»

Sie schaute zum mittlerweile dunklen Wald hinüber. Ich folgte ihrem Blick mit den Augen und stellte mir vor, wie Pippa quer über Malcolms Schoß lag, ihr runder kleiner Hintern entblößt und gerötet, vor Erregung keuchend, während er sie schlug. Dann würde sie ihm zum Dank den Schwanz lutschen und dabei masturbieren, oder aber er verlangte von ihr, dass sie sich bückte, und er fickte sie von hinten, so wie Michael mich beim ersten Mal gefickt hatte.

Ich schüttelte den Kopf, versuchte die erotischen Bilder zu verdrängen. Ich war ziemlich scharf und wünschte mir mehr denn je, Michael wäre bei uns gewesen. Dann hätte ich es sein können, die in den Wald geführt wurde und den Hintern versohlt bekam, genau wie Pippa und Tilly. Ihr Gelächter unterbrach meine Tagträume und brachte mich auf einen anderen Gedanken.

«Etwas verstehe ich noch immer nicht. Ich meine, macht es Pippa denn nichts aus, dass er anderen Frauen den Hintern versohlt? Immerhin bist du ihre Schwester!»

«Du meine Güte! Du bist ein bisschen prüde, stimmt's? Warum sollte Pippa was dagegen haben, wenn er sich ein wenig amüsiert? Wir stehen einander nahe. Wir haben schon häufig Jungs miteinander geteilt, und es ist auch nicht so, als hätte Malcolm noch nie Sex mit mir gehabt. Allerdings nur Spanking-Sex.»

«Oh.»

«Erzähl mir nicht, du hättest noch nie einen Dreier gehabt.»

«Nein! Doch … irgendwie schon. Ich bin zwar Einzelkind, aber wenn ich eine Schwester hätte, würde ich bestimmt nie einen Mann mit ihr teilen!»

Sie zuckte gleichgültig die Schultern, als langweile sie das

Thema. «Soll ich dir von Malcolm und Pippa und dem Skandal erzählen?»

Ich nickte.

«Ich habe schon erwähnt, dass er im Vorstand von Mornington war, nicht wahr?»

«Ja.»

«Sie fand dort gleich nach der Uni eine Anstellung und unterrichtete dies und jenes, dann wurde sie zur Sportlehrerin ernannt. Alles prima, abgesehen davon, dass sie an der Uni sehr, sehr ungezogen gewesen war. Im ersten Studienjahr hatte sie für ein Magazin eine Fotoserie gemacht. Für ein Spanking-Magazin.»

«Oje! Ich nehme an, sie brauchte das Geld …»

«Nicht im Geringsten! Unsere Ausbildung war durch ein Stipendium abgesichert. Sie tat es, weil sie vom Spanking besessen war und ihren roten Arsch möglichst vielen Leuten präsentieren wollte!»

«War das nicht ziemlich riskant, wenn sie später unterrichten wollte?»

«Das war eigentlich gar nicht ihre Absicht. Ihr Berufsberater schlug ihr dann diese Laufbahn vor. Pippa liegt es halt nicht so, eigene Entscheidungen zu treffen. Sie lässt sich eher vom Gefühl leiten. Das gilt auch für mich, aber bei mir ist es nicht ganz so schlimm.»

«Mir geht's genauso.»

«Dann verstehst du das bestimmt. Sie wollte in einem Spanking-Magazin erscheinen, und das tat sie auch, die Folgen waren ihr scheißegal. Ich weiß nicht, was sie sich dabei dachte, aber sie hat bestimmt nicht damit gerechnet, dass ausgerechnet ein Vorstandsmitglied ihrer eigenen Schule die Bilder sehen würde.»

«Malcolm?»

«Genau der.»

«Wie peinlich!»

«Das stimmte, jedenfalls zu Anfang. Der Artikel trug die Überschrift *Disziplin in Uniform*, und die erwähnte er eines Tages nach einer Sportveranstaltung. Sie sprang natürlich gleich darauf an, und es war ihr fürchterlich peinlich. Es war eine Art Fotostory, im Grunde dumm, aber amüsant. Sie stellte eine Armeerekrutin dar und wurde geschliffen. Sie musste sich bis auf den Slip ausziehen, dann legte ein Sergeant sie übers Knie. Für Malcolm, der gedient hatte, war das natürlich ein gefundenes Fressen, und, na ja, sie sah reizend aus. Aber ungeachtet der Peinlichkeit, ging sie zuerst zu ihm, nicht umgekehrt. Das erste Mal wurde ihr der Hintern in einem Hotel in Aylesbury versohlt.»

«Und seine erste Frau kam dahinter?»

«Ja, aber nicht gleich. Das war wirklich Pech … Das heißt, Pech war es eigentlich nicht, es war ihre Schuld. Sie muss eben immer angeben!»

«Also, was geschah?»

«Das ging ein ganzes Jahr so, immer am Wochenende nach wichtigen Sportveranstaltungen, an denen Pippa beteiligt war und bei denen Malcolm, ohne Verdacht zu erregen, aufkreuzen konnte. Dann neigte sich das große jährliche Sportfest, bei dem alle Eltern anwesend sind und nach dem die Mädchen von der Schule abgehen, dem Ende zu. Eine Familie ging mit ihrer Tochter zur Feier der Abschlussprüfung in Aylesbury essen. Der Vater trank zu viel, die Mutter konnte nicht fahren. Also übernachteten sie im Hotel. Aus dem Nebenzimmer drangen seltsame Geräusche herüber – klatsch, klatsch, klatsch, quiek, quiek, quiek. Wenn Pippa in Fahrt kommt, quiekt sie wie ein

Schwein. Als nebenan die Tür geht, tritt der Familienvater auf den Gang, um sich zu beschweren, und wen sieht er da? Die Geschichtslehrerin seiner Tochter rennt über den Flur, lediglich mit einem Handtuch bekleidet, das ihren geröteten Hintern vollkommen unbedeckt lässt.»

«Oje!»

«Das kann man wohl sagen. Er war ein richtiges Arschloch und hat sich beschwert. So kam alles heraus.»

«Und warum war es dann Pippas Schuld?»

«Weil sie nur deshalb über den Flur gelaufen ist, damit man sie sieht, Dummchen! Oder rennst du nachts in Hotels mit einem Handtuch rum, das so kurz ist, dass man deinen Hintern sieht? Sie wollte gesehen werden, sie hatte nur nicht damit gerechnet, dass es ausgerechnet der Vater einer ihrer Schülerinnen sein würde.»

«Wurde sie entlassen?»

«Natürlich, und Malcolm musste seinen Platz im Vorstand räumen. Um seine Ehe stand es bereits nicht mehr so gut, zumindest behauptet das Pippa, und der Skandal um den Fall Libel tat sein Übriges.»

«Der Fall Libel?»

«Ja. Hast du schon mal vom Poklatscher-Major gehört?»

«Nein.»

«Also, das war Malcolm. Der Mistkerl, der Pippa erwischt hatte, ging an die Presse. Der Vorfall hatte alles, was es für einen Skandal braucht: eine hübsche junge Frau, eine berühmte englische Public School, und du weißt ja, wie gern es die Leute sehen, wenn jemand, der auch nur vage der Oberschicht zuzurechnen ist, auf den Hintern fällt. Deshalb stürzte man sich darauf. Ein Schreiber bezeichnete Malcolm sogar als Perversen. Daraufhin ging er vor Gericht.»

«Vor Gericht? Aber er konnte es nicht bestreiten. Es gab einen Augenzeugen.»

«Nein, nein, er beschwerte sich nicht darüber, dass man geschrieben hatte, er habe Pippa den Po versohlt; er wehrte sich bloß dagegen, als Perverser hingestellt zu werden. Das war, als er in den Zeugenstand trat, seine Stoßrichtung, die er gelassen verteidigte. Wie hat er sich noch gleich ausgedrückt: ‹Selbstverständlich ist das nicht pervers. Jeder heißblütige Engländer mag es, einem jungen Mädchen den Po zu versohlen.› Er hat gewonnen, zwei Millionen Schmerzensgeld.»

«Wow!»

«Daher die Yacht, benannt nach dem Juryvorsitzenden *Harold Jones*, Michaels Wohnung und noch eine Menge anderer Dinge mehr. Nicht dass er vorher arm gewesen wäre. Und dann hat er natürlich noch Pippa geheiratet.»

«Und was ist mit dir?»

«Ich bin im Schlepptau.»

Sie kippte den Rest ihres Brandys. Ich war noch damit beschäftigt, das Gehörte zu verdauen. Sie gingen so selbstbewusst damit um, überhaupt mit allem, als sei ihnen die Meinung anderer Leute tatsächlich gleichgültig. Das galt besonders für Malcolm. Aber wenn ich's recht bedachte, war Michael vom gleichen Schlag, und ich musste mir eingestehen, dass sein wundervolles Selbstbewusstsein wohl weiter reichte, als ich gemeint hatte. Offenbar schloss es die absolute Gewissheit ein, im Recht zu sein, ganz gleich, wie andere Leute darüber dachten. Ich seufzte.

Ein Ruf vom Treidelpfad her kündigte uns Malcolms und Pippas Rückkehr an. Sie gingen langsam, Pippa hingebungsvoll an seine Brust geschmiegt. Sie lächelte, ein stilles, glückliches Lächeln der vollkommenen Befriedigung. Ich fragte mich, ob ich wohl auch so zufrieden gewesen wäre, wenn er mich übers Knie gelegt hätte.

Malcolm war so entschieden wie eh und je und verkündete in einem Ton, der keinen Widerspruch duldete, es sei Zeit fürs Bett. Obwohl es noch nicht einmal zehn war, wandte Tilly sich sogleich folgsam zum Gehen, und mir blieb nichts anderes übrig, als ihr zu folgen. An Bord stellte ich fest, dass die Hauptkajüte durch eine raffinierte Falttür unterteilt war. Pippa und Malcolm bewohnten die eine Hälfte und Tilly und ich die andere. Sie schlossen sogar die Tür, um sich fürs Schlafen fertig zu machen, wofür ich dankbar war, was mir aber in Anbetracht des Umstands, dass Malcolm Tilly in meinem Beisein übers Knie gelegt hatte, ein wenig seltsam vorkam.

Seltsam war es gewiss, aber auch wiederum typisch, jedenfalls hatte ich dadurch die dringend benötigte Abgeschiedenheit. Als das Licht gelöscht wurde, war es stockdunkel und auch still, denn Malcolm hatte Tilly aufgefordert, ihr Geschnatter einzustellen. Ich war unsicher und unglaublich scharf, so scharf, dass ich am liebsten auf der Stelle masturbiert hätte.

Es dauerte nicht lange, da vertiefte sich Tillys Atem und wurde gleichmäßiger. Sie schlief. Ich musste nun handeln, das Bedürfnis war einfach zu stark. Ich schob das Nachthemd hoch. Eine Hand wanderte zur Brust, umfasste eine Titte. Die andere rutschte zum Slip hinunter. Ich war feucht und bereit, mein Kitzler verlangte nach Berührung. Als ich zu masturbieren begann, dachte ich intensiv an Michael.

Es stand außer Frage, dass er meinem Arsch von Anfang an eine Menge Aufmerksamkeit geschenkt hatte. Zweimal hatte ich Sex mit ihm gehabt oder vielmehr bei zwei Gelegenheiten, und nahezu ständig war ich auf allen vieren gewesen und hatte den Hintern hochgereckt. Er hatte ihn auch getätschelt, wenn auch nicht geschlagen, trotzdem hätte ich eigentlich Verdacht schöpfen sollen. Jetzt wusste ich, weshalb er diese Stellung bevorzugte. Die Stellung war ideal zum Hinternversohlen. Das wollte er mit mir machen, das war sein größter Wunsch. Er wollte mich übers Knie legen und mir den Slip runterziehen. Er wollte mir den nackten Arsch versohlen, bis ich mich auf seinem Schoß wand, austrat und quiekte. Ich wünschte, er hätte es getan, und fragte mich, ob auch er es wohl gern vor Zuschauern tat.

Diese Vorstellung war nahezu unerträglich peinlich. Nahezu. Ich verstand nun Tillys Haltung, die gemeint hatte, es sei besser, es einem Mann zu erlauben und dann abzuwarten, was kommen werde. Auf diese Weise würde ich die süße Gewissheit auskosten, dass es jederzeit passieren könnte, und die Peinlichkeit, darum zu bitten, bliebe mir erspart.

Sie hatte Recht. So war es am besten. Auf diese Weise war man emotional weniger verstrickt. Malcolm konnte Tilly den Hintern versohlen, ohne dass Pippa eifersüchtig wurde, und wenn es sie anmachte, wurde darüber ebenso wenig geredet wie über einen Gang zum Klo. Irgendwie wirkte es auf diese Weise wundervoll obszön, war aber gleichzeitig auch ungefährlich. Meine Gedanken wandten sich noch obszöneren, frecheren Bahnen zu. Malcolm versohlte Tilly den Hintern, doch er fickte sie nicht. Malcolm würde mir vielleicht den Hintern versohlen, mich aber ebenfalls nicht ficken und sich auch nicht von mir den Schwanz lutschen lassen. Sollte ich meine Gefühle nicht im Zaum halten können und mich zurückziehen, um zu masturbieren, würde man darüber hinwegsehen, als hätte ich lediglich eine kleine Peinlichkeit begangen.

Ich könnte es tun, ich könnte mich seiner Disziplin tatsächlich unterwerfen. Michael würde es mir nicht übel nehmen.

Er wusste Bescheid. Es könnte sogar positive Auswirkungen auf unsere Beziehung haben. Vielleicht würden sie mich sogar miteinander teilen, so wie Vater und Sohn ein Bier miteinander tranken.

Bei der Vorstellung kicherte ich leise. Ich hatte Spaß, spielte mit meiner Muschi und lachte ob der lustvollen Empfindungen und meiner obszönen Gedanken. So würde es im Cottage sein, eine ganz gewöhnliche häusliche Szene: Die Familie nimmt nach dem Essen einen Drink zu sich und versohlt der Freundin des Sohnes den Hintern.

Diese Vorstellung machte mich richtig an. Ich würde etwas Ungezogenes tun, etwas Banales, wie zum Beispiel das Essen anbrennen lassen. Kein Wort würde fallen, kein einziges Wort, aber alle wüssten Bescheid. Und nach dem Essen, vielleicht nach einer kurzen Verdauungspause, würde ich, ehe ich mich versah, übers Knie gelegt werden!

Sie würden mir beiläufig den Rock hochschlagen und den Slip runterziehen, als wäre dies die natürlichste Sache der Welt. Pippa und Tilly würden dabei zusehen, vielleicht nur mit einem Auge, während sie weiterplauderten oder lasen. Man würde mich in ihrem Beisein ausziehen und bestrafen, während ich heulte und austrat und um mich schlug, genau wie Tilly es getan hatte. Sie würden sich abwechseln, beide wären energisch, stark und vollkommen beherrscht, während ich mich vor Verlegenheit und Schmerz auf ihrem Schoß winden würde. Ich stockte. Irgendetwas stimmte nicht. Ich wusste nicht, wie es sich anfühlte, den Hintern versohlt zu bekommen, wie weh es tat oder warum der Schmerz so erregend war, deshalb konnte ich es mir auch nicht richtig ausmalen. Trotzdem musste ich kommen, ich war dem Orgasmus zu nahe, um jetzt aufzuhören.

Ich wusste zwar nicht, wie es sich anfühlte, übers Knie gelegt zu werden, doch ich wusste genau, welche Empfindungen es auslöste, wenn einem in der Öffentlichkeit der Slip runtergezogen wurde. Valentina hatte das einmal getan, um mich in Verlegenheit zu bringen und um nach einer Tennispartie vor irgendeinem Burschen anzugeben. Ich hatte mich gebückt, um mir die Turnschuhe zu schnüren. Sie hatte mir den Rock hochgeschlagen und den Slip runtergezogen, ehe ich reagieren konnte, und dann hatten sie über meine Erniedrigung gelacht, während ich mich mit hochrotem Gesicht bemüht hatte, meinen Po zu bedecken, denn den Slip hatte sie weiterhin festgehalten. Sie hatten sich prächtig amüsiert, während ich mich wand und um mich schlug, doch trotz meiner Beschämung hatte es mich auch erregt, und zwar so sehr, dass ich später masturbiert hatte, genau wie jetzt.

Ich könnte mir vorstellen, dass es mit den Callingtons ganz ähnlich wäre. Man würde mich festhalten, während man mir beiläufig den Slip runterstreifte, ohne meine Gegenwehr zu beachten, abgesehen vielleicht von einem Kichern, das von Tilly käme. Dann wäre der Slip unten, und mein Hintern wäre obszön entblößt, bereit für die Schläge.

Es fehlte nicht mehr viel. Ich biss mir auf die Lippen, um nicht aufzuschreien, unablässig reibend, in Gedanken immer noch bei dem schrecklichen Moment, in dem mir der Slip runtergestreift würde … von Michael, im Beisein Malcolms und der beiden Frauen, so würde es sein.

Ich war so weit und kam mit einem erstickten Schluchzen, darum bemüht, einen lauten Aufschrei zu unterdrücken. Die Schenkel hatte ich so weit wie möglich gespreizt, und auf dem Höhepunkt trommelte das eine Knie gegen das Schott, im Rhythmus der Wellen, die mich durchströmten. Ich konnte nichts dagegen machen, und es stoppte meinen Orgasmus, der rasch verebbte. Anschließend lag ich reglos da, die Finger noch immer zwischen den Lippen meiner Möse versenkt, und lauschte voller Schuldgefühl.

Etwa eine halbe Minute lang herrschte tiefe Stille, dann tönte Tillys Stimme aus der Dunkelheit hervor.

«War es gut?»

KAPITEL *NEUN*

Ich erwachte vom Schaukeln der *Harold Jones* und vom Duft von Speck und Eiern. Ehe ich auch nur die Füße auf den Boden setzen konnte, war ich bereits seekrank. Der seltsame, lüsterne Traum, in dem ich, verfolgt von Soldaten, die mir den Hintern versohlen wollten, nackt über einen Hotelflur gerannt war, verblasste und machte dem Wunsch nach festem Boden unter den Füßen Platz.

Tilly kochte. Heute war sie nicht im Bikini, sondern von Kopf bis Fuß in einen wasserdichten gelben Overall mit Karabinerhaken am Gürtel gehüllt. Ihr Haar war feucht. Sie lächelte glücklich.

«Zieh das Ölzeug an, Chrissy. Heute weht eine kräftige Brise, und die meiste Zeit segeln wir hoch am Wind, das Hinternversohlen fällt heute also aus.»

Ich verspürte die gleiche Mischung aus Erleichterung und Enttäuschung wie zuvor, jedenfalls bis ich aus dem Cockpit schaute. Der Himmel war bedeckt, dicke graue Wolken trieben so dicht vorbei, dass ich meinte, sie berühren zu können. Nieselregen ging aufs aufgewühlte Wasser nieder, und die Farbe des Pappellaubs changierte unter dem Ansturm der Böen zwischen Silbergrau und Tiefgrün. Malcolm und Pippa waren an Deck und stellten irgendetwas Kompliziertes mit einer Leine an. Beide waren von Kopf bis Fuß in das Ölzeug gehüllt. Im Hintergrund sah ich die Meeresbucht, bleigrau und mit weißen Schaumkronen besetzt. Die gegenüberliegende Küste war nicht zu sehen. Tilly sprach weiter.

«Windstärke fünf, in Böen sechs, aber sobald wir an Shoeburyness vorbei sind, könnte es auffrischen. Beeil dich, du weißt doch, wie es trödelnden Mädchen ergeht.»

Ich quiekte, als sie mir unversehens fest auf den Po klopfte.

«Uh! Tilly!»

«Das ist gar nichts im Vergleich zu dem, was dir von Malcolm blühen wird, wenn du nicht in die Gänge kommst, Mädel. Oder hast du's darauf angelegt?»

«Ich … ich weiß nicht. Ich muss noch drüber nachdenken.»

«Was gibt's denn da zu überlegen? Oder woran hast du gedacht, als du dir gestern Abend einen runtergeholt hast?»

Ich wurde unvermittelt rot. Lachend trug sie das Frühstück auf. Leicht beklommen und seekrank ging ich wieder in die Kajüte und fragte mich, wie sie es schaffte, so munter zu sein.

Und sie war nicht die Einzige. Als Pippa nach unten kam, war sie triefnass, und das strähnige Haar klebte ihr im Gesicht. Verglichen mit unserer ersten Begegnung, war sie kaum wieder zu erkennen. Ihre Laune aber hätte besser nicht sein können, und während sie Speck, Eier und Brot in sich hineinschlang, plapperte sie aufgeregt in ihrem unverständlichen Seglerjargon. Tilly hatte alles in Butter gebraten, daher musste das Frühstück unheimlich fettreich sein, doch das schien den beiden nichts auszumachen.

Inzwischen hatte ich mich angekleidet, doch was ich für wetterfeste Kleidung hielt, brachte sie nur zum Lachen. Tilly borgte mir Sachen, auch einen Gürtel mit Karabinerhaken. Sie überprüfte ebenfalls zweimal den Sitz der Rettungsweste, was meine Nervosität nur noch steigerte.

Als Malcolm runterkam, erklärte er, wir seien bereit zum Segelsetzen. Im Nu hatte er sein Frühstück verzehrt, dann gingen die drei an Deck, während ich vom Cockpit aus aufmerksam zuschaute, wie wir langsam in die Bucht hinausglitten. Kaum lag die Mole hinter uns, wurde das Geschaukel stärker und unregelmäßiger. Ich hielt mich fest und hoffte, mir würde nicht schlecht werden, Michael würde kommen, der Wind würde sich entweder legen oder so stark werden, dass sie ein Einsehen hätten und beim Pub blieben.

Mein lautloses Flehen wurde nicht erhört. Als wir in den Meeresarm hinausfuhren, wurde das Schaukeln auf den Wellen immer schlimmer, das Boot wippte und schaukelte gleichzeitig. Ich fühlte mich elend, setzte mich und hoffte inständig, sie würden mich in Ruhe leiden lassen. Auf einmal tauchte Pippas Kopf im Niedergang auf.

«Komm hoch, Chrissy. Wir zeigen dir, wie man segelt.»

Das Erste, was ich sah, als ich die Augen aufschlug, war Michael. Er war nackt und sah gedankenverloren aus dem Fenster. Als ich mich aufstützte, drehte er sich um.

In sein Lächeln mischte sich ein Anflug von Vorwurf. Ich befürchtete sogleich, ich hätte etwas falsch gemacht, schob das Gefühl jedoch sofort wieder beiseite. Wenn hier jemand das Recht hatte, vorwurfsvoll zu sein, dann ich. Okay, wir hatten seit der Katastrophe im Ruderboot keinen Sex mehr gehabt, aber wenn ihm das etwas ausmachte, so hatte er es sich nicht anmerken lassen. Er war vor mir eingeschlafen. Jetzt schaute er wieder aus dem Fenster, begann nach einer Weile jedoch zu sprechen.

«Ein wundervoller Tag. Da wird sie nur so dahinfliegen.»

Ich nahm an, er meinte die beschissene Yacht. Graue Wolken trieben über den Himmel. Es regnete nicht, doch draußen glänzte alles feucht, also hatte es wohl gegossen. Er war verrückt.

Verrückt, aber unglaublich gut aussehend. Und nackt. Ich brauchte bloß zu sehen, wie er sich bückte, um sein Handy aus dem Koffer zu nehmen, da durchzuckte es mich auch schon, obwohl ich noch schlaftrunken war. Ich biss mir auf die Lippen. Auf einmal waren die Gefühle vom Vortag nicht mehr so wichtig für mich. Ich hatte all meine guten Vorsätze vergessen. Mit gerunzelter Stirn tippte er eine Nummer ein.

«Das verdammte Ding ist kaputt. Höllenmaschinen! Könnte ich mal deines haben?»

«Das hab ich nicht dabei. Wenn ich's mithätte, würde mich ständig das Büro anrufen. Ich bin in meiner Abteilung die Einzige, die sich auskennt.»

«Tja, das kann ich verstehen. Aber wahrscheinlich durfte Pippa ihr Handy so oder so nicht mitnehmen. Dad ist an Bord unerbittlich streng.»

«Er verbietet ihr, das Handy mitzunehmen?»

«Ja. Er kann die Dinger nicht ausstehen.»

«Und das lässt sie sich gefallen?»

Er zuckte bloß mit den Schultern und tippte weiter. Dann war Pippa, ungeachtet ihres exklusiven Geschmacks, also nicht der Boss in der Beziehung. Irgendwie wunderte mich das nicht. Schließlich war ihr Mann Michaels Vater. Er warf das Handy hin und wandte sich wieder dem Fenster zu. Ich streckte mich, dachte an einen Morgenfick und wunderte mich, weshalb er mich so scharf machte. Normalerweise bin ich vor Mittag für Sex nicht zu haben. Das Laken rutschte mir herunter, sodass meine Brüste entblößt wurden. Er zeigte keinerlei Reaktion, bewunderte immer noch die beschissene Aussicht.

«Glaubst du wirklich, du würdest auf der Yacht nicht zurechtkommen? Heute Abend werden sie den Deben erreichen, das ist gar nicht weit von hier. Wir könnten hinfahren, oder noch besser, wir nehmen den Zug und gehen von Felixstowe aus den Rest zu Fuß. Das ist ein wundervoller Küstenabschnitt, und in Sutton Hoo könnten wir –»

«Heute? Schau dir bloß mal das Wetter an, Michael!»

«Das ist es ja gerade, das Wetter ist perfekt. Eine frische Brise aus Südwest. Bestes Segelwetter.»

«Nicht für mich. Michael, ich hab dir gesagt, ich werde schnell seekrank. Warum kommst du nicht wieder ins Bett?»

«Hmmm … es könnte vielleicht ein bisschen kabbelig werden. Aber Lust hätte ich schon. Du könntest dich doch morgen Abend in Great Yarmouth mit mir treffen.»

«Du willst allein aufbrechen!»

«Na ja …»

«Michael! Bedeute ich dir denn überhaupt nichts? Zählt das, was ich für dich getan habe … was wir miteinander getan haben, denn gar nicht?»

«Doch, schon, aber gestern Abend hast du ziemlich abweisend gewirkt. Da dachte ich mir, vielleicht bekommst du ja deine Periode. Schließlich warst du gestern ein bisschen launisch.»

Einen Moment lang war ich sprachlos. War er wirklich so unsensibel, dass er nicht gemerkt hatte, weshalb ich verärgert war? Glaubte er wirklich, es sei lustig, vor verknöcherten alten Arschlöchern zutiefst gedemütigt zu werden? Offenbar ja.

Am liebsten hätte ich ihm die Antwort gegeben, die er verdiente, hielt mich aber zurück. Wenn die Yacht morgen Abend in Great Yarmouth ankäme, würden wir vermutlich dorthin fahren. Chrissy wäre an Bord. Sie würde böse werden, vielleicht so böse, dass sie mir eine Szene machte. Ich hatte gewusst, dass sie mit an Bord war, und Michael nichts davon gesagt, was einen schlechten Eindruck machen würde. Eigentlich war ich davon ausgegangen, dass er mittlerweile ganz besessen von mir wäre. Das hätte er auch sein sollen, denn schließlich hatte er mich in den Arsch gefickt!

Offenbar hatte ich mich getäuscht.

Ich wollte ihn anschreien, ihm sagen, was für ein undankbarer Schuft er sei, ihm etwas an den Kopf werfen, irgendetwas Hartes. Dann würde ich mich ankleiden, meine Sachen packen und ein Taxi rufen. In ein paar Stunden wäre ich wieder in London. Kein Michael Callington mehr, keine Probleme, kein toller Sex, kein Loft in London und kein Haus auf dem Land …

Als ich wieder Worte fand, klang meine Stimme beinahe kleinmädchenhaft.

«Es tut mir Leid, dass ich so brummig war, Michael. Kann ich's wieder gutmachen?»

«Ich denke schon.»

Er lächelte wieder. Ich hatte mich herumgewälzt, das Laken war vollständig von mir herabgerutscht und entblößte meinen Arsch. Er sah ihn an. Ich reckte ihn hoch.

Als er sich mir näherte, hatte ich ausgesprochen gemischte Gefühle. Ich sagte mir, ich täte das nur, weil ich es tun musste. Außerdem dachte ich daran, wie er mich immer zum Kommen brachte.

Er fasste mich um die Hüfte, ganz behutsam, aber dennoch so kräftig, dass ich mich niemals aus seinem Griff hätte befreien können. Er langte mir unter den Bauch, hob mich an und spreizte mir die Hinterbacken, sodass er mein Arschloch sah. Ich unterdrückte ein Stöhnen, und während ich mich noch wunderte, wie ich es zulassen konnte, dass ein Mann auf diese Weise mit mir umsprang, spreizte ich bereits erwartungsvoll die Schenkel. Er würde mit mir herumspielen, meinen Arsch und meine Möse erkunden, seine Finger in mich hineinstecken, mir den Kitzler reiben, mich öffnen. Wenn er so weit war, würde er mich ficken, mich vielleicht zum Kommen bringen, und dann ab in meinen Arsch. Ich barg das Gesicht in den Kissen, versuchte mich mit meiner Niederlage abzufinden, als er mir seine große Hand auf den Po legte. Mit sanfter, aber entschlossener Stimme sagte er:

«Du hast einen prachtvollen Arsch, Valentina. Genau richtig zum Versohlen.»

«Nicht, Michael. Darüber haben wir schon geredet. Keine Haue!»

«Nein? Du weißt gar nicht, was dir da entgeht. Außerdem finde ich, du hast es verdient, meinst du nicht?»

«Verdient? Wofür?»

«Weil du ein Gör bist.»

«Ein Gör? Was soll das heißen, ein Gör?»

Er lachte leise in sich hinein, dann klatschte er mir mit der flachen Hand fest auf den Arsch. Es brannte höllisch, und ich drehte mich um.

«Autsch! Das tut weh! Hör auf, du Perverser, und weshalb nennst du mich ein Gör?»

«Na ja … ein Gör … du weißt schon, du warst ungezogen, wie ein verzogenes Kind … eben ein Gör.»

«War ich nicht!»

«Ach, nein? Ich … ich dachte, du hättest das absichtlich gemacht … also, ich hatte gehofft …»

«Was zum Teufel redest du da? So was mache ich nicht, warum sollte ich auch?»

«Damit ich dich bestrafe.»

«Was! Hast du den Verstand verloren? Ich hab dir doch schon gesagt, so was tue ich nicht!»

«Ich weiß, aber … Nein … ich meine, wünschst du es dir

nicht, tief in deinem Innern? Ich dachte, du magst es, wenn man deinem Arsch viel Aufmerksamkeit schenkt.»

«Ich will nicht den Hintern versohlt bekommen! Das ist erniedrigend, geradezu …»

Infantil hatte ich sagen wollen, hielt mich aber zurück. Mein Zorn war wieder hochgekocht, doch ich beherrschte mich gerade noch rechtzeitig. Jedenfalls sollte es nicht dazu kommen, denn schließlich hat alles irgendwo seine Grenzen. Valentinas Regeln für den Umgang mit Männern: Attraktive Frauen müssen sich nicht mit Perversen abgeben. Gegen diese Regel habe ich nie verstoßen, und ich habe viele Männer dazu gebracht, beschämt von ihren fiesen kleinen Angewohnheiten abzulassen. Michael aber war anders. Schuldgefühle waren ihm fremd.

Außerdem wusste ich, dass Chrissy auf seine Wünsche eingehen würde. Sie besitzt keine Selbstachtung. Abermals erwog ich, dieses Feld einfach ihnen zu überlassen, doch dann stellte ich mir vor, wie sie triumphieren würde, wenn alles herauskäme. Und sie würde bestimmt alles erfahren, auch dass ich mich von Michael in den Arsch hatte ficken lassen. Das wäre unerträglich.

Michael war wieder ans Fenster getreten. Wie ich vermutet hatte, zeigte er nicht die geringste Reue; weit gefehlt. Ungeachtet seiner Erziehung und seines Schliffs, war er im Grunde ein richtiger Neandertaler. Freilich ein reicher Neandertaler, und seine perversen Angewohnheiten hatten einen großen Vorteil. Nach einem, vielleicht auch erst nach zwei Jahren hätte ich gute Gründe für eine Scheidung zu meinen Gunsten. Abermals bezähmte ich meine Gefühle.

«Es tut mir Leid, Michael. Ich … ich … will's einfach nicht, okay?»

Ich hätte ihn gern gefragt, wie er so etwas von mir verlangen konnte, wie er überhaupt auf die Idee kam, ein derartiges Verlangen an eine Frau zu richten. Ich meine, er war nicht mal dreißig, und seine Einstellung war vollkommen veraltet und schon zu ihrer Hochzeiten war sie falsch gewesen. Ich meine, Frauen zu bestrafen, indem man sie übers Knie legt? Das kann doch wohl nicht angehen!

Zu meiner Überraschung entschuldigte er sich.

«Es tut mir Leid, Valentina, das war wohl ein Missverständnis. Wie ich schon sagte, ich dachte, du wolltest es, weil … weil du dich so verhalten hast.»

Ich wollte mir die Frage eigentlich verkneifen, platzte aber trotzdem damit heraus.

«Warum? Wie kommst du überhaupt darauf?»

«Na ja … also, Pippa macht das ständig mit Dad. Im Grunde ist das ein Spiel, mehr nicht, und du musst zugeben, du hast dich ein Stück weit darauf eingelassen.»

«Dann veranstalten Pippa und deine Vater also Versohlspiele?»

«Ja. Hast du schon mal vom Poklatscher-Major gehört?»

«Nein. Moment mal, da gab es doch einen Prozess, letztes Jahr muss das gewesen sein?»

«Vor zwei Jahren. Das war Dad.»

«Und du magst es ebenfalls?»

«Ja, selbstverständlich.»

Selbstverständlich! Auch jetzt hätte ich ihm am liebsten gesagt, er sei ein Perverser, das sei unnatürlich. Doch ich verkniff es mir. Die Scheidung wäre ein Kinderspiel. Ich würde alles bekommen. Ich lächelte.

«Okay, ein Missverständnis. Kann schon sein, dass ich in letzter Zeit ein bisschen launisch war, und du hattest auch Recht mit meiner Periode. Frieden?»

«Frieden.»

«Aber keine Schläge, bloß guter, altmodischer Sex.»

Ich legte mich zurück, öffnete Arme und Schenkel. Einen Moment lang zögerte er, doch diesem Angebot vermag kein Mann zu widerstehen, nicht, wenn es von mir kommt. Als er sich auf mich legte und ich seinen steifen Schwanz zwischen meinen Beinen spürte, dachte ich kurz an Chrissy. Sie spielte keine Rolle. Sie konnte sich so nuttig geben, wie sie wollte, ich war in jeder Beziehung besser als sie. Er würde bei mir bleiben, denn ich war jedes Opfer wert.

Salziger Gischt spritzte mir ins Gesicht, als der Bug der *Harold Jones* ins Wasser krachte. Über mir knallten die Segel, während ich mich auf die andere Seite warf, dann lag ein neuer Kurs an, und wir liefen geradewegs in die Mündung des Deben ein. Ein grauer Regenschleier wurde beiseite geweht, und auf einmal sah ich deutlich das Ufer, einen öden Strand, einen gedrungenen roten Turm, Bäume und Schilf, das in den Böen hin- und herpeitschte. Da ich nicht aufs schäumende grüne Meer hinunterzusehen wagte, schloss ich die Augen. Als ich sie wieder öffnete, schoss die Yacht unvermittelt in ein weiteres Wellental hinab.

Noch nie im Leben hatte ich solche Angst gehabt. Den ganzen Tag über waren wir bei sich ständig verschlechternden Wetterbedingungen an der Küste entlanggesegelt, bisweilen ohne Landsicht. Ich war durchnässt vom Regen, vom Gischt und vom Schweiß. Mir war nichts anderes übrig geblieben, als mich mit aller Kraft festzuklammern und zu tun, was man mir sagte, überzeugt davon, alle drei seien wahnsinnig, und wir würden alle miteinander untergehen.

Dazu war es nicht gekommen, und als das Wasser im Windschatten der Flussmündung unvermittelt ruhiger wurde, wusste ich, wir hatten es geschafft. Erleichterung breitete sich in mir aus, zusammen mit dem Verlangen nach einem heißen Bad und einem sehr, sehr großen Drink. Ich folgte Pippas Beispiel und löste die Sicherheitsleine. Sie streifte die Kapuze ab und grinste mich an.

«Das war heftig.»

Ich rang mir ein Lächeln ab. Sie war kalkweiß im Gesicht, das Haar klebte ihr in Strähnen in der Stirn, Wasser rann ihr über die Wangen. Ich wusste, ich sah genauso aus, und sie fühlte sich bestimmt wie ich: durchnässt, erhitzt, erschlagen. Dass sie trotzdem so guter Dinge war, ging über meinen Horizont, und wenn ich ein gewisses Triumphgefühl verspürte, dann nur, weil ich überlebt hatte.

«Mach schon mal Kaffee, während wir anlegen.»

Das war ein Befehl, und daran musste ich mich gewöhnen. Hauptsächlich hatte Malcolm mir Anweisungen gegeben, aber auch die beiden Frauen hatten mich ganz schön getriezt. Ich hatte mich bemüht, alle Befehle zu befolgen, doch diesmal war ich besonders eifrig bei der Sache.

Ich ging nach unten und wartete, bis wir noch weiter in die Mündung eingefahren waren, bevor ich Kaffee kochte. Als er fertig war, hatten wir in der Flussmitte an einer großen orangefarbenen Boje festgemacht, und das aufblasbare Beiboot war bereits zu Wasser gelassen worden. Es war noch immer kabbelig, allerdings kein Vergleich zu dem, was wir durchgemacht hatten, und ich stellte fest, dass ich mich beim Kaffeetrinken nur mit einer Hand an der Reling festhalten musste. Malcolm gesellte sich zu uns. Obwohl er durchnässt war, wirkte er immer noch Respekt einflößend. Ich erwartete, er werde eine Bemerkung über meine Tölpelhaftigkeit machen, und bei dem

Gedanken an die möglichen Folgen wurde mir ganz flau im Magen. Er aber überraschte mich mit einem Kommentar.

«Gut gemacht, Christina!»

Pippa und Tilly stimmten sogleich in sein Lob ein. Offenbar wollten alle drei nett zu mir sein, denn ich sah elend aus. Malcolm fuhr fort.

«Aus Ihnen wird nochmal ein tüchtiger Seemann, meine Liebe. Sie sind am Ende nicht doch noch seekrank geworden, oder?»

«Na ja … das nicht … aber ich war verzweifelt.»

«Haben Sie sich in die Hose gemacht?»

«Nein!»

«Dann haben Sie sich besser gehalten als Tilly bei ihrem ersten Sturm.»

«Daddy!»

Tilly war puterrot geworden. Pippa lachte. Ich fühlte mich schon viel besser.

Wir gingen an Land, zu einer Blockhütte, die von einem Segelclub unterhalten wurde, bei dem sie Mitglied waren. Eine warme Dusche und frische Klamotten, und schon fühlte ich mich wieder als Mensch und war sogar ein bisschen stolz auf mich. Schließlich hatte ich es geschafft. Ich war nicht seekrank geworden und hatte mir zum Glück nicht in die Hose gemacht. Tilly offenbar schon: Also war ich doch kein hoffnungsloser Fall, auch wenn sie mir einmal, nachdem ich im entscheidenden Moment eine Leine losgelassen hatte, an den Kopf geworfen hatte, ich sei zu nichts zu gebrauchen.

Bis zum Essen war noch viel Zeit, deshalb versuchte ich erneut, Michael anzurufen, in der Hoffnung, er sei bereits unterwegs oder ginge wenigstens ran. Sein Handy war noch immer abgeschaltet, und so ließ ich mir von Malcolm einen großen

Gin Tonic geben, ging dann mit ihnen ins Clubhaus hinüber und hoffte, Michael werde bald auftauchen.

Es war ziemlich viel Betrieb, der Raum summte von Gesprächen, die sich um Boote, das Meer, das Wetter und so weiter drehten. Das galt auch für unseren Tisch. Ich war froh darüber, denn obwohl ich ausreichend Zeit gehabt hatte, mir über das Hinternversohlen Gedanken zu machen, war ich mir über meine Gefühle noch immer nicht im Klaren. Doch schon bald dachte ich nicht mehr daran und hörte Pippa zu, welche die Bedeutung einiger Fahnen und Markierungsbojen erklärte, die wir unterwegs gesehen hatten. Als Malcolm mit der Faust auf den Tisch schlug, meinte ich deshalb, er wolle verkünden, wie es morgen weitergehe. Tilly und Pippa verstummten sogleich. Er ergriff das Wort.

«Die Verhandlung ist eröffnet.»

Tilly blickte nervös zum Nachbartisch. Dort saß eine Gruppe junger Leute, die sehr ernst dabei zuschauten, wie einer der ihren mit komplizierten Gesten unter Zuhilfenahme eines Salzstreuers ein Manöver erklärte. Niemand beachtete uns. Tillys Miene ließ erahnen, worum es bei der ‹Verhandlung› gehen würde. Malcolm fuhr fort.

«Alles in allem war das kein schlechter Tag. Keine nennenswerten technischen Fehler. Du aber, Tilly, meine Liebe, solltest auf deine Ausdrucksweise achten. Ich fürchte, du bist fällig.»

Sie ließ den Kopf hängen.

«Ja, Daddy.»

Mir verkrampfte sich der Magen. Wenn sie wegen Fluchens bestraft wurde, dann gab es ein Dutzend Gründe, mich ebenfalls zu züchtigen. Es war unausweichlich, und ich wusste nicht, ob ich den Mut aufbringen würde, mich zu weigern, oder ob ich es selbst wollte.

«Du, Pippa, hast dir eine kleine Widersetzlichkeit zuschulden kommen lassen …»

«Nein! Das ist ungerecht! Ich –»

Unvermittelt hielt sie inne, ihre Empörung machte Bestürzung Platz. Er lachte.

«Das reicht jedoch nicht aus, um Maßnahmen zu ergreifen, wollte ich gerade sagen. Mir zu widersprechen hingegen …»

Sie zog eine Schnute. Er lachte leise in sich hinein und trank von seinem Drink. Als er sich mir zuwandte, musste ich die Schenkel zusammenpressen, um ein Unglück zu verhüten.

«Wie ich schon sagte, Chrissy, Sie haben Ihre Sache gut gemacht, verdammt gut für ein Greenhorn. Deshalb gehen Sie leer aus, oder begehen Sie eine Dummheit?»

Das war eine Frage, die vom empörten Schnaufen der beiden Frauen untermalt war. Beide funkelten mich wütend an. Ich zuckte die Schultern und wusste nicht, was ich tun sollte. Malcolm schnalzte enttäuscht mit der Zunge.

«Nun, wie Sie wollen. Es ist Ihr Spiel. Dann wollen wir uns erst einmal im Ferryboat stärken, bevor wir an Bord den Abend beschließen. Prost.»

Er hob das Glas und kippte alles in einem Zug hinunter. Pippa tat desgleichen. Tillys Glas war bereits leer. Sie würden den Hintern versohlt bekommen. Ich nicht. Ich war noch einmal davongekommen.

Ich verspürte noch immer einen Anflug der gleichen Besorgnis, die sich in ihren Gesichtern widerspiegelte. Obwohl es ihnen Spaß machte, bereitete es ihnen offenbar auch Angst, und allmählich begriff ich, wie das Ganze funktionierte. Die Lust hatte Unterwerfung, Schmerz und Erniedrigung zur Vorbedingung, deshalb waren ihre Gefühle aufrichtig. Ich empfand ganz ähnlich, obwohl ich vorerst nichts zu befürchten hatte.

Die Bedrohung aber blieb bestehen, und die Vorstellung, dabei zuzuschauen und zu wissen, dass auch ich schon bald der gleichen Behandlung unterzogen würde, veranlasste mich, unruhig auf dem Stuhl umherzurutschen. Meine Nippel waren steif geworden, was sich peinlicherweise nicht verbergen ließ. Auch bei den beiden Frauen sah man trotz der dicken Wollpullover die Brustwarzen.

Malcolm ging neue Drinks holen, während wir drei in nervösem Schweigen am Tisch sitzen blieben. Schließlich sprach Pippa mich an.

«Du hättest es verdient.»

«Warum?»

«Dafür gibt's zahllose Gründe. Er hätte dich auch reinlegen können, wie eben mich. Vielleicht schont er dich ja für Michael.»

Sofort hatte ich einen Kloß im Hals, und in meinem Bauch flatterte es wie verrückt.

«Für Michael? Was soll das heißen?»

Ich wusste genau, was sie meinte, wollte es aber aus ihrem Mund hören und die köstliche Angst auskosten, die ihre Bemerkung ausgelöst hatte. Pippa fuhr fort.

«Ich wundere mich, dass er nicht hier ist, aber er wird schon noch auftauchen, und dann wirst du feststellen, dass es eine lange Liste von Verfehlungen gibt, für die du büßen musst.»

«Ach, Gott!»

Pippa lachte. Tilly schmollte noch immer.

«Wenigstens wird sie nicht das Tauende zu spüren bekommen. Ich hatte ganz vergessen, dass es bei mir schon das zehnte Mal ist.»

«Unsinn, du hast es genau gewusst! Bei jeder zehnten Verfehlung vertrimmt er uns nämlich mit dem Tauende, Chrissy.»

«Tut das nicht furchtbar weh?»

Tilly schüttelte mit gespielter Verzweiflung den Kopf. Pippa vergewisserte sich, dass am Nebentisch niemand zuhörte, dann beugte sie sich zu mir vor.

«Das tut es. Es brennt fürchterlich, viel schlimmer, als wenn man nur mit der Hand geschlagen wird. Das Seilende hat auch einen Griff, und du kannst dir bestimmt vorstellen, wo der am Ende landet?»

«Nein! Das ist nicht wahr!»

Sie nickte. Tilly schnitt eine Grimasse. Ich stellte mir vor, wie es aussehen würde, wenn der Griff in ihrer Möse steckte und das Seilende herabbaumelte. Mir zuckte die Muschi bei dem Gedanken, dass Michael das mit mir machte, noch dazu vor Publikum. Das war mehr, als ich ertragen könnte, dennoch verspürte ich den schmerzhaften Drang zu kommen.

Als Malcolm mit den Drinks zurückkam, wechselten wir das Thema. Er fragte sich auch, wo Michael steckte, erklärte jedoch, morgen Abend würden wir Great Yarmouth erreichen. Von da aus seien es auf dem Landweg nur ein paar Meilen bis zum Cottage, obwohl wir mit dem Boot fast einen ganzen Tag für die Strecke brauchen würden. Michael werde dort sicherlich zu uns stoßen, und wenn nicht, könne ich mir ein Taxi nehmen und nachsehen, was da los sei.

Als wir zum Pub hinübergingen, um dort zu speisen, hoffte ich noch immer, Michael werde auftauchen. Ich war ungewöhnlich scharf und außerdem schuldbewusst, weil ich es gar nicht mehr erwarten konnte, der Züchtigung der beiden Frauen beizuwohnen. Trotzdem würde ich Sex brauchen, Sex mit einem Mann, und es war peinlich und frustrierend, mich nach der Bestrafung mit der einsamen Liebkosung meines Fingers bescheiden zu müssen.

Während des Essens stieg die Spannung der beiden Frauen, die zumeist schweigend auf dem Stuhl herumrutschten und den starken Rotwein hinunterstürzten, als tränken sie um die Wette. Ich war auch nicht zurückhaltender, nur Malcolm konzentrierte sich ganz aufs Essen.

Anschließend setzten wir im Schlauchboot zur Yacht über. Pippa und Tilly waren ziemlich betrunken, und Malcolm musste das Beiboot ganz allein steuern. Wir mussten ihnen auch an Bord helfen; er zog von vorne, und ich schob von hinten. Normalerweise hätte es mich kalt gelassen, andere Frauen am Po zu berühren. Da ich nun wusste, dass sie bald den Hintern verbläut bekommen würden, sah die Sache jedoch anders aus. Als ich die Hände auf die weichen Rundungen legte, durchzuckte es mich regelrecht.

Deshalb war ich doppelt schuldbewusst und schärfer denn je, als Malcolm mir an Bord half, sodass ich mich bereits fragte, ob es mir gelingen würde, mich zu beherrschen. Umso mehr wünschte ich mir, Michael würde sich meiner annehmen.

Malcolm schickte uns unter Deck und kümmerte sich währenddessen um das Schlauchboot. Pippa und Tilly setzten sich auf eine Bank, so dicht beieinander, dass sie sich mit Hüften und Schultern berührten. Tilly biss sich auf die Lippen, Pippa rang sich die Hände auf dem Schoß. Vorfreude war keiner von beiden anzumerken. Ich fühlte mich schuldbewusster denn je.

«Ist auch wirklich alles okay mit euch?»

Tilly nickte, ein Rucken mit dem Kinn, nicht mehr. Pippa sah mich erstaunt an.

«Wir werden bestraft werden, Chrissy.»

«Ich weiß … ich dachte … es ist bloß … ihr wirkt so verängstigt.»

Sie musterte mich, als hätten sie eine Schwachsinnige vor sich. Tilly sprach schnell und nervös.

«Sie begreift es nicht. Sie will es, hat aber überhaupt keine Erfahrung.»

Pippa setzte zu einer Bemerkung an, klappte den Mund aber wieder zu und blickte zum Niedergang. Malcolms Stiefel tauchten auf, dann der Rest von ihm. Beide Frauen ließen die Köpfe hängen. In munterem Ton ergriff er das Wort.

«Bringen wir's hinter uns, Warten hat keinen Sinn. Also gut, Tilly, die zehnte Verfehlung. Wie du weißt, gibt's dafür das Tauende.»

Tilly nickte demütig. Malcolm ging zu einem Schapp und nahm ein kunstvoll gearbeitetes Tau heraus, das offenbar dafür gedacht war, Frauen damit den Hintern zu versohlen. Es hatte die Form eines Tischtennisschlägers, einen Holzgriff und ein breites, flaches Ende aus geflochtenem Tau, das etwas länger und erheblich dicker war. Außerdem sah es so aus, als würde es höllisch wehtun. Zudem war Pippas Beschreibung des Griffs nicht übertrieben gewesen. Er war glatt und hatte genau die richtige Form, um damit an Stellen herumzustochern, an denen er nichts zu suchen hatte. Malcolm klatschte sich damit gegen die flache Hand.

«Nebeneinander, denke ich. Das ergibt ein hübscheres Bild, oder was meinen Sie, Chrissy?»

Ich konnte bloß benommen nicken. Pippa und Tilly standen langsam auf, drehten sich um und fassten einander bei den Händen, während sie Malcolm und mir ihre jeansverhüllten Hintern präsentierten. Beide ließen die Köpfe hängen, und ich bemerkte, dass ihre ineinander verschränkten Finger zitterten. Malcolm lachte glucksend und streichelte seiner Frau den Po, fuhr zärtlich über die Rundung einer Backe. Ich schluckte mühsam und vermochte den Blick nicht von den beiden Hinterteilen abzuwenden. Malcolm erteilte einen Befehl.

«Aufknöpfen.»

Beiden gehorchten unverzüglich, fassten sich an den Hosenschlitz und öffneten die Knöpfe.

«Reißverschlüsse runter.»

Mit einem leisen Sirren kamen die beiden Frauen der Aufforderung nach.

«Halbmast!»

Simultan legten sie die Hände auf den Rücken, was erschreckend routiniert wirkte. Sie klemmten die Daumen unter den Hosenbund und drückten ihn nach unten. Die Jeans gaben den Blick auf die Slips frei. Pippa trug einen weißen mit blauen Tupfen, Tilly einen rot geblümten. Beide bückten sich ein wenig und schoben die Jeans zu den Knien, wobei sich einen Moment lang die Schamlippen im Zwickel abzeichneten.

«Hinknien.»

Sie gehorchten – Pippa unverzüglich, Tilly ein wenig zögerlich, dann sank auch sie auf die Knie nieder. Beide legten den Oberkörper auf die Koje. Das Haar hing ihnen ins Gesicht, die Hände hatten sie gefaltet, als ob sie beteten. Pippa zitterte heftig, ihr fester kleiner Hintern bebte, während Tillys Schenkelmuskeln zuckten.

«Hintern hoch, keine Ausflüchte! Knie auseinander.»

Sie gehorchten. Beide reckten die Ärsche und öffneten die Beine. Jetzt konnte ich ihre Muschis erkennen, auch die Arschbacken zeichneten sich unter den Slips überdeutlich ab. Ich stellte mir vor, wie sie sich fühlten, fragte mich, ob auch diese letzten kostbaren Stofffetzen noch fallen müssten. Doch ich kannte die Antwort bereits. So naiv war ich nicht.

Malcolm lachte glucksend und bückte sich. Er streifte Pippa

nicht nur den Slip herunter, sondern auch den Pullover, zusammen mit dem Top, hoch. Jetzt sah man ihren BH, dann, als er die Körbchen ebenfalls hochschob, auch die nackten Titten. Sie schluchzte auf, wohl eine Reaktion auf die unnötige Demütigung, ihr die Brüste zu entblößen, obwohl es doch eigentlich um ihren Hintern ging.

Tilly hatte aus den Augenwinkeln zugeschaut und versteifte sich, als er ihr an den Saum des Pullovers fasste. Der Pullover wurde hochgeschoben, die Titten sprangen heraus, dann war auch sie halb nackt, genau wie ihre Schwester. Damit nicht genug, packte Malcolm ohne zu zögern das Gummiband von Tillys Slip und zog ihn beiläufig hinunter. Dies tat er einerseits, um sie bloßzustellen, andererseits bereitete er die Bestrafung vor. Er streifte ihr den Slip über die Schenkel, tief genug, um ihr auch noch den letzten Rest von Sittsamkeit zu rauben.

Er tätschelte ihren Hintern, gerade so fest, dass ihre Backen bebten. Als er sich Pippa zuwandte, atmete sie scharf ein. Er streifte ihr den Slip hinunter und entblößte ihren Arsch auf die gleiche obszöne Weise wie bei ihrer Schwester. Dann richtete Malcolm sich auf und rieb sich zufrieden die Hände.

«Wie ich schon sagte, ein verdammt hübscher Anblick.»

Er war nicht … er war … ich weiß auch nicht. Ich wusste nur, dass der Anblick ausgesprochen obszön war. Alles war zu sehen, jeder Quadratzentimeter ihrer Pobacken, jede kleine rosige Falte ihrer Muschis, jede winzige Runzel ihrer Arschlöcher. Ich senkte den Kopf, denn ich konnte nicht länger hinsehen, obwohl ich ständig daran denken musste, wie ich mich in der gleichen Haltung ausmachen würde. Malcolm ergriff das Tauende und sagte:

«Man sieht wirklich, dass ihr Schwestern seid.»

Er lachte. Ich errötete. Ich musste wieder hinsehen, ich

konnte nicht anders. Es stimmte. Von hinten wirkten sie mit ihren strammen kleinen Hintern und den hübschen Muschis wie Zwillinge. Der einzige Unterschied bestand darin, dass Tilly sich das Schamhaar in Dreiecksform rasiert hatte, während Tilly einen dichten Busch hatte. Beide waren offensichtlich erregt. Und das galt auch für mich.

Malcolm hatte anscheinend keine Eile, sondern bewunderte die beiden nackten Hinterteile, während er mit dem Tauende herumspielte. Pippa hatte zu wimmern begonnen, während Tillys Arschloch ebenso wie ihr Bein zuckte. Ich wusste nicht, ob ich angesichts ihrer Lage lachen oder vor Mitgefühl in Tränen ausbrechen sollte, jedenfalls war ich fest entschlossen, meinen körperlichen Bedürfnissen zu widerstehen – auf keinen Fall würde ich masturbieren, während ich ihrer Bestrafung beiwohnte. Pippa brach das Schweigen.

«Bitte fang an!»

«Mit Vergnügen, meine Liebe», erwiderte Malcolm, ließ das Tauende jedoch zuerst fest auf Tillys Arschbacken klatschen.

Sie quiekte und bockte, nahm aber sogleich wieder ihre obszöne Haltung ein, während auf ihrem Arsch ein breiter roter Fleck erschien. Malcolm drehte sich zu mir um.

«Könnten Sie sich um Pippa kümmern?»

«Was meinen Sie? Heißt das, ich soll … sie schlagen?»

«Ja.»

«Ich … ich weiß nicht … ob ich das kann. Ich … ich dachte, schlagen tun nur die Männer.»

«Ach, nicht unbedingt. Pippa mag es auch aus Frauenhand. Nicht wahr, meine Liebe?»

Pippa nickte kaum merklich und ließ immer noch den Kopf hängen. Malcolm fuhr fort.

«Möchtest du ein wenig von Chrissy geschlagen werden,

meine Liebe? Du brauchst nicht antworten. Schüttele bloß den Kopf, wenn du's nicht willst.»

Pippas Antwort war ein ersticktes Schluchzen. Ihr Kopf ruckte nicht einmal. Malcolm zeigte einladend auf ihren Hintern. Mir hatte es die Sprache verschlagen. Ich zitterte und war unheimlich scharf, brachte es jedoch nicht über mich, ihr den Hintern zu versohlen. Ich schüttelte den Kopf.

«Eine Puristin, wie?», sagte Malcolm. «Ich verstehe.»

Er wandte sich wieder den beiden Mädchen zu, holte mit dem Tauende aus und ließ es abermals auf Tillys Hintern klatschen. Sie schrie mit zuckender Hinterbacke auf und bockte erneut. Er rückte näher, legte ihr seine große Hand ins Kreuz und hielt sie fest. Abermals schlug er zu. Sie schrie auf, noch lauter als zuvor. Ihr Hintern zuckte.

Ihr Po war bereits ziemlich stark gerötet, und als er sie mit weiteren Schlägen eindeckte, vertiefte sich der Farbton. Ihr Arsch verfärbte sich im Rhythmus ihrer Schreie und der satten Geräuschen, mit dem das Tauende immer wieder auf ihren Hintern klatschte. Ich hörte auf zu zählen, während sie die Beherrschung verlor, mit den Beinen austrat und verzweifelt den Po wand, schluchzend und keuchend, sich in ihrer Not an die Koje klammernd.

Trotz der heftigen Reaktion war ihre Möse geschwollen und feucht und forderte geradezu zur Penetration auf. Ich konnte mir denken, wie sie sich fühlte, und wünschte mehr denn je, Michael wäre da gewesen, hätte mich neben den beiden Frauen niederknien lassen und mich geschlagen, bis mein Arsch ebenso rot war wie Tillys, um mich dann in die Kajüte zu bringen und ordentlich durchzuficken.

Als Malcolm aufhörte, war ihr Hintern purpurrot gesprenkelt. Morgen würde sie bestimmt blaue Flecken haben. Ich wusste, wie es weitergehen würde, oder glaubte es zu wissen. Ich fasste mir verstohlen zwischen die Schenkel und berührte mich leicht, als der Griff des Seils angehoben wurde. Pippa war bereit, ihr Arsch hochgereckt, die Knie waren weit gespreizt, und ich sah jede Einzelheit, als er das Tauende in seiner Hand umdrehte und dann den Griff in ihr feuchtes Loch steckte und hineinschob.

Ich dachte, er würde sie in dieser erniedrigenden Pose verharren lassen, während er Pippa schlug. Stattdessen schob er den Griff ein paar Mal rein und raus, bis er ihn endgültig aus ihrer Möse befreite. Er war klebrig von ihrem Saft, und schuldbewusst machte ich mir klar, dass ich wollte, dass er sie daran lutschen ließ. Was er tat, war aber noch schlimmer.

Vor Bestürzung klappte mir der Mund auf, als das Ende des Griffs abermals in sie hineingesteckt wurde, jedoch nicht in ihre Möse, sondern in das Arschloch. Sie schluchzte erstickt auf und barg das Gesicht in den Händen, behielt jedoch ihre Haltung und präsentierte demütig den Arsch zur Penetration. Ich beobachtete, wie dessen Muskelring sich öffnete und um den dicken Holzgriff dehnte, bis sie weit genug war, ihn aufzunehmen. Er glitt hinein, und zwar bis zum Anschlag.

Dann ließ Malcolm von ihr ab. Das Tauende hing aus ihrem strapazierten Hintern wie die obszöne Karikatur eines Biberschwanzes, ihr Arschloch ein straff gespannter, feucht glänzender Ring um den Griff. Erst jetzt wurde mir bewusst, dass ich mich durch die Jeans hindurch gerieben hatte. Bei der Vorstellung, dass mich ihre abstoßende Erniedrigung erregte, wurde ich von Schuldgefühlen überwältigt, die sich jedoch wieder legten, als sie den Kopf hob und lächelnd mit dem Hintern wackelte, sodass ihr die Tauflosse gegen die Schenkel klatschte.

«Sei nicht ungezogen!», tadelte Malcolm sie.

Tilly senkte das Gesicht. Malcolm war bereits hinter Pippa getreten und betastete eingehend ihren Arsch – nicht bloß die Backen, sondern auch dazwischen. Einen Moment lang berührte er tatsächlich ihren Anus, kitzelte sie, bis das kleine Loch zuckte und sich öffnete, dann versetzte er ihr mit der flachen Hand einen deftigen Schlag auf beide Backen.

Die Züchtigung begann. Pippas Hintern wurde mit kräftigen Schlägen eingedeckt, die ihre Backen zum Tanzen und sie selbst zum Keuchen und Quieken brachten. Ich hatte noch immer Mühe, meine Gefühle zu bezähmen, mich damit abzufinden, dass ihr Schmerz mit ebenso viel Lust einherging. Das war mir zwar theoretisch klar, dennoch war es die schiere Lust, die schließlich über meine Hemmungen siegte. Es war einfach zu obszön, zu ungehörig und zu erregend, um zu widerstehen. Es war auch komisch, was es mir leichter machte. Wie Tilly gesagt hatte, Pippas Quieken erinnerte an Schweine. Daher schob ich die Hand wieder zwischen die Schenkel und genoss den Anblick einer Frau, die den Hintern versohlt bekam.

Malcolm war ernst und gründlich, setzte die Hiebe so, dass ihr Hintern erbebte und sich teilte, damit man auch die obszönsten Details zwischen ihren Backen sah. Ihre Möse brauchte er nicht extra zu entblößen, jede einzelne Falte war bereits zu sehen, während sich ihr Loch mit wachsender Erregung, straffte und zusammenzog. Wie Malcolm es schaffte, seinen Schwanz in der Hose zu behalten, während seine wunderschöne Frau vor ihm auf dem Präsentierteller lag, war mir ein Rätsel. Doch er schaffte es und schlug immer fester zu, bis sie sich schließlich vollständig ergab, den geröteten Hintern emporreckte und die Knie in schamloser Wonne spreizte.

Ich rieb mich in der Gewissheit, dass keiner auf mich achtete, und war im Begriff zu kommen. Verschiedene Phantasien schwirrten mir durch den Kopf, von Michael, der dazukam und mich neben den Frauen niederknien ließ, von Malcolm, der von mir verlangte, ihm den Schwanz zu lutschen, bevor er Pippa fickte, sogar von allen dreien, wie sie sich meines Körpers bedienten …

Auf einmal wurde es mir zu viel. Als Malcolm mit einem Crescendo kräftiger Hiebe auf Pippas scharlachroten Hintern zum Ende kam, stürzte ich zu meiner Koje. Ich war durcheinander und hätte bestimmt eine furchtbare Dummheit begangen, wenn ich nicht geflohen wäre. Ich wollte ihn blasen, wollte sogar die brennenden Ärsche der beiden Frauen küssen oder mein Gesicht in Tillys nasser, geiler Möse vergraben, während Pippa gefickt wurde.

Malcolm lachte leise in sich hinein, als ich hinauslief, und noch während ich die Trenntür zuzog, hörte ich das Geräusch seines Reißverschlusses. Er nahm den Schwanz heraus und würde Pippa ficken, gleich nebenan. Ich setzte mich auf meine Koje, schüttelte vor Verwirrung und Erregung den Kopf. Dann zerrte ich am Knopf meiner Jeans, konnte es gar nicht mehr erwarten, mich zu berühren. Der Reißverschluss ging auf, ich streifte die Jeans runter, schob die Hand in den Slip. Ich schloss die Augen, als ich die warme, einladende Höhlung meiner Möse und die heiße, erregte Knospe des Kitzlers fand.

Ich masturbierte, den Kopf voller obszöner Bilder: gerötete weibliche Hinterteile, mädchenhafte Schreie, vom Anblick entblößter und gezüchtigter Frauen erigierte Schwänze. Ich wünschte mir, Michael würde mich schlagen, bis ich heulte, und mich dann auf allen vieren ficken. Ich wollte, dass er mich einfach nahm, mich benutzte, während die anderen dabei zusahen, meine Möse weit vor ihnen geöffnet. Ich wollte auch den Griff des Seils, wollte das schreckliche Gefühl kennen lernen, das Arschloch mit ihm gedehnt zu bekommen, den mir der Mann reinsteckte, der mich gezüchtigt hatte.

Ich merkte es kaum, als die Tür aufging. Ich wusste, Tilly war hereingekommen, doch nach allem, was ich gesehen hatte, störte es mich nicht, von ihr beobachtet zu werden. Im Gegenteil steigerte es meine Phantasie, keinerlei Kontrolle mehr zu haben, sodass es mir nichts ausmachte, in Gegenwart einer anderen Frau zu masturbieren. Als sie mir an den Slip fasste, bäumte sich mein Schamgefühl ein letztes Mal auf, dann zog sie mir das Höschen runter. Im nächsten Moment hatte sie es mir über die Beine gestreift, meine Schenkel teilten sich, und sie vergrub das Gesicht in meiner Möse.

KAPITEL ZEHN

Michael briet Speck. Es war noch nicht einmal acht, und Michael briet Speck. Der Mann war nicht normal. In den vergangenen vierundzwanzig Stunden hatten wir fast pausenlos Sex gehabt. Wir hatten so ziemlich in allen Räumen des Hauses gevögelt. Er hatte mich auf dem Klo geschnappt und mich über den Toilettensitz gebeugt. Auch im Garten hatten wir gefickt, ungeachtet des kühlen, feuchten Wetters, ich mit hochgeschlagenem Rock, mit den Händen die Knöchel umklammernd, während er mich von hinten nahm. Er hatte mich auch in den Arsch gefickt, jedoch nur einmal, und zwar auf der Seite im Bett liegend, um es mir leichter zu machen. Trotzdem war es eine unglaublich starke Erfahrung gewesen. Keinen Moment lang hatte seine schmutzige, jungenhafte Begeisterung für meinen Körper oder sein Eifer, mich zum Kommen zu bringen, nachgelassen. Zum letzten Mal hatten wir es gegen vier Uhr morgens oder sogar noch später getrieben, und jetzt war er schon auf und briet Speck.

Ich blickte an die Decke und versuchte, meine Gefühle von der Vorstellung zu trennen, was ich hätte tun sollen. Er brachte mich zum Kommen wie kein anderer Mann. Er machte mich scharf wie kein anderer Mann. Außerdem kontrollierte er mich, nahm sich ohne die geringsten Gewissensbisse mehr heraus, als ich zu geben bereit war, und wollte immer noch mehr. Das Hinternversohlen hatte er nicht mehr erwähnt, da er jedoch ausnahmslos Stellungen bevorzugte, die ihm freie Sicht auf mein Hinterteil boten, konnte ich mir denken, was er wollte. Ich war mir sicher, dass er auch noch andere, noch schmutzigere Dinge im Sinn hatte. Ich bevorzuge leicht gehemmte Männer, weil ich gern die Zügel in der Hand behalte. Michael war nicht nur hemmungslos, er hatte auch noch eine schmutzige Phantasie.

Auf der Treppe war das Geräusch von Schritten zu vernehmen. Ich nahm mich zusammen und setzte mich im Bett auf, das Laken ein Stück weit hochgezogen, damit es meine Brüste teilweise bedeckte. Ausgiebiges Gähnen verscheuchte ein wenig meine Schläfrigkeit, sodass ich ein Lächeln zustande brachte, als er die Tür mit dem Fuß aufschob. Er hatte ein Tablett dabei.

«Frühstück im Bett.»

Das war kein Scherz. Auf dem Tablett war ein Teller mit Speck, Eiern, Pilzen und gebratenen Tomaten. Es gab einen ganzen Brotkorb voller Toast, Marmelade, Kaffee und Orangensaft. Für mich besteht das Frühstück normalerweise aus einer Tasse schwarzem Kaffee, langsam getrunken, dazu vielleicht noch ein Toast. Er stellte mir das Tablett auf den Schoß und trat ans Fenster. Als er die Vorhänge aufzog, fiel strahlender Sonnenschein ins Zimmer. Ich schloss die Augen und sah rote, gelbe und grüne Flecken tanzen.

«Was für ein schöner Tag! Ich hab mir gedacht, wir könnten vielleicht auf dem Schlauchboot Segel setzen und der *Harold Jones* entgegensegeln. Bis Yarmouth sind es bloß dreiundzwanzig Meilen. Mittagessen unterwegs, vielleicht noch ein kurzer Ausflug ins Schilf, was meinst du?»

Es gelang mir, die Augen zu öffnen. Draußen trieben Schäfchenwolken über den hellblauen Himmel. Mir ging durch den Kopf, wie unbequem es gewesen war, im Ruderboot zu ficken, und ich stellte mir vor, abermals ertappt zu werden.

«Es wird bestimmt wieder regnen.»

«Unsinn! Ich hab mir den Wetterbericht angeschaut. Die Schlechtwetterfront von gestern ist weitergezogen, und wie es aussieht, richtet sich bei uns ein weiträumiges Hochdruckgebiet ein. Schade, Daddy wird nicht gerade zufrieden sein, wenn er jetzt kein ordentliches Segelwetter mehr hat.»

«Und wenn wir in eine Flaute geraten? Dann musst du zurückrudern.»

«Ach, das geht schon. Das wäre eine prima Gelegenheit für dich, rudern zu lernen.»

Ich bewegte mich im Bett, stocherte mit der Gabel in dem Essensgebirge herum, das er angerichtet hatte. Ich fühlte mich steif, sämtliche Muskeln taten mir weh, meine Möse und mein Arschloch waren wund. Ich würde auf keinen Fall rudern. Ich würde mich nicht auf dem Boden des Schlauchboots ficken lassen, und ganz bestimmt nicht in den Arsch.

«Ich möchte lieber an den Strand gehen.»

«An den Strand? Also …»

«Das ist der letzte Tag, an dem wir allein sind.»

«Ah, ich verstehe.»

«Was ist mit dem einsamen Ort, von dem du mir erzählt hast?»

«Horsey? Ja, schon, in den Dünen …»

Er verstummte, lächelte still in sich hinein. Ich wusste genau, was ihm durch seinen schmutzigen Kopf ging, ich nackt inmitten von Sanddünen, den Hintern hochgereckt, sein Schwanz dort, wo die Natur ihn nicht vorgesehen hatte. Jedenfalls war das immer noch besser als im Boot.

«Klingt gut», fuhr er fort. «Dann machen wir ein Picknick und fahren anschließend nach Yarmouth. Die *Harold Jones* wird wahrscheinlich unter Spinnaker fahren, deshalb müssten wir sie eigentlich leicht ausmachen können. Dann flitze ich mal eben ins Dorf, während du dich fertig machst.»

Er ging hinaus. Ich fühlte mich einerseits erleichtert, andererseits war ich enttäuscht, weil er auf Zuwendung für seinen Schwanz verzichtet und sich zum Dank fürs Frühstück nicht wenigstens hatte blasen lassen. Während seine Stiefel draußen über den Kies knirschten, überlegte ich, ob er es merken würde, wenn ich den Rest einfach in den Mülleimer warf.

Beim Aufwachen fiel mir sofort ein, wie Tilly mir die Muschi geleckt hatte. Das war bei weitem nicht mein erster peinlicher Morgen danach. Es war schon häufiger vorgekommen, dass ich beschwipst und geil mit jemandem im Bett gelandet war, ohne es eigentlich vorgehabt zu haben. Diesmal aber handelte es sich um eine Frau.

Meine Verlegenheit nahm noch zu, als die Erinnerungen mit voller Wucht auf mich einstürzten. Ich hatte masturbiert. Sie war dazugekommen, hatte mir den Slip ausgezogen und sich über mich hergemacht, ehe ich protestieren konnte. Als sie mich erst einmal leckte, hatte es zu gut getan, um zu widerstehen. Sie hatte mich zum Kommen gebracht. Schlimmer noch, sie hatte mich auf die Koje gewälzt, die Neunundsechzigerstellung eingenommen und mir ihren erhitzten Arsch ins Gesicht gestreckt. Ich hatte sie geleckt und sie mich, und während sie mich zum zweiten Mal zum Orgasmus brachte, hatte ich ihren geröteten Hintern betastet. Ich hatte sie auch befingert. Ich hatte ihr sogar das Arschloch gekitzelt.

Sie war ebenso betrunken und scharf gewesen wie ich, das war immerhin eine Entschuldigung, deshalb erübrigte sich eine Erklärung. Doch es würde Schweigen herrschen – dieses schreckliche, schuldbeladene Schweigen, wenn man vor lauter unausgesprochenen Worten einen Kloß im Hals hat und zu ersticken meint …

«Morgen, Chrissy, Zeit zum Aufstehen! Trink das.»

Ich schaute hoch. Sie stand neben der Koje und hielt mir ein Glas Orangensaft entgegen. Ich nahm es, suchte nach Worten, nach irgendeiner Entschuldigung. Sie plauderte weiter, während sie sich in der Kabine zu schaffen machte.

«Der Wind hat auf Stärke drei nachgelassen und nach Süden gedreht. Damit kommen wir problemlos zur Küste und können sogar den Spinnaker setzen. Auf mir dir, Mädchen, Malcolm und Pippa waren schon an Land, und du willst doch nicht etwa zu spät an Deck erscheinen, oder?»

Ich lag mit dem Gesicht nach unten, und als sie mir vollkommen unerwartet auf den Hintern klatschte, quiekte ich und verschüttete Saft. Dann ging sie einfach hinaus.

Das hatte ich nicht erwartet. Ich fragte mich, ob sie sich an nichts mehr erinnerte oder ob es ihr einfach egal war. Sie war betrunken gewesen, aber nicht volltrunken, somit fand sie anscheinend, es lohne nicht, über lesbischen Sex in beschwipstem Zustand irgendein Aufheben zu machen. Ich hingehen fühlte mich noch immer mitgenommen und ziemlich erschüttert, durch ihr Verhalten und durch meines.

Der Schlag auf den Hintern und das damit einhergehende Prickeln erinnerten mich auch daran, wie es mir ergehen könnte, wenn ich nicht spurte. Mittlerweile machte mir die Vorstellung Angst. Deshalb stand ich blitzschnell auf, gesellte mich zu den anderen und half dabei, die *Harold Jones* aus dem Windschatten des Deben aufs Meer hinauszumanövrieren.

Michael hatte nicht zu viel versprochen. Es war einsam. Von der Spitze der Dünen aus konnte ich meilenweit in alle Richtungen blicken, Meer im Osten, flaches Land und Bäume im Westen, Dünen im Norden und im Süden. Außer Michael war kein Mensch zu sehen. Wir hatten sogar den Wagen im Dorf stehen gelassen und die letzte halbe Meile zu Fuß gehen müssen.

Ich fühlte mich bereits erheblich besser und freute mich sogar auf den Sex in den Dünen, solange wir nur eine uneinsehbare Stelle finden und es auf der Decke treiben würden. Michael, der mit unserem Gepäck voranging, dachte offenbar ganz ähnlich und blickte sich suchend um. Einen Moment lang verschwand er aus meinem Blickfeld. Dann erblickte ich seinen Arm, der mich näher winkte.

Die Stelle war perfekt, eine Sandkuhle zwischen den Dünen, im Windschatten und vollkommen sichtgeschützt. Sie machte einen ebenso abgeschirmten Eindruck wie die Waldlichtung. Michael war offenbar auch dieser Ansicht, denn als er sich auszog, zögerte er nicht, sich vollständig zu entkleiden. Ich schaute ihm zu, reagierte wie immer auf seinen muskulösen Körper und wünschte mir, er wäre kein solches Schwein. Er kramte in einer der Taschen und nahm eine Tube Sonnencreme heraus.

«Möchtest du?»

Das klang schon besser. So sollten Männer sich am Strand verhalten: sich erbieten, einen mit Sonnencreme einzureiben. Dass er dabei nackt war, machte das Ganze noch reizvoller.

«Klar, mach nur.»

Ich zog mich aus, streifte das Top und den Hosenrock ab. Dann kam der BH an die Reihe, und ich dachte nicht einmal daran, ihn durch das Bikinioberteil zu ersetzen. Das Höschen beabsichtigte ich anzuziehen, um mir einen Rest von Würde zu bewahren, doch das würde er mir sowieso gleich wieder abstreifen. Ich zog den Slip aus, und dann war ich abermals im Freien nackt.

Als ich mich auf die Decke legte, sagte ich mir, nachgeben sei das einzig Vernünftige und ich könnte mich zumindest während des Einreibens in der Illusion wiegen, das Sagen zu haben. Mein Körper wollte sich unterwerfen, sich ohne jede Rücksicht auf meine Würde eincremen und dann ordentlich durchficken lassen, er auf mir und sein Schwanz dort, wo er ihn haben wollte. So würde es geschehen, so musste ich es geschehen lassen, doch das Eingeständnis, dass auch ich es mir wünschte, fiel mir sehr schwer.

Er kniete neben mir nieder, und ich legte mich zurück, schloss die Augen und verschränkte die Hände hinter dem Kopf. Erst spürte ich zwischen den Brüsten kühle Sonnencreme, dann seine Finger, welche die Creme verteilten, jedoch nicht auf den Brüsten, sondern auf Bauch und Schultern. Er massierte mich, womit ich gerechnet hatte, knetete mich sanft mit den Fingerspitzen, die zu meinem Hals hochwanderten und dann wieder hinunter.

Als Nächstes umfasste er meine Brüste und verteilte die Creme auf ihnen, bevor seine Hände nach unten wanderten. Schon nach der ersten Berührung hatten sich meine Nippel versteift, und ich hatte eigentlich erwartet, er werde wieder dorthin zurückkehren und sich intensiver mit ihnen befassen. Stattdessen wanderten seine Hände weiter, glitten über meinen Bauch und bis zu den Oberschenkeln. Nur kurz berührte er meinen Venushügel.

Er verteilte eine weitere Portion Creme auf meinen Beinen und massierte sie mit ausholenden, festen Bewegungen ein. Ich verspürte bereits das Bedürfnis, für ihn die Schenkel zu spreizen, hielt mich aber zurück, denn wenn er schon einmal etwas für mich tat, wollte ich es auch auskosten. Er ließ sich ebenfalls Zeit, seine Hände wanderten wieder nach oben und massierten jeden Quadratzentimeter meines Körpers, während sich der dumpfe Schmerz, der von all den Ausschweifungen zurückgeblieben war, allmählich verflüchtigte.

Wenn er gewollt hätte, hätte er sich auf mich legen können, und da sein Schwanz hin und wieder an mir streifte, wusste ich, dass er steif geworden war. Er fasste ihn jedoch nicht an, sondern konzentrierte sich ganz auf mich, bis ich mehr als bereit war. Meine Nippel heischten um Aufmerksamkeit, und zwischen meinen Pobacken rann warmer Saft hinunter. Als er mich behutsam auf den Bauch wälzte, nutzte er seinen Vorteil noch immer nicht, obwohl ich instinktiv die Schenkel ein wenig spreizte. Er kniete sich zwischen meine Beine, und während er mir mit der gleichen schwelgerischen Gründlichkeit den Rücken eincremte, spürte ich abermals seinen Schwanz, der an mir streifte.

Als er sich meinen Beinen zuwandte, waren sie weit gespreizt, und außer der Lust, die er mir bereitete, war mir alles egal. Es fühlte sich so gut an, und als er sich endlich dem Po zuwandte, verlangte ich bereits heftig nach seinem Schwanz. Er aber ließ mich warten, streichelte und walkte die Backen, ließ den Daumen zwischen ihnen und am hinteren Ende meiner Möse verweilen, bis ich ihn am liebsten angeschrien hätte, er solle mich endlich ficken. Er machte langsam und gleichmäßig weiter, verteilte Sonnencreme auf den Backen und dazwischen, streifte nur ganz flüchtig das Arschloch, neckte meine Möse, bis ich den Po einladend anhob und ihn zum Eindringen aufforderte. Im nächsten Moment drückte er mir den steinharten Schwanz zwischen die Backen.

Ich biss mir auf die Lippen, denn ich glaubte, er wolle ihn mir in den Arsch stecken, da schob er die Eichel zwischen den Backen nach unten und glitt in mich hinein. Er legte sich auf mich, ein guter Teil seines Gewichts ruhte auf meinem Arsch und presste mich auf die Decke. Wir begannen zu ficken.

Es fühlte sich wundervoll an, und ich wusste, er würde sich Zeit lassen, denn das tat er immer. Daher entspannte ich mich, soweit mir das möglich war, während sein Schwanz rein- und rausglitt, und ließ meine Gedanken schweifen. Ich stellte mir ein Wunschbild von ihm vor, maskulin, aber unterwürfig, männlich, aber bereit, sich von mir leiten zu lassen und alle meine Bedürfnisse auf Befehl zu befriedigen. Nach einer Weile würde er den Schwanz herausnehmen und mich reibend zur Ekstase bringen, sich dann hinsetzen, den großen, harten Schwanz in der Hand, und auf meinen Befehl warten. Ich würde ihn leiden lassen, ihn erniedrigen. Ich würde mich anziehen, während er die ganze Zeit nackt bleiben und mich bedienen müsste. Ich würde ihn kommen lassen und dabei eine elegante Pose einnehmen, im Bikini, ohne allzu viel zu zeigen. Anschließend würde ich ihn zwingen, das Sperma zu essen, und lachend dabei zuschauen, um das arrogante Schwein zu bestrafen.

Meine Phantasie geriet ins Stocken. Ich konnte mir Michael nicht in dieser Rolle vorstellen. Wenn er dicht vorm Kommen wäre, würde er mir seinen Schwanz in den Mund schieben oder meine Brüste zusammendrücken und sie ficken, oder er würde mich herumwälzen und ihn mir in den Arsch stecken. Auf jeden Fall wäre es etwas Schmutziges, Würdeloses, und ich würde kommen, wie jedes Mal, so wie jetzt, wenn er nur ...

Er benahm sich so, als habe er meine Gedanken gelesen. Während ich mich noch bemühte, die Vorstellung heraufzubeschwören, ich übte die Kontrolle aus, nahm er seinen Schwanz heraus und presste ihn auf meine Möse. Ich schrie auf, als die feste, fleischige Eichel auf meinen Kitzler drückte, eine Mischung aus Verzweiflung und Ekstase, und ich begann mir tatsächlich vorzustellen, er stecke mir den Schwanz in den Arsch, vollziehe diesen unsäglich würdelosen Akt. Er würde es bestimmt tun, das wusste ich, hier im Freien, im strahlenden Sonnenschein, ich nackt, mit einladend hochgerecktem Arsch, wie eine geile, schmutzige kleine Schlampe.

Ich war dicht vorm Kommen und bettelte um Erlösung, plapperte Obszönitäten in die Decke, während ich mir unter den Bauch langte. Michael lachte, so arrogant, so selbstsicher, dass ich aufschluchzte, während ich nach dem Kitzler tastete. Dann masturbierte ich, rieb mich in schmutziger Ekstase, während er seinen Schwanz an mein eingecremtes Arschloch führte und hineindrückte. Ich war glitschig von meinem Saft und von der Sonnencreme. Immer weiter führte er ihn ein, mit langsamen, gleichmäßigen Stößen, während ich unter ihm stöhnte und keuchte, mich dem Orgasmus immer näher brachte, während er den Schwanz zentimeterweise in mich hineinschob.

Als seine Eier meine Finger berührten, wusste ich, er war ganz drin, und diese schreckliche, abgrundtief schmutzige Vorstellung verschaffte mir den letzten Kick. Schreiend kam ich auf seinem Schwanz, mein ganzer Körper konzentrierte sich auf ihn, auf das, was er mit mir tat. Er stieß in mich hinein, immer heftiger, bis es wehtat, genau in dem Moment, als ich den absoluten Höhepunkt erreichte und aus vollem Halse meine Lust hinausschrie.

Als er plötzlich innehielt, wusste ich, dass er im selben Moment in mir gekommen war. Schluchzend und nach Luft schnappend sank ich zusammen. Ich fühlte mich erschöpft und schuldbewusst, aber auch vollkommen befriedigt. Ich wollte kuscheln, nach meiner bedingungslosen Unterwerfung getröstet, festgehalten und wieder aufgerichtet werden, ohne jeden Groll. Er küsste mich auf den Hals und drückte mich an sich, dann hörte er unvermittelt auf und zog seinen Schwanz aus mir heraus. Ich schaute umher, halb darauf gefasst, einen Perversen zu erblicken, der mich aus der Deckung des Dünengrases hervor beobachtete. Doch da war niemand.

«Was ist los?»

«Na ja, du warst ziemlich laut. Hier treiben sich manchmal Schwule rum, und …»

«Was? Die treiben's hier? Autsch!»

Ich quiekte, denn das Herausziehen des Schwanzes tat erheblich mehr weh als das Reinstecken. Ich wälzte mich herum, zog meine Tasche heran und kramte nach dem Bikini.

«Du hast gesagt, hier wär's einsam. Du hättest mich auch warnen können!»

«Es ist einsam, deshalb kommen sie ja her. Allerdings glaube ich nicht, dass es ihnen was ausmachen würde. Sie würden schon merken, was mit dir los ist.»

Schweigend streifte ich, noch immer auf dem Rücken liegend, das Bikinihöschen über. Als ich auch das Oberteil anhatte, fühlte ich mich schon erheblich besser. Dann erst stutzte ich über seine Bemerkung.

«Was soll das heißen: was mit mir los ist?»

Seine Antwort ließ auf sich warten. Er wirkte zufrieden. Er hatte sich nicht wieder angezogen, nicht einmal seine Blöße bedeckt. Der Schwanz schrumpfte langsam in seinem Schoß. Schließlich redete er weiter.

«Na ja, ein bisschen verklemmt, könnte man sagen.»

«Verklemmt! Ich bin nicht verklemmt! Wie kannst du das sagen, nach allem, was wir gerade getan haben?»

«Reg dich nicht auf. Wenn ich verklemmt sage, rede ich nicht von gesellschaftlichen Maßstäben. Ich meine das allgemein.»

«Was soll das heißen?»

«Na ja, du überlegst ständig, was sich schickt und was nicht, was andere Leute von dir denken könnten. Dagegen ist überhaupt nichts einzuwenden, solange es Einfluss auf deine Karriere haben könnte, aber du tust es ständig, weil du dich dazu verpflichtet fühlst. Das meine ich mit verklemmt. Zum Beispiel die Angst davor, nackt gesehen zu werden oder beim Sex erwischt zu werden, selbst dann, wenn es den Leuten nichts ausmacht.»

«Wovon redest du eigentlich? Natürlich macht es mir etwas aus, nackt gesehen zu werden, vom Sex ganz zu schweigen! Das ist normal! Das ist natürlich!»

«Es macht dir doch nichts aus, am Strand nackte Busen zu sehen, oder?»

«Nein, selbstverständlich nicht, am passenden Ort, in der entsprechenden Gesellschaft …»

«Aber du würdest nicht nackt baden?»

«Nein! Es sei denn, ich fühle mich unbeobachtet, schätze ich.»

«Hast du gewusst, dass die erste Frau, die in Großbritannien einen Bikini trug, verhaftet wurde? Das war in Hampstead Heath.»

«Das ist ja empörend!»

«Und wenn sie nackt gewesen wäre?»

«Dann wäre sie selbst schuld gewesen.»

Michael lachte.

«Ach, komm schon, Valentina, deine Maßstäbe sind keineswegs ‹natürlich›, du orientierst dich bloß daran, was in der modernen Gesellschaft akzeptabel ist. Du willst doch wohl nicht ernsthaft behaupten, es mache einen Unterschied, ob man die Brüste oder den Hintern entblößt?»

«Aber selbstverständlich!»

Er lachte wieder, schloss die Augen und legte sich zurück. Ich wusste, er lag falsch, war aber zu aufgebracht, um meine Argumente vernünftig vorzubringen. Er war ja so selbstgefällig! Nach einer Weile redete er weiter.

«Du würdest doch einen Riemchenbikini tragen, oder?»

«Selbstverständlich, warum nicht?»

«Und an einem FKK-Strand würdest du nackt baden.»

«Ja. Ich habe nichts, dessen ich mich schämen müsste … Okay, zugegeben, ich passe mich gern an. Wer tut das nicht?»

Abermals ließ er sich Zeit mit der Antwort, die Hände hinter dem Kopf verschränkt. Er beobachtete mich, sein Lächeln triefte geradezu vor Herablassung. Ich verfluchte ihn im Geiste und wünschte, er wäre nicht ganz so attraktiv und etwas weniger hochmütig gewesen. Ich atmete tief durch.

«Also, vielleicht hast du Recht. Vielleicht tut es mir ja ganz gut, ein bisschen aus der Reserve gelockt zu werden. Kann sein, ich bin zu sehr daran gewöhnt, ständig alles zu kontrollieren und aufzupassen. Für dich ist alles ganz leicht, ich aber muss stark sein, zumal auf der Arbeit. Ich kann es mir nicht leisten, mich gehen zu lassen. Bislang hat mir auch noch kein Mann ein Gefühl von Geborgenheit vermittelt.»

Er streckte die Hand aus, zauste mir das Haar. Seufzend schmiegte ich den Kopf an seine Hand. Das musste reichen. Falls er Chrissy tatsächlich vorzöge, würde ich einen Besen fressen.

Die *Harold Jones* näherte sich gemächlich der Mündung der Yare. Pippa und Tilly verstauten gerade den großen roten Spinnaker, mit dem wir stundenlang vor dem Wind gesegelt waren. Das war eine ganz andere Erfahrung als am Vortag gewesen, weitaus trockener und weniger beängstigend. Tatsächlich hatte ich es die meiste Zeit über genossen, und ich hatte den Eindruck, dass ich meine Sache gut oder zumindest so gut gemacht hatte, wie es unter den gegebenen Umständen möglich war. Im Moment hatte ich Zeit für mich, stand vorn im Bug und betrachtete die Küste.

Meine Erinnerungen an Great Yarmouth stammten von einem Wochenendausflug, an dem ich im Alter von acht Jahren teilgenommen hatte, doch das Pier, die Spielhallen und den Park, in dem ich das erste Mal auf einem Pony geritten war, erkannte ich noch immer wieder. Die Docks hatte ich jedoch noch nie gesehen, und ich hatte Mühe, an der Silhouette südlich des geschäftigen Zentrums Einzelheiten zu erkennen. Viele Gebäude schienen leer zu stehen, graue Betonhallen und verwitterte Farben, durchbrochen von wucherndem Grün. Man sah viele Autos, die direkt am Ufer standen, doch sie waren zu weit vom Schiff entfernt, als dass ich Michaels schwarzen Rover hätte ausmachen können. Ich hielt trotzdem Ausschau und stellte mir vor, wie überrascht und erfreut er sein würde, wenn er mich sah. Mit etwas Glück würden wir uns absetzen können, um im Cottage eine Nacht und einen Tag voller Leidenschaft zu verbringen, während die anderen die Yacht in den Broad brachten.

Die Bewegungen des Bootes veränderten sich unvermittelt, ein tiefes Brummen kündete davon, dass der Motor angelassen worden war. Hinter mir fuhren die beiden Frauen mit der Arbeit fort, bargen routiniert die Segel, bis wir uns schließlich nur noch mit Motorkraft vom Fleck rührten. Beide gesellten sich zu Malcolm, und ich schloss mich ihnen auf einen Wink hin an. Tilly ergriff mit ängstlicher Stimme das Wort.

«Wie sieht es mit der Gerichtsverhandlung aus? In der Marina herrscht bestimmt viel Betrieb.»

«Warten wir's ab. Eigentlich wollte ich bei Breydon Water an einer Boje festmachen, dort würde man euer Schreien nicht hören. Allerdings habt ihr euch alle drei ziemlich gut aufgeführt ...»

Tillys Gesichtsausdruck veränderte sich plötzlich. Sie öffnete den Mund, klappte ihn auf einen Blick von Malcolm hin aber gleich wieder zu.

«Entschuldigung.»

«Aber ich glaube, wir werden trotzdem dort festmachen. Die Entscheidung des Gerichts ist unumstößlich.»

Pippa meldete sich kühn zu Wort, jedoch mit einem merklichen Zittern in der Stimme.

«Wenn ich etwas sagen dürfte, Sir, ich glaube, Sie sind ein wenig zu streng. Ich weiß, Chrissy ist neu, aber sie hat mehrere Fehler gemacht, und –»

Malcolm fiel ihr ins Wort.

«Und sie ist Michaels Freundin, deshalb werden wir diese Angelegenheit ihm überlassen. Noch ein Wort, junge Dame, und ich lasse dich in ihrem Beisein von ihm züchtigen. Wie würdest du das finden?»

Pippa wurde puterrot, zog aber einen Schmollmund. Offenbar wollten beide, dass ich bestraft würde, und es war eigentlich komisch, dass sie fest damit gerechnet hatten. Andererseits würde es auf jeden Fall dazu kommen, und obwohl es eine wundervolle Neuigkeit für mich war, dass Michael seit unserer Liebesnacht Besitzansprüche auf mich erhob, kribbelte es mir im Bauch bei der Vorstellung, dass er mir in Gegenwart der anderen den Hintern versohlen würde.

Keine der beiden Frauen wagte noch Einwände zu erheben, und so wurde das Thema fallen gelassen, während wir langsam in die Mündung einliefen und durch den von Booten gesäumten breiten Flusslauf fuhren. Zahlreiche Boote waren unterwegs, und bis zum Anlegen mussten wir alle die Augen aufhalten. Malcolm ging an Land, um sich beim Hafenmeister anzumelden, und ich hielt weiterhin nach Michaels Wagen Ausschau, bis Tilly mich nach unten rief. Sie waren beide in der Kajüte. Nach meinem Eintreten schloss Tilly die Tür. Pippas diabolisches Grinsen versetzte mir einen Stich. Tilly ergriff das Wort.

«Gerichtsverhandlung. Chrissy wird zur Züchtigung verurteilt, weil sie so ein hinterlistiges Gör ist.»

«Das könnt ihr nicht machen! Das darf bloß Malcolm!»

«O doch, wir können.»

Pippa ging zum Schapp und nahm zwei der Klappstühle heraus, auf denen wir frühstückten. Meine Nervosität stieg, als sie die beiden Stühle in einem halben Meter Abstand einander gegenüber aufstellte. Tilly fuhr fort.

«Unterwirfst du dich freiwillig, oder müssen wir dich zwingen?»

Es war kein Scherz. Sie wollten mich schlagen. Ich wich zurück, wehrte mit den Händen ab. Pippa lächelte breit. Tilly wirkte unsicher, aber nur ein bisschen. Ich plapperte drauflos.

«Bitte nicht, tut mir das nicht an! Das ist unfair! Das ist nicht komisch! Das könnt ihr nicht machen!»

«O doch, wir können.»

«Nein! Nicht … ich flehe euch an … Stellt euch bloß vor, was Malcolm dazu sagen würde! Er würde … er würde euch beide das Tauende spüren lassen … auf dem nackten Hintern … Er würde … er würde …»

«Das wissen wir. Aber das ist es uns wert.»

Sie kamen näher. Ich musste kichern. Ich konnte einfach nicht mehr aufhören zu lachen, und damit war's um mich geschehen. Der Anflug von Unsicherheit verschwand aus Tillys Gesicht und machte einem grausamen Grinsen Platz. Pippa fasste mich beim Ohr. Es tat weh, und ich quiekte protestierend, als sie daran zog. Tilly packte mich beim Arm und half, mich zu den Stühlen zu zerren, auf die sie sich setzten. Noch immer quiekend und kichernd, legte ich mich über ihre aneinander stoßende Knie und nahm zum ersten Mal in meinem Leben Bestrafungshaltung ein.

Ich hätte sie selbst dann nicht daran hindern können, wenn ich es gewollt hätte. Mein ganzer Körper hatte sich in Mus verwandelt, und ich kam trotz meiner aufrichtigen Angst aus dem Lachen nicht mehr heraus. Sie ließen sich dadurch nicht stören. Wahrscheinlich waren sie daran gewöhnt, dass Frauen vor der Züchtigung in einen solchen Zustand gerieten. Sie drückten mich fest nieder, sodass ich gezwungen war, den Po anzuheben. Dann fassten sie mich bei den Armen, drehten sie mir auf den Rücken, und damit war ich wehrlos.

Ich erinnerte mich noch sehr deutlich, wie weh ihnen die Bestrafung getan hatte, und als sie mir unter den Bauch langten, wurde mir allmählich klar, was mir bevorstand. Sie wollten mir die Hose und wahrscheinlich auch den Slip ausziehen, damit ich die gleiche obszöne Haltung einnähme, in der sie gezüchtigt worden waren. Ich wand mich und begann zu wimmern: Der Kloß in meinem Hals war so groß, dass ich kein Wort herausbrachte. Der Bundknopf der Jeans sprang auf, der Reißverschluss wurde heruntergezogen. Sie streiften mir die Hose runter und blickten nun auf meinen Slip. Mein Hintern fühlte sich riesig und ausgesprochen verletzlich an. Tilly lachte und machte eine Bemerkung über die kleinen gelben Enten auf meinem Höschen. Pippa schlug mir mit der flachen Hand auf den Po, und damit begann die Bestrafung.

Erleichtert stellte ich fest, dass sie mir zumindest einen kleinen Rest von Anstand lassen würden, wahrscheinlich, weil die Züchtigung unter Frauen stattfand. Pippa schlug erneut zu, dann Tilly, was ein Brennen und Prickeln zur Folge hatte. Als ein Daumen unter das Gummiband des Slips geschoben wurde, machte meine Erleichterung bodenloser Bestürzung Platz.

Mein verzweifelter Aufschrei klang mir in den Ohren, als sie mir den kostbaren Baumwollfetzen runterstreiften. Jetzt war ich nackt, zeigte ihnen alles, so wie sie sich vor mir entblößt hatten. Das war so heftig, so obszön, so erregend, dass ich aufschluchzte, als mir der Slip auf die Knie herabgezogen wurde. Tilly kicherte.

«Und los geht's!», sagte Pippa.

Ihre beider Hände klatschten gleichzeitig auf meinen Arsch, und zwar fest. Ich quiekte, überrascht vom plötzlichen Schmerz, der viel stärker war als zuvor. Sie lachten bloß und machten weiter. Die Schläge prasselten auf mich ein. Ich drehte durch, wand mich verzweifelt auf ihren Knien, wehrte mich mit aller Kraft, was sie lediglich veranlasste, noch lauter zu lachen und noch fester zuzuschlagen.

Es tat so weh. Ich konnte einfach nicht fassen, dass ich mir etwas dermaßen Schmerzhaftes tatsächlich gewünscht hatte, brachte es aber einfach nicht fertig, die Worte zu sagen, die dem ein Ende gemacht hätten. Doch ich wehrte mich, wand mich unter den Schlägen, trat mit den Beinen aus und warf den Kopf, bemühte mich verzweifelt, mich loszumachen. Aber es ging immer weiter, fester und fester, bis ich endlich meine Stimme wieder fand. Ich begann zu flehen, die Worte sprudelten aus meinem Mund, zusammenhangslose Bitten, die furchtbare Bestrafung zu beenden, die sie mir auferlegt hatten.

Sie hielten mich fest und lachten ausgelassen, während sie

mir den Hintern vertrimmten, klatsch, klatsch, klatsch, ohne sich durch meine heftige Gegenwehr und mein noch kläglicheres Flehen beirren zu lassen. Es war grauenhaft, unerträglich, doch es gab kein Entrinnen. Erniedrigung und Selbstmitleid überwältigten mich, bis ich meinte, jeden Moment in Tränen auszubrechen.

Dann setzte eine Veränderung ein, der Schmerz verwandelte sich in Wärme. Plötzlich wollte ich nicht mehr weinen und wollte auch nicht, dass sie aufhörten. Es tat immer noch weh, doch der Schmerz hatte sich in eine schwere, dumpfe Empfindung verwandelt, heiß und prickelnd, satt und sinnlich und ausgesprochen erotisch. Auch meine Möse wurde allmählich heiß und prickelte vor Verlangen. Als Tilly kicherte, wurde mir klar, dass sie Bescheid wussten und warum sie nicht aufgehört, mich nicht losgelassen hatten; sie meinten es nur gut mit mir, freilich in einem ganz anderen Sinn als Valentina.

Ich reckte den Hintern hoch und schnurrte, schwelgte in dem Gefühl, das mir eben noch unerträglich erschienen war. Sie schlugen mich immer noch, jede auf eine Backe, erregten mich weiter, bis ich abermals zu betteln begann. Diesmal flehte ich sie jedoch nicht an, aufzuhören, sondern fester zuzuschlagen. Das taten sie auch, bis ich nach Luft schnappte und den Arsch noch weiter reckte, begierig auf die wundervollen Schläge, begierig, penetriert zu werden. Als mir klar wurde, was als Nächstes käme, meldete sich Pippa zu Wort.

«Nimm du dir ihre empfindliche Stelle vor. Ich halte sie fest.»

Sofort ließen sie meine Handgelenke los. Pippa fasste mich fest um die Taille, jedoch nicht, um mich unten zu halten, sondern eher liebevoll. Tilly schlug mir nun unmittelbar auf die Möse und legte ihre ganze Kraft in die Schläge. Sogleich

durchzuckte es mich, eine gewaltige Woge der Lust, die anschwoll und brach, während die Hiebe auf mich einprasselten,
meinen ganzen Körper erbeben ließen. Jeder einzelne Schlag
fuhr mir geradewegs in den Kitzler. Ich schrie auf und kam,
zu erregt, um mich darum zu scheren, wer mich sah und hörte, vollständig in Anspruch genommen von der wundervollen
Hitze in meinem Arsch und der Ekstase in meinem Kopf.

Tilly schlug weiter, hielt mich auf dem Höhepunkt, während
ich mich im Orgasmus auf ihren Knien wand. Pippa umfasste
meine Titten und streichelte sie, als die Schläge auf einmal aufhörten und Tilly den Finger in meiner Möse versenkte. Ich ließ
sie gewähren, ließ sie meinen Körper erkunden, während ich
am Rand des Orgasmus schwebte, bis Tillys Finger den Kitzler
fanden und ich zum zweiten Mal lange und heftig kam.

Schließlich sackte ich auf ihren Knien zusammen, erschöpft,
benommen, mit brennendem Arsch. Tilly hatte ihre Finger
noch in mir, Pippa liebkoste weiterhin meine Brüste. Mir war
es egal. Ich stand ihnen zur Verfügung, zum Dank für die wundervolle Erfahrung, die meine kühnsten Erwartungen über-
troffen hatte. Schließlich hörten sie auf.

«Du gehst ja ab!», sagte Tilly. «Was bist du doch für eine geile
kleine Schlampe!»

In ihrem Tonfall schwang keine Bosheit mit, nur Freude und
vielleicht ein wenig Neid. Ich konnte meine Empfindungen
bloß hinauskeuchen.

«Ich … hab gar nicht gewusst … dass so etwas möglich ist!»

«Das ist es für die meisten auch nicht», erwiderte Pippa. «Du
hast wirklich Glück!»

Ich brachte ein schwaches Lächeln zustande und richtete
mich langsam auf. Ich war noch immer ganz high und wollte
kuscheln, über meine wundervolle Erfahrung sprechen, vor al-

lem aber meinen Hintern sehen. Untermalt vom Gekicher der beiden Frauen, trat ich vor den Spiegel und inspizierte meine Hinterbacken. Sie waren stark gerötet, und meine Haut fühlte sich heiß an, auch rau und eigentümlich dick. Es war ein tolles Gefühl.

Zwar hatte ich leichte Gewissensbisse, weil mich die beiden Frauen gezüchtigt hatten und nicht ein Mann, aber das war nebensächlich. Schließlich hatte ich ja keinen Sex mit ihnen gehabt, jedenfalls nicht direkt, sondern … irgendetwas anderes. Trotzdem wusste ich genau, dass ich mich, ohne zu zögern, hingekniet hätte, wenn sie mich gebeten hätten, sie zu lecken. Die Schläge hatten mich so erregt, mich geil und hemmungslos gemacht und meine Bereitschaft geweckt, auch anderen Lust zu bereiten.

Jetzt hatte ich es begriffen. Adrenalin verstärkt die Wirkung des Sex: der Reiz eines neuen Partners; die Angst im Freien, gesehen zu werden. Mit dem Hinternversohlen war es das Gleiche, nur in einem stärkeren Ausmaß. Es tat weh, höllisch weh, und weil man Schmerzen erwartete, wurde Adrenalin freigesetzt. Dann setzte die Wirkung der Endorphine ein, die alles rosig färbten, sodass man die Schenkel spreizen wollte. Psychologie war ebenfalls im Spiel: die Hilflosigkeit, von einem starken Mann übers Knie gelegt zu werden; die obszöne Haltung, die man mit entblößtem Hintern einnahm; das Gefühl, vollkommen ausgeliefert zu sein. Dies alles trug zu der unvergleichlichen Erfahrung bei. Ich hatte Feuer gefangen.

Es wäre vielleicht noch weiter gegangen, und ich hätte bestimmt nichts dagegen gehabt, doch sie machten sich Sorgen, Malcolm könnte zurückkommen und uns überraschen, weshalb sie mich drängten, Slip und Jeans wieder hochzuziehen und die Beweise zu verhüllen. Ich tat, wie mir geheißen, und versprach sogar, nichts zu verraten. In diesem Moment hätte ich alles versprochen, alles getan. Das Gefühl war großartig, und das umso mehr, weil ich wusste, dass es bald wieder geschehen und ich dann von Michael gezüchtigt werden würde. Von meinem wundervollen, energischen, selbstbewussten Michael.

Ich war so aufgeregt, dass ich nicht still sitzen konnte, und nach einer Weile ging ich an Deck, frische Luft schnappen. Da sah ich Michaels Wagen, wie er gerade gegenüber von unserem Liegeplatz in eine Parklücke zurücksetzte. Im Wagen war noch eine zweite Person, was mich überraschte.

Dann stiegen sie aus. Mir fiel die Kinnlade herab. Ich sah blondes Haar, und mir wurde bewusst, dass er von einer Frau begleitet wurde. Ich sah ihr Gesicht und erkannte sie – Valentina de Lacy. Als sie um den Wagen herumtraten, fasste sie ihn bei der Hand, vertraulich, besitzergreifend. Sie lächelte, als sie die Straße überquerten. Meine Gedanken überschlugen sich. Ich versuchte, die Realität zu leugnen, dachte mir Erklärungen aus und verwarf sie im selben Moment. Die Wahrheit ließ sich nicht leugnen.

Sie hatte es schon wieder getan.

KAPITEL *ELF*

Wenn Chrissy aus ihren Tagträumen geweckt wird, ist sie immer erst mal sauer. Diese Stimmung hält selten länger als ein, zwei Tage an, doch es war schon eine peinliche Situation. Ich hatte gehofft, sie würde einen Koller kriegen, damit ich mit ruhigem, vernünftigem Auftreten Eindruck schinden könnte. Ich hätte einen Scherz gemacht, und alles wäre wieder gut gewesen. Schließlich war Pippa so attraktiv, dass sie bestimmt Verständnis zeigen würde. Eine Nummer zehn geht mit einer Nummer zehn aus. Pippa erreichte vielleicht eine acht auf der Skala, aber das reichte auch.

Dass sie weglaufen würde, wenn sie uns sah, hatte ich nicht vorausgesehen. Aber das war auch keine schlechte Reaktion, denn sie war ausgesprochen kindisch und konnte für mich nur vorteilhaft sein. Michael bemerkte es ebenfalls und blickte erstaunt ihrem fetten Hintern nach, der die Straße entlangwabbelte.

«Das war Chrissy Green!»

«Ja, die ist unterwegs bestimmt seekrank geworden.»

«Ja, aber warum rennt sie dann weg? Hey, Chrissy!»

Entweder hörte sie ihn nicht, oder sie wollte nicht reagieren. Michael schaute verdutzt drein. Ich beeilte mich, ihn zu beruhigen.

«Mach dir keine Sorgen. Wahrscheinlich ist sie mitgefahren, weil sie sich Hoffnungen auf dich gemacht hat, und jetzt kommt sie nicht damit zurecht, dass wir zusammen sind. In Wahrheit ist sie unter ihrer sentimentalen Schale eiskalt berechnend und hat gehofft, sie könnte dich ausnehmen. Sie lebt in einer Traumwelt.»

«Aber … glaubst du, sie kommt klar?»

«Das wird schon wieder. Lass ihr ein, zwei Tage Zeit, dann hat sie sich an jemand anderen rangeschmissen.»

«Ich sollte besser mal mit ihr reden.»

«Warum?»

Er zögerte. Offenbar glaubte er, weil er Sex mit ihr gehabt habe, sei er ihr eine Erklärung schuldig. Er wusste nicht, dass ich Bescheid wusste, und wollte es mir gegenüber auch nicht zugeben. Chrissy verschwand derweilen hinter der nächsten Ecke, ihre dicken, kurzen Beine bewegten sich wie Maschinenkolben rhythmisch auf und ab.

«Lass sie. Wir haben Wichtigeres zu tun. Zunächst einmal möchte ich mit Pippa sprechen. Bei unserer ersten Begegnung war ich ziemlich ruppig. Und du solltest mich deinem Dad und dieser Tilly vorstellen.»

«Du hast Recht.»

Er sah immer noch Chrissy nach, drehte sich aber um, als jemand seinen Namen rief. Auf dem Deck stand Pippa und winkte. Neben ihr stand eine andere, jüngere Frau, die ihr ähnlich sah und ebenfalls recht attraktiv wirkte. Das war offenbar Tilly. Ich setzte mein strahlendstes Lächeln auf und ignorierte Pippas verärgerten Blick, als ich sie begrüßte.

«Hi, Pippa! Hi, du bist bestimmt Tilly. Eine gute Reise gehabt?»

«Ja, danke. Was ist mit Chrissy los?»

«Keine Ahnung», antwortete Michael. «Als sie uns gesehen hat, ist sie weggerannt.»

In Pippas Miene spiegelte sich ernsthafte Besorgnis wider.

«Du meine Güte, Michael! Begreifst du denn überhaupt

nichts? Sie ist wegen dir mitgekommen! Was hast du erwartet?»

«Woher sollte ich das wissen? Mir hat sie nichts davon gesagt.»

«Nein, aber …»

Pippa verstummte, presste die Lippen zusammen. Nun war ich an der Reihe.

«Es tut mir Leid, Pippa, aber es handelt sich um ein Missverständnis. Michael und ich sind ein Paar, aber falls das Chrissy aufgebracht haben sollte, heißt das nicht, dass zwischen uns schlechte Stimmung herrschen muss.»

Sie musterte mich erstaunt.

«Ich schulde Ihnen auch eine Entschuldigung», fuhr ich fort. «Im Club war ich ein richtiges Biest, und das tut mir aufrichtig Leid. Da wusste ich noch nicht, dass Sie Michaels Stiefmutter sind. Ich hielt Sie für eine Rivalin und war eifersüchtig, weil … na ja, weil Sie aussehen, als wären Sie geradewegs einer Titelseite von *Vogue* entsprungen. Ist das nicht komisch?»

Mit ihrem unförmigen gelben Ölzeug und dem strähnigen Haar hätte sie eher auf die Titelseite einer Yachtzeitschrift oder auf eine Versammlung der Kanalarbeitergewerkschaft gepasst. Lachend reichte ich ihr die Hand.

«Freundschaft?»

Nach kurzem Zögern ergriff sie meine Hand. Ich küsste sie auf die Wange, und sie revanchierte sich widerwillig. Ich hatte richtig vermutet. Sie wusste Bescheid. Aber sie war auch keine Prinzipienreiterin. Das galt auch für ihre Schwester, die zähneknirschend meinen Wangenkuss akzeptierte. Somit blieb nur noch ihr Vater übrig.

Ich hörte, wie Michael mir nachrief, blieb jedoch nicht stehen. Die Tränen strömten mir über die Wangen, und ich wollte nicht, dass er oder jemand anders mich in diesem Zustand sah. Deshalb lief ich immer weiter, bis ich vor lauter Tränen nichts mehr sehen konnte.

Als ein Zaun kam, warf ich mich vor ihm auf den Boden und schluchzte herzzerreißend ins Gras. Es war unerträglich. Schon so oft hatte sie mir das angetan, so oft, und jedes Mal hatte ich mir gesagt, es sei letztlich zu meinem Besten. Wenn er sie bevorzugte, sei er auch nicht der Richtige für mich. Wehgetan hatte es immer, diesmal aber war es schlimmer, viel schlimmer. Ich hatte Michael vergöttert. Ich hatte geglaubt, unsere Beziehung sei etwas ganz Besonderes, etwas, das ihn an mich binden würde.

Diese Hoffnung war geplatzt. Offenbar hatte er sie vom ersten Moment an gemocht, und ich wäre jede Wette eingegangen, dass sie sich nicht lange hatte bitten lassen, obwohl sie wusste, dass er mit mir zusammen war. Ich wusste auch, was sie sagen würde – ich mein's doch bloß gut mit dir –, wenn sie mir erklären würde, weshalb es mit Michael und mir niemals geklappt hätte. Diesmal sollte es nicht so weit kommen. Ich würde meilenweit fortgehen, irgendwohin, wo ich die beiden nicht zusammen sehen müsste; irgendwohin, wo ich sie beide nie wieder sehen würde.

Dabei wusste ich bereits, dass ich mir etwas vormachte. Ich wusste, ich würde das Gleiche wie jedes Mal tun. Ich würde um sie herumscharwenzeln, als Valentinas armes, kleines Hündchen, bis es irgendwann Zeit für den schrecklichen Satz wäre: «Auszeit, Chrissy.» Dann würde ich mich davonschleichen und elend fühlen, während sie miteinander Sex hätten, und anschließend mit der Schoßhündchen-Routine weitermachen.

Es war so jämmerlich, und das war mir auch bewusst, doch ich hatte einfach nicht die Willenskraft, etwas dagegen zu unternehmen, und diesmal würde es nicht anders sein. Außerdem waren meine ganzen Sachen auf der Yacht, deshalb musste ich auf jeden Fall zurückgehen.

Die Leute starrten mich bereits an, und ich wollte mit niemandem sprechen, deshalb stand ich auf. Ich musste zur Yacht zurück, doch das brachte ich im Moment nicht fertig. Ich sah die Szene genau vor mir: Michael hielte Valentina umarmt, während ich wie eine Idiotin dabeisäße, und alle wüssten, dass ich geglaubt hatte, er sei mit mir zusammen. Sie würde Mitgefühl zeigen und damit alles nur noch schlimmer machen, als könnte man mich mit einem tröstenden Lächeln abspeisen. Und dann würde sie ein ernstes Wort mit mir reden.

Das Problem war, dass sie Recht hatte. Es war dumm von mir gewesen, zu glauben, er interessiere sich für mich, wenn er doch sie haben konnte. Jeder Mann begehrte sie, sie war das, was jeder Mann brauchte, als Partnerin und als Statussymbol. Es war auch richtig von ihr gewesen, ihn mir schnell wegzunehmen, denn später, mit einer anderen Frau, hätte es umso mehr geschmerzt, und dazu wäre es unweigerlich gekommen. Er war einfach zu gut für mich.

Das wusste ich zwar, wollte mich aber nicht damit abfinden. Auf keinen Fall wollte ich nach meinem dummen kleinen Anfall mit geröteten Augen und verweintem Gesicht zur *Harold Jones* zurückkehren und mich der Situation stellen. Deshalb ging ich weiter am Ufer entlang, denn ich wusste, dass sie mich irgendwann einholen würden. Außerdem hoffte ich, dass Michael und Valentina in der Zwischenzeit zum Cottage zurückgefahren waren, sodass die Strafpredigt wenigstens aufgeschoben würde.

Dies alles ging mir in einem fort durch den Kopf, ich konnte einfach an nichts anderes denken. Als der Weg vom Kanal abbog, folgte ich ihm in den Annahme, er würde irgendwann wieder dorthin zurückführen.

Nach einer Stunde hatte ich vollständig die Orientierung verloren.

Es war ziemlich mühsam, doch ich schaffte es. Malcolm Callington hatte sich anscheinend in den Kopf gesetzt, Chrissy sei Michaels Freundin und ich eine Spielverderberin. Zum Glück hatte Michael den Mumm, für sich einzustehen und ihm zu erklären, ein kleines Abenteuer mit Chrissy gebe ihr noch lange nicht das Recht, Ansprüche auf ihn zu erheben. So war es nur eine Frage der Zeit, bis ich den alten Trottel bezirzt hatte.

Zunächst gab er sich recht kühl, doch nachdem ich darauf bestanden hatte, das Abendessen einzukaufen, und er fast eine ganze Flasche Wein in sich hineingeschüttet hatte, taute er auf. Ich wünschte mir allmählich, Chrissy würde wieder auftauchen, denn ich wollte auch das peinliche Gespräch mit ihr hinter mich bringen.

Als wir gegessen hatten, war sie noch immer nicht aufgetaucht, und ich fragte mich, ob sie sich vielleicht verlaufen habe und wieder nach London zurückgefahren sei. Ihre Sachen waren noch an Bord, doch die Kreditkarten hatte sie offenbar mitgenommen. Dieses dumme, melodramatische Verhalten sah ihr ähnlich.

Da der Bahnhof nur ein paar hundert Meter entfernt lag, nahm ich schließlich an, sie sei tatsächlich abgereist. Das machte es für mich erheblich leichter. Die anderen machten sich Sorgen, ich aber wusste, dass ich sie am Abend bloß anzurufen brauchte, und schon würde sie mir verzeihen, während ich ihr

Verhalten mit ein paar mitfühlenden, aber sorgfältig formulierten Bemerkungen als unbedacht und kindisch hinstellen könnte. Ich wartete einfach ab, während Malcolm bereits auf die Uhr sah, dann sagte ich mein Sprüchlein auf.

Sie schluckten es, wenn auch widerwillig, und schon ging's los. Michael und ich fuhren mit dem Großteil des Gepäcks zum Cottage zurück, während die anderen an einem Liegeplatz festmachten, den Malcolm gebucht hatte. Es würde einen ganzen Tag dauern, die Yacht nach Hickling Broad zu bringen, und Michael war entschlossen, das zu übernehmen. Ich willigte ein, denn solange ich nicht auf dem beschissenen Kahn schlafen musste, wollte ich keine Szene machen. Die Vorfreude auf die Flussfahrt munterte ihn in seiner Einfalt erheblich auf, und ich half sein schlechtes Gewissen zu beschwichtigen, indem ich Chrissy vom Dorf aus anzurufen versuchte. Wie erwartet ging sie nicht ran, und er gab sich mit meiner Erklärung, sie schmolle, zufrieden.

Als wir wieder im Cottage waren und eine Flasche Wein aufgemacht hatten, dachte er nicht mehr an Chrissy. Für alle Fälle legte ich mich trotzdem ins Zeug, strippte für ihn und lutschte ihm den Schwanz, während er am Wein nippte. Das war ein weiterer Verstoß gegen meine Regeln, doch ich sagte mir, das sei es wert.

Er wurde richtig scharf, denn anstatt sich von mir fertig machen zu lassen, beugte er mich übers Sofa und fickte mich ausgiebig. Wie immer war er so schnell, dass mir ganz schwummrig wurde, und brachte mich zweimal mit seinem Schwanz zum Orgasmus, bevor er selbst auf meinen hochgereckten Hintern kam.

Doch das war lediglich der Anfang. Am Ende streifte er mir Kleid und Slip ab, sodass ich nun splitternackt war. Er entkleidete sich ebenfalls, legte mich über die Schulter und trug mich die Treppe hoch. Er warf mich aufs Bett, dann vergrub er sein Gesicht in meiner Möse, leckte mich und streichelte sich dabei, bis er wieder einen Steifen hatte. Wir fickten erneut und probierten auf dem Bett ein Dutzend unterschiedliche Stellungen aus, bevor er kam. Dann kam das Bad an die Reihe, wo er mich wie üblich auf dem Klo überraschte und mich einfach auf seinen Schwanz hob, natürlich erst, als ich fertig war. Das dauerte eine Ewigkeit, und anschließend war ich wund, müde und bereit fürs Bett. Michael hingegen war nach einer Tasse Kaffee wieder fit und fickte mich mit Hilfe meiner Gesichtscreme in den Arsch.

Als er gekommen war, war ich richtig fertig, an beiden Stellen wund und zu müde, um noch die Augen offen zu halten. Die Anstrengung war es trotzdem wert gewesen. Chrissy hatte er den ganzen Abend über nicht erwähnt.

Als ich den Pub entdeckte, dämmerte es bereits. Mehr als zwei Stunden lang war ich Fußwege entlanggewandert, anfangs in Gedanken versunken, dann mit wachsender Sorge. Ich hatte versucht, nach Yarmouth und zur Yacht zurückzugehen, gelangte dabei aber in eine Sackgasse, die vor einer verfallenen Windmühle endete. Dann war ich in Richtung der Segel gegangen, die über das ferne Schilf lugten, kam jedoch am Rand eines fünfzig Meter breiten Kanals heraus, der mich von der Straße trennte. Auf einem Straßenschild stand, bis Acle seien es noch zwei Meilen, deshalb folgte ich dem Kanal, musste aber feststellen, dass die angrenzenden Felder von breiten Gräben durchzogen waren. Schließlich wandte ich mich nach Norden und stieß auf einen Weg, der zu einem Dorf und einem Pub führte, dem Wheatsheaf.

Ich hatte Hunger und einen schrecklichen Durst. Daher bestellte ich eine Fischplatte mit Fritten und Limonade und setzte mich in den Biergarten, möglichst weit von den anderen Tischen entfernt. Ich kam mir vor wie ein kleines, dummes und sehr einsames Mädchen, fühlte mich elend und ungeliebt. Alle anderen Gäste wirkten so glücklich, was noch mehr auf meine Stimmung drückte. Es waren ein paar Touristen da, zwei ältere Männer und eine Gruppe junger Einheimischer, alle mit ihren eigenen Angelegenheiten beschäftigt, redend, lachend, trinkend.

Ich musste ebenfalls etwas trinken, wenn ich jemals den Mut aufbringen wollte, mich den anderen zu stellen. Mittlerweile würden sie sich bestimmt Sorgen um mich machen, zumindest Tilly und Pippa. Das Vernünftigste wäre wohl, wenn ich ein Taxi riefe und zum Cottage führe, denn die Yacht würde ich nicht mehr finden. Im Cottage aber würde ich Valentina und Michael treffen.

Ich bestellte einen doppelten Brandy und trank ihn, während ich voller Bitterkeit über mein Leben nachdachte. Als das Glas leer war, fühlte ich mich kein bisschen tapferer, nur trauriger, deshalb bestellte ich noch einen. Die Wirkung war die gleiche, und ich schaute durch einen Tränenschleier zu, wie das Licht im Westen verblasste. Nach dem dritten Glas war ich so tief in Selbstmitleid versunken, dass ich es nicht mal mehr fertig brachte, mich zu erheben.

Die Touristen waren, ebenso wie die alten Männer, gegangen. Zwischendurch war ein Rentnerehepaar da gewesen. Beide waren mindestens siebzig und hatten Händchen gehalten, was mich noch mehr deprimierte. Ich kam mir dumm vor, weil ich zu hoffen gewagt hatte, Michael könne sich für mich interessieren. Wie Valentina mir schon so häufig erklärt hatte, die Jagd nach attraktiven Männern endete stets in Tränen. Damit hatte sie vollkommen Recht.

Die Einheimischen waren gegangen, zumindest meinte ich das, bis einer nochmal in den Biergarten kam und etwas holte, was er auf dem Tisch liegen gelassen hatte. Er war sehr groß, über eins achtzig, füllig, hatte eine dicke rote Nase und wirres blondes Haar. Er tat mir auf der Stelle Leid, denn ich stellte mir vor, dass er bei den Mädchen im Dorf einen schweren Stand hätte. Valentina hätte ihn keines zweiten Blickes gewürdigt. Oder jedenfalls nur deshalb, um für mich ein Date mit ihm zu arrangieren.

Bei dem Gedanken huschte ein schwaches Lächeln der Verachtung über mein Gesicht. Es stimmte, er war genau der Typ, den sie immer für mich aussuchte. Neben Michael würde er kläglich abschneiden, doch aufgrund seiner Haltung und seines Auftretens vermutete ich, dass er das wohl anders sah. Männer wissen anscheinend niemals, wo sie aus Sicht der Frauen stehen, und das war mein Problem, wenn auch genau anders herum.

Er hatte sich hingesetzt, um sich den Stiefel zu schnüren, und ich beobachtete, wie er mit seinen dicken roten Fingern unbeholfen einen Knoten band. Seine Hände waren riesig, noch größer als Michaels, die Haut war rau und voller Schwielen, die im bunten Licht der Gartendekoration deutlich zu sehen waren. Ich stellte mir vor, wie kräftig sie seien, und schon lief in meinem Kopf ein böser kleiner Film ab: Ich stellte mir vor, wie es wäre, wenn ich ihn dazu beschwatzte, Michael zusammenzuschlagen. Wenn überhaupt jemand dazu in der Lage wäre, dann er. Spaßeshalber wechselte ich die Filmrolle und ließ ihn dann Valentina übers Knie legen und ihr den bloßen Hintern versohlen.

Unwillkürlich musste ich kichern. So etwas würde er sich bestimmt niemals trauen. Selbst wenn ihm die Folgen gleichgültig wären, wäre er doch Wachs in ihren Händen wie alle Männer. Trotzdem war es eine reizvolle Vorstellung. Sie würde toben, eine geifernde Xanthippe, würde kratzen, beißen und spucken. Aber er war so stark, ein solcher Brocken, dass ihm das wahrscheinlich nichts ausmachen würde. Er würde einfach weitermachen, gemächlich, bedächtig, so wie er sich bewegte, würde sich von ihrem Geschrei und Getrete nicht aus der Ruhe bringen lassen. Er würde ihr das Kleid hochschlagen, ihr den Designerslip runterstreifen … nein, runterreißen und ihr in den Mund stopfen, um sie zum Schweigen zu bringen. Dann würde er sie schlagen, richtig fest schlagen, bis sie heulte …

Als er mich ansprach, schreckte ich jäh aus meinen Tagträumen hoch.

«Was möchten Sie trinken, meine Liebe?»

Ich wollte seine Einladung ablehnen, doch heraus kam ein ersticktes Kichern.

«Alles in Ordnung?»

Ich wollte ihm sagen, es gehe mir gut, und ich wolle bloß in Ruhe gelassen werden. Er war freundlich zu mir. Ich brach in Tränen aus. Im nächsten Moment war er bei mir, legte mir seinen starken Arm um die Schulter und redete mit seiner tiefen Stimme beruhigend auf mich ein. Ich kam mir idiotisch vor und bemühte mich, mit dem Weinen aufzuhören, die Tränen hinunterzuschlucken, doch es gelang mir nicht. Ich vermochte mich nicht einmal verständlich zu machen, außerdem fand ich es gar nicht nett, ihn abzuweisen, wo er doch nur freundlich zu mir war.

Daher ließ ich mich von ihm in den Arm nehmen, bis ich mich wieder etwas gefasst hatte. Kaum waren die Tränen versiegt, da stand er auch schon auf und holte mir einen Drink. Er brachte mir ein kühles Helles, das ich in einem Zug runterstürzte, dann unterhielten wir uns. Mir drehte sich der Kopf, ich bekam kaum mit, was ich sagte, doch es war mir egal. Ich war benommen. Nach einer Weile bekam ich heraus, dass er Jack hieß.

Als der Wirt herauskam und meinte, er wolle schließen, kicherte ich bereits über Jacks dumme Scherze. Ich stand auf, dachte vage an ein Taxi und stellte fest, dass ich mich nicht mehr auf den Beinen halten konnte. Das war komisch. Noch komischer war, dass ich über ein Tischbein stolperte und auf den Hintern plumpste. Jack half mir hoch und stützte mich beim Hinausgehen.

Vor dem Pub war eine goldene Lichtinsel, doch auf den Straßen war es stockdunkel. Jack störte es nicht, und anscheinend wusste er auch, was er tat. Er stützte mich und blieb hin und wieder stehen, um mir den Arsch zu tätscheln und mit mir zu knutschen. Das war schön, und als ich ihn darum bat, packte er seinen Schwanz aus, einen großen, dicken, der nach Mann schmeckte und sich in meinem Mund im Handumdrehen steifte.

Ich lutschte ihn, bis ein Wagen vorbeikam und ich einen Lachkrampf bekam, als die Scheinwerfer über uns hinwegschwenkten und für einen Moment Jacks gelbbraunen Haarbusch und den dicken, rosigen Schwanz beleuchteten, den ich blies. Er fand das offenbar weniger komisch und entzog mir den Schwanz. Ich wollte ihn wiederhaben und ficken, kam aber nicht mehr hoch und fiel in den Straßengraben. Er zog mich hoch, und ich glaube, er meinte, er wolle mich ficken, wenn ich ein braves Mädchen sei, deshalb bat ich ihn, mir den Hintern zu versohlen. Daraufhin lachte er, und da wusste ich, er würde es tun. Sobald wir in seinem Haus angelangt waren, streifte ich Jeans und Slip herunter und nahm die Titten heraus, und er versohlte mir den Arsch und ließ sich von mir den Schwanz lutschen und fickte mich, dann fickte er mich noch einmal und ließ mich seine Eier lutschen und schlug mich, als ich ihn darum bat, fickte mich wieder und kam zwischen meinen Titten und in meinen Mund …

KAPITEL *ZWÖLF*

Der Kopf tat mir weh. Auch der Hintern und die Möse. Ich war nackt, lag auf einer schmuddeligen Matratze und hatte mir ein Laken um den Leib geschlungen. Nach und nach fiel mir alles wieder ein – Valentina und Michael, meine Flucht, die Drinks, Jack.

Er war nirgendwo zu sehen. Anscheinend befand ich mich unter einem Scheunendach, in einem großen Raum mit Holzbalken und Bretterboden. Ich konnte mich nicht mehr erinnern, hier heraufgeklettert zu sein. Ich konnte mich auch nicht erinnern, mich ausgezogen zu haben, sondern war mir bloß sicher, dass ich Top und BH hochgeschoben und Jeans und Slip runtergestreift hatte, als wir im Quickie-Stil fickten. Auch ans Ficken erinnerte ich mich, außerdem an mein dummes Gekicher, als er mir den Hintern versohlt hatte, und an ein paar andere obszöne Details.

Ich musste mich dringend waschen und mir die Zähne putzen und brauchte ein paar Aspirin. Hier gab es nicht mal ein Waschbecken, geschweige denn einen Medizinschrank, dafür aber einen neuen, teuer wirkenden Computer. Typisch Mann! Ein Spiegel freilich war vorhanden, und darin inspizierte ich reumütig die blauen Flecken auf meinem Hintern, als von unten das Knarren einer Tür heraufdrang. Ich stürzte zu meinem Slip, doch der war zerrissen und verdreckt. Ich konnte mich nicht erinnern, mich der Hose im Freien entledigt zu haben, zog sie aber trotzdem an, als in der Bodenklappe Jacks Kopf auftauchte. Er grinste mich an. Ich rang mir ein Lächeln ab.

«Hier, trink das.»

Er streckte mir einen großen irdenen Krug voller Milch entgegen. Ich nahm ihn und hatte etwa die Hälfte davon getrunken, als mir klar wurde, dass sie noch kuhwarm war. Jedenfalls schmeckte sie köstlich. Als ich fertig war, reichte ich ihm den Krug zurück und stellte fest, dass er meine nackten Titten anglotzte.

«O Mann, du siehst richtig toll aus.»

Unwillkürlich bedeckte ich errötend meine Blöße, dann ließ ich die Hände wieder sinken. Nachdem wir es miteinander getan hatten, war das einfach bloß lächerlich, außerdem konnte ich sowieso nicht alles bedecken. Er grinste immer noch.

«Ihr Großstadtschnallen geht wirklich scharf ran. Noch Milch?»

«Ja, bitte.»

Sein Kopf verschwand wieder. Ich hörte, wie jemand einen Scherz machte, dann lachte Jack. Da ich nicht nackt gesehen werden wollte, von meinem geröteten Hintern ganz zu schweigen, zog ich mich an. Der BH war in Ordnung, das Top aber war so zerrissen, dass eine Titte heraushing. Die Jeans war heil, aber verdreckt, und das galt auch für die Schuhe und die Socken. Zum Glück steckten meine Papiere noch in der Jeanstasche.

Bekleidet sah ich noch viel mitgenommener aus als in nacktem Zustand, nämlich wie eine Pennerin. Mein Haar ähnelte einem Vogelnest, mein Gesicht war mit Dreck und Schlimmerem beschmiert, meine Kleider schmutzig. Ich sah aus, als hätte man mich rückwärts durch eine Hecke geschleift, was mehr oder weniger der Wahrheit entsprach.

Ich konnte mir gut vorstellen, wie Valentina reagieren würde. Sie würde ihren Spaß haben. Wenn sie von Jack erführe, würde sie bestimmt darauf abfahren. Sie würde sich dadurch, dass ich mich betrunken vom erstbesten Mann, der Interesse an mir zeigte, hatte ficken lassen, bestätigt fühlen. Sie würde mich dazu ermuntern, mich mit ihm zu vergnügen, um über Michael hinwegzukommen, als ob man Gefühle einfach so austauschen könnte. Aber sie sollte nichts erfahren.

Ich würde nach London zurückfahren und behaupten, ich sei schon am Vorabend in den Zug gestiegen. Das würde mir eine Menge Peinlichkeiten ersparen. Dann brauchte ich auch nicht meine Hündchen-bei-Fuß-Nummer vorzuführen, wozu es unweigerlich kommen würde, wenn ich in Norfolk bliebe. Ich brauchte mich bloß etwas zurechtzumachen, nach Yarmouth bringen zu lassen und in den Zug zu steigen.

Obwohl Jack fand, ich sei in einer merkwürdigen Verfassung, zeigte er Verständnis und bot mir an, mich nach Acle zu fahren, zum nächsten Bahnhof. Im Farmhaus konnte ich mich waschen, was in höchstem Maße peinlich war, da seine Eltern und die Schwester zugegen waren und genau Bescheid wussten. Er borgte mir auch ein Hemd, das mir bis zu den Knien reichte.

Mittlerweile ging es auf Mittag zu, und mein Entschluss begann zu wanken. Ständig musste ich daran denken, wie leidenschaftlich und zuvorkommend Michael gewesen war. Jack war ihm ähnlich, wenn auch grober, doch tief in meinem Innern wusste ich, dass mir beide bloß an die Wäsche gewollt hatten. Vor die Wahl zwischen mir und Valentina gestellt, hätten beide sich für sie entschieden.

Jack hatte mir nicht gesagt, dass er mich mit dem Traktor fahren wollte. Und so saß ich neben ihm, so hoch, dass ich über die Hecken hinwegsehen konnte, die das flache Land unterteilten. Es tat weh, die über die Felder aufragenden Segel und die verstreuten Windmühlen zu sehen, alles so, wie ich es mir vor Antritt der Reise vorgestellt hatte. Jacks munteres, scherzhaftes Geplapper nahm ich kaum wahr.

Es herrschte dichter Verkehr, und das nicht nur, weil wir die Autos aufhielten. Deshalb hatte ich viel Zeit, meinen Gedanken nachzuhängen und immer deprimierter zu werden. Nach einer Weile sagte ich mir, dass es am vernünftigsten sei, meine Sachen von der Yacht zu holen und abzureisen. Ich wusste, ich würde meinem Vorsatz nicht nachkommen, doch als wir die Flussbrücke erreichten, stand ich kurz davor, die Fassung zu verlieren. Am Ufer hatten Motorboote und Yachten festgemacht, die meine Erinnerungen und Hoffnungen wieder wachriefen. Den Tränen nahe, stützte ich das Kinn in die Hand und betrachtete sie, während wir langsam vorbeifuhren. Am Ufer winkte jemand, hüpfte auf und ab und rief meinen Namen. Es war Tilly.

Hätte Chrissy auch nur eine Spur von Taktgefühl oder Anstand besessen, wäre sie nach Hause gefahren. Stattdessen führte sie ihr übliches Drama auf, verschwand über Nacht und versetzte alle in Angst und Sorge, um auf dem Weg zum Bahnhof zufällig in dem Moment eine Brücke zu überqueren, in deren Nähe die Yacht festgemacht hatte. Am Vortag hatten Michael und ich vereinbart, bei der Brücke an Bord zu gehen, und zur gleichen Zeit ließ sie sich dort von irgendeinem Bauern absetzen. Offenbar hatte sie genau gewusst, dass sie die Yacht dort antreffen würde. Das Ganze diente lediglich dazu, sich in den Mittelpunkt zu stellen und Mitleid zu erregen. Allmählich hatte ich die Nase voll von ihr.

Nicht dass ich etwas hätte sagen können – zumindest nicht das, was mir auf der Zunge lag. Mir blieb nichts anderes übrig, als mich wie eine Erwachsene zu benehmen und darauf zu hoffen, dass sie so vernünftig wäre, das Gleiche zu tun. Andernfalls würde sich eine geruhsame, entspannende Flussfahrt in einen Albtraum verwandeln. Deshalb begrüßte ich sie freundlich, als ich an Bord ging.

«Hi, Chrissy. Wieder alles in Ordnung?»

Sie hatte nur einen vorwurfsvollen Blick für mich übrig. Also wollte sie sich kindisch aufführen.

Michael und die anderen hatten sich augenblicklich in eine komplizierte nautische Angelegenheit vertieft, sodass ich die Sachlage klären konnte.

«Chrissy, hör zu. Wir sind im Urlaub. Wir sind Gäste der Callingtons. Du solltest zumindest versuchen, dich zu beherrschen.»

Diesmal antwortete sie mir.

«Wie … wie konntest du mir das antun, Valentina?»

Sie war immer noch kindisch, geradezu säuglingshaft, denn sie sah aus, als werde sie jeden Moment in Tränen ausbrechen.

«Chrissy, du bist kindisch. Beruhige dich. Ich will jetzt nicht darüber reden, aber ich hatte gehofft, du würdest diesmal vernünftiger sein.»

Sie öffnete den Mund, sodass sie auf einmal Ähnlichkeit mit einem Goldfisch hatte. Dann machte sie kehrt, lief zum spitzen Bug und stellte sich an die Reling. Ich wusste, dass sie weinte. Ich hatte es versucht, sie aber hatte einfach nicht den Anstand, sich in Gegenwart anderer Menschen zu benehmen. Was konnte ich tun? Michael näherte sich mir.

«Wir bringen die Yacht direkt nach Hickling. Es wird dir gefallen, das ist einer der schönsten Flussabschnitte der Broads. Ein bisschen überlaufen, aber wo ist es das nicht um diese Jahreszeit. Kannst du dir vorstellen, dass es hier in Dads Jugend ebenso viele Lastkähne wie Ausflugsboote gab?»

«Für dich muss das ja in der Steinzeit gewesen sein.»

«Sehr komisch. Ich übernehme das Steuer. Möchtest du mir helfen?»

«Danke, lieber nicht. Wäre es nicht besser, wenn wir zum Cottage zurückfahren würden?»

«Zurückfahren?»

«Ja. Dann hätten wir den Nachmittag für uns, nur wir beide. Es wäre die letzte Gelegenheit.»

«Ja … das wär mir natürlich sehr recht, aber … also, ich habe schon den Törn versäumt, und … ach, komm schon, Valentina, der Fluss wird dir gefallen, wart's nur ab. Komm einfach mit.»

Das war typisch. Er war so dickhäutig, so unsensibel, dass er sich gar kein Problem vorstellen konnte, wenn wir mit Chrissy zusammen auf der Yacht mitführen. Ich hätte mich ins Zeug legen und ihn mit einem unverhohlenen Sexversprechen locken können, doch ich tat es nicht. So war Michael Callington eben. Ich konnte ihn zudem nicht gut mit Chrissy allein lassen. Es war ein Albtraum.

Allerdings hatte ich auch nicht vor, mit anzupacken. Stattdessen kletterte ich aufs Kajütendach und nahm ein Sonnenbad, damit ich mich nicht mit Chrissys vorwurfsvollem Schweigen und der Verlegenheit der anderen auseinander setzen musste. Kurz darauf hatten sie die Rahen gespleißt, den Mast gelegt und die Schoten eingeholt oder irgendwas in der Art, und schon ging's los.

Zu sehen gab es nichts, bloß flache Felder in jeder Richtung und hin und wieder ein entgegenkommendes Boot. Ich begann mich zu langweilen und wünschte mir, Michael und ich wären wieder allein. Die Stimmung zwischen ihm, den beiden Frauen und seinem Vater war ein wenig frostig. Das ging ebenfalls auf Chrissys Konto, doch es bedeutete, dass ich wahrscheinlich mehr Zeit mit ihm allein haben würde, jedenfalls dann, wenn er von Booten genug hätte.

Michael steuerte, und Chrissy war auf dem Vordeck und schmollte. Ich hörte undeutlich, wie die anderen sich unter mir in der Kajüte unterhielten. Hin und wieder schnappte ich ein Wort auf. Die Gemüter waren erhitzt, Malcolm Callington erwähnte sogar ein Gericht, doch der Zusammenhang wurde mir nicht klar. Offenbar hatte er einen Streit mit den beiden Frauen, und ich fragte mich allmählich, ob es vielleicht mit mir zu tun hatte. Eigentlich war das nahe liegend. Schließlich war er ein Mann wie jeder andere und wollte mich bestimmt um sich haben und begaffen. Wahrscheinlich erwartete er von Pippa und Tilly, dass sie mir ein wenig Respekt erwiesen, was den beiden sicherlich gegen den Strich gehen würde.

Sie wirkten ziemlich willensschwach, deshalb war ich mir sicher, dass er am Ende siegen würde. Und so legte ich das Bikinioberteil ab, um ihm einen weiteren Grund zu liefern, mich in seiner Nähe haben zu wollen, und um Michael daran zu erinnern, was ihm durch seine Sturheit entging. Ich genoss es auch, auf den anderen Booten für Aufregung zu sorgen, zumal viele mit Gruppen junger Männer besetzt waren.

Ein besonders lauter Bewunderungspfiff von einem hübschen Ausflugsboot lockte Malcolm Callington an Deck. Ich hatte die Augen geschlossen und rührte mich nicht, doch ich wusste, er hatte mich gesehen, und aus seinem Schweigen schloss ich, dass meine kleine Darbietung ihre Wirkung nicht verfehlte.

Ich sonnte mich weiter und ließ die Gedanken schweifen, während die anderen sich über die Situation ausließen. Schließlich wusste ich, wie es enden würde, und wenn die beiden Frauen ein wenig eifersüchtig wären und mir grollten, dann war das nichts Neues für mich.

Nach einer Weile veranlasste mich ein ungewöhnlich lautes Motorengeräusch, den Kopf zu wenden. Ich erblickte ein richtig großes Ausflugsboot, das uns entgegenkam. Wie die meisten anderen war es vor allem mit jungen Männern besetzt, die meisten betrunken oder zumindest angeheitert. Es gab die üblichen Pfiffe und anzüglichen Bemerkungen, auf die ich nicht reagierte. Als sie vorbei waren, verweilte ich in Gedanken noch bei ihnen.

Ein Mann, ein muskulöser Typ von noch nicht mal zwanzig Jahren, hatte mir zugerufen, ich solle an Bord kommen, dann werde ich schon sehen, ‹wozu richtige Männer taugen›. Das war amüsant, ein typischer Fall von Halbstarkentapferkeit, denn er wusste ganz genau, dass keine Frau der Aufforderung jemals nachkommen würde, ganz abgesehen davon, dass er und seine Kumpel gar nicht gewusst hätten, was sie tun sollten, wenn ich auf das großzügige Angebot eingegangen wäre.

Sie wären bloß verlegen geworden und hätten ihre schmutzigen Vorschläge kein bisschen in die Tat umsetzen können. Ich hätte die Kontrolle gehabt und im Mittelpunkt der Aufmerksamkeit gestanden, während sie ganz hingerissen gewesen wären und mich wie eine Königin behandelt hätten. Männer sind eben so, und so sollen sie auch sein. Nachdem ich so lange nach Michaels Pfeife getanzt hatte, war das eine angenehme, tröstliche Vorstellung.

Ich habe mal etwas über Alpha- und Betamänner gelesen, wonach die Alphamänner Sex haben, während die Betamänner bloß darüber reden. Darin lag ein Körnchen Wahrheit, und Michael war eindeutig ein Alphamann, während die Burschen auf dem Boot Betamänner waren.

Ich mag es, wenn eine ganze Gruppe von Männern einer Frau gefallen will. So wäre es auf dem Boot gewesen. Vielleicht hätte ich mir sogar einen Bestimmten ausgesucht, falls man sich dort irgendwo zurückziehen konnte. Ich hätte mich von ihm lecken lassen und ihn dann geritten, während uns die anderen zugehört hätten und vielleicht sogar versucht hätten, zuzuschauen. Sie wären scharf geworden, so unglaublich geil, dass sie masturbiert, sich vielleicht sogar gegenseitig ausgeholfen hätten. Die Vorstellung, dass zwei Männer durch mich so erregt würden, dass sie Sex miteinander hatten, war wirklich komisch.

Meine Nippel wurden steif, und das wollte ich verbergen. Deshalb wälzte ich mich auf den Bauch, über meinen Tagtraum noch immer lächelnd. Erst als ich die Augen aufschlug, um das Handtuch zurechtzuziehen, auf dem ich lag, bemerkte ich, dass Chrissy mich beobachtete. Sie wandte sogleich den Kopf ab, doch ich wusste, sie hatte mein Lächeln bemerkt.

Es war unerträglich. Valentina war blasiert, sonnte sich unbeschwert und ohne Oberteil auf dem Kajütendach, während ich den Tränen nahe war. Ich konnte ihre Gedanken lesen: Zufriedenheit über einen weiteren leichten Sieg über die blöde kleine Chrissy; obszöne Gedanken über den Sex, den sie am Abend mit Michael haben würde, und Überlegungen, was sie mir sagen könnte, wenn ich mich beruhigt hatte.

Das war das Schlimmste. Sie behandelte mich wie ein schmollendes Kind und wartete mit Erklärungen, bis ich darüber hinweg war. Doch ich würde nicht mitspielen, diesmal nicht. Ich würde ihr die kalte Schulter zeigen, mich weigern, mit ihr zu sprechen, ihr vielleicht sogar in ihr dummes, grinsendes Gesicht schlagen.

Ich wusste natürlich, dass ich das nicht tun würde. Wenn ich mich nicht zu dem von ihr bestimmten Zeitpunkt versöhnte, würde ich schwächer denn je erscheinen und einen noch kläglicheren Eindruck machen. Mit Simon Straw war es das Gleiche gewesen, und anschließend war ich ihnen auf Schritt und Tritt gefolgt, hatte einfach nicht genug Stolz gehabt, um mich von ihnen fern zu halten – die Schoßhündchennummer. Ich würde es wieder tun, ganz bestimmt.

Allerdings gab es verschiedene andere Möglichkeiten. Ich könnte mich an Tilly halten, würde aber ständig an Michael und Valentina denken und so die wachsende Freundschaft zwischen Tilly und mir belasten. Sie war lustig und verspielt, ganz ähnlich wie ich, besaß freilich viel mehr Selbstvertrauen. Außerdem war sie ungehemmt, im Grunde hemmungsloser, als ich es verkraften konnte. Vielleicht würde es zu weit führen. Wir hatten sozusagen Sex miteinander gehabt, und vielleicht würde sie wieder welchen wollen, doch wenn ich darauf einginge, dann nicht um ihretwillen, sondern weil ich Michael nicht haben konnte. Außerdem würde Valentina es bestimmt mitbekommen. Valentina glaubte, Lesben seien Frauen, die keine Männer abkriegten. Das würde sie auch von mir denken.

Ich könnte auch etwas aus meinem One-Night-Stand mit Jack machen. Er wusste, wo das Cottage lag, und würde das Hemd abholen kommen. Es wäre ein Leichtes, ihn anzumachen, und selbst wenn er genau der Typ Mann war, den Valentina mir zutraute, wäre diese Situation nicht neu. Das Schlimme dabei war, dass er beim Sex an sie denken würde, wenn er sie erst einmal gesehen hätte, und das würde mir ebenfalls nicht zum ersten Mal passieren.

Da war es besser, das Schoßhündchen zu spielen.

Wir speisten in Thurne, und Valentina bemühte sich nach Kräften, sich bei allen lieb Kind zu machen, zumal bei Malcolm. Es war drückend heiß, und sie trug einen winzigen Bikini und einen Wickelrock, sodass ihr die Aufmerksamkeit der Männer sicher war. Ich trug noch immer meine verdreckten Klamotten und das zu große Hemd, die mir lediglich belustigte Blicke einbrachten. Gottlob blieben wir nicht lange, sondern fuhren weiter über den Fluss Thurne, mit Valentina auf dem Kajütendach.

Den ganzen Vormittag über hatten die anderen mich in Ruhe gelassen, nun aber setzte Tilly sich zu mir und versuchte mich durch eine ausgiebige Schilderung aufzumuntern, wie Malcolm sie und Pippa für mein Spanking bestrafen wollte. Er wollte sie mit dem Rohrstock züchtigen, mit entblößtem Hintern und gebeugtem Oberkörper, ein Ritual, das sie mir wie üblich voll banger Vorfreude schilderte. Vor allem aber wollte sie etwas wissen. Sie senkte die Stimme zu einem Flüstern.

«Was wird das Miststück wohl von unseren kleinen Spielchen halten?»

«Valentina? Die wird ausflippen!»

«Verflixt. Glaubst du wirklich?»

«Ganz bestimmt. So was findet sie pervers. Als Teenager hat sie sich Regeln zurechtgelegt. Sie glaubt, an so was fänden nur Männer Gefallen, und je attraktiver eine Frau ist, desto weniger muss sie sich gefallen lassen.»

«Was? Einen solchen Blödsinn hab ich ja noch nie gehört!»

Ich zuckte die Achseln.

«O Mann!», fuhr Tilly fort. «Ich hatte gehofft, Michael hätte sie mittlerweile schon übers Knie gelegt. Schließlich ist sie ein freches Gör, und ich kann mir nicht vorstellen, warum er sich sonst mit ihr abgeben sollte.»

«Weil sie toll aussieht.»

«Ach was, für seinen Geschmack hat die zu wenig Fleisch auf den Rippen. Du bist schon eher sein Typ.»

«Danke, Tilly! Du verstehst es wirklich, einen aufzurichten. Aber so fett bin ich nun auch wieder nicht.»

«Fett? Wer hat denn gesagt, du seist fett? Ein strammer Hintern, der ein paar Hiebe verträgt, ist viel eher nach Michaels Geschmack, und wie wir wissen, hast du so einen.»

Sie zwinkerte mir zu. Ich errötete und lächelte, war einen Moment lang mit mir zufrieden, bis ich mir vorstellte, wie Valentina reagieren würde, wenn sie herausfand, dass Tilly und ich Sex miteinander gehabt hatten. Ich blickte zu ihr hinüber. Sie lag auf dem Rücken, ihre festen, perfekt geformten Titten hoben sich vom Hintergrund ab. Ein Motorboot fuhr vorbei, der ältere Herr auf dem Vordeck schaute Tilly an, die zum Anbeißen aussah in ihrem grünen Bikini, dann wanderte sein Blick zu Valentina und verweilte bei ihr. Ich schüttelte den Kopf.

«Das wird sie nicht zulassen, und sie wird sich auch bestimmt nicht dem Gericht unterwerfen.»

«Dann machen wir es eben, wenn sie mit Michael unterwegs ist. Wegen ihr will ich nicht aufs Spanking verzichten!»

«Ich glaube, mir ist nicht danach, nicht mehr.»

«Ach, komm schon! Chrissy! Das ist doch nicht dein Ernst! Du wirst doch nicht die ganze Zeit Trübsal blasen wollen, bloß weil Michael zu blöd ist, einzusehen, auf welcher Seite vom Brot die Butter ist!»

Obwohl ich einen Kloß im Hals hatte, rang ich mir ein Lächeln ab. Sie versuchte nett zu mir zu sein, doch ich kannte die

Wahrheit – Valentinas Wahrheit. Tilly betrachtete mich aufmerksam.

«Also kein Spanking mehr und kein …»

Ich wusste, was sie meinte. Ich schüttelte den Kopf, der Kloß in meinem Hals wurde noch dicker.

«Tut mir Leid.»

«Na großartig!»

Sie richtete sich auf und entfernte sich. Ich sah ihr nach und wünschte, ich hätte mich ihr verständlich machen können. Dabei bemitleidete ich mich mehr denn je. Das alles war meine Schuld, wie Valentina mir sicherlich bald erklären würde. Wäre ich so klug gewesen, nicht nach den Sternen greifen zu wollen, wäre es gar nicht erst so weit gekommen.

Als wir das Cottage erreichten, ging es schon auf den Abend zu. Wir konnten es im Vorbeifahren bereits sehen, doch es stellte sich heraus, dass der See zu flach war, um mit der Yacht am Steg anzulegen, an dem sich auch das Ruderboot befand. Deshalb mussten wir weiterfahren und uns einen Liegeplatz in einer kleinen Marina suchen. Es gab dort einen Pub, in dem wir etwas tranken, bevor Malcolm und Michael das Schlauchboot fertig machten, um uns damit zum Haus zu fahren.

Ich wollte deutlich machen, dass es zwei Gruppen gab: Michael und mich und den Rest. Deshalb schlug ich ihm vor, zu Fuß zum Cottage zu gehen und unterwegs etwas zu essen einzukaufen. Alle waren einverstanden, bloß Michael willigte nur grollend ein, denn da er im Herzen ein kleiner Junge war, zog es ihn aufs Wasser.

Das Einkaufen gestaltete sich ziemlich schwierig, denn im Dorf gab es nur ein paar bescheidene kleine Läden. Ich tat mein Bestes und ließ Michael die Tüten tragen, als wir uns auf den Weg zum Cottage machten. Er hatte die ganze Zeit über etwas distanziert gewirkt, was ich darauf zurückführte, dass er auf der Yacht mit Tilly gesprochen hatte, kurz nach ihrer Unterredung mit Chrissy. Offenbar war Chrissy wie gewöhnlich eine schlechte Verliererin und hatte versucht, Sand ins Getriebe zu streuen. Das durfte ich nicht zulassen. Sobald das Dorf hinter uns lag, fasste ich Michael bei der Hand.

«Gibt es noch einen anderen Weg zum Cottage, einen etwas einsameren?»

Er grinste mich an. Das war geschafft, so einfach war das. Männer sind ja so primitiv. Ich hatte das Hinweisschild auf den Fußweg gesehen und vermutet, dass er zum Cottage führte, denn im See konnte er ja schlecht enden. Ich war bereit, mich mit Gras abzufinden, wenn es nur so lange dauerte, dass die anderen anschließend ahnten, was wir getrieben hatten.

Der Weg war von Unkraut überwuchert, und Michael musste uns mit einem Stock den Weg freimachen. Mir war es recht, denn es bedeutete, dass wir nur langsam vorankamen und dass uns wahrscheinlich niemand einholen würde. Nicht dass ich es mitten auf dem Weg tun wollte. Als wir die Bäume am Seeufer erreichten, zog ich ihn im Baumschatten auf einen weichen Flecken Gras nieder.

Er war scharf, was mich nicht wunderte, denn schließlich hatte er mir den ganzen Tag lang beim Sonnenbaden zugeschaut. Im Handumdrehen hatte er mir den Wickelrock und den Bikini ausgezogen, die Schuhe fasste er nicht an. Ihm gefiel das offenbar. Er selbst machte sich nicht die Mühe, sich zu entkleiden, sondern zog bloß das Hemd aus. Ich überließ ihm die Führung, ließ mich streicheln und küssen, bis ich bereit für seine Zunge war. Er kniete nieder und brachte mich leckend fast zum Höhepunkt, bis er sich seiner eigenen Bedürfnisse annahm.

Er packte den Schwanz aus, steckte ihn mir in den Mund und streichelte weiter meine Brüste, während ich ihn steif lutschte. Ich nahm auch seine Eier in den Mund, rollte sie auf der Zunge und biss vorsichtig in den Sack, während ich sanft an seinem Steifen zog. Dann legte ich mich auf dem Rücken ins Gras, sein Schwanz glitt mühelos in mich hinein, und wir begannen zu ficken.

Er war so gut wie immer, schnell und leidenschaftlich und gleichmäßig, bis ich lustvoll stöhnte und kommen wollte. Ich bekam, was ich wollte. Während ich zusammengerollt auf dem Boden lag, vollführte Michael seinen Schwanztrick und rieb mir den Kitzler, bis ich kam. Dann drang er wieder in mich ein.

Ich fühlte mich großartig, als ich mich in Erwartung eines langen, guten Ficks zurücklegte, nicht bloß deshalb, weil sein Schwanz mich ausfüllte, sondern weil er mir gehörte. Nicht einmal dann, als er mich auf allen vieren niederknien ließ und mich von hinten fickte, während er sich am Anblick meines weit gespreizten Arschs weidete, verspürte ich den geringsten Groll. Ich war es, die er auf diese Weise nahm, die er begehrte, und ganz gleich, was für schmutzige Dinge er von mir verlangte, hielt doch letzten Endes ich die Zügel in der Hand.

Er war auch schmutzig und brachte sich dadurch zum Kommen, dass er seinen Steifen in meiner Pofalte rieb, bis mir sein heißer Saft auf den Rücken spritzte. Ich war froh, dass er meinen Arsch diesmal verschont hatte, und lutschte ihm sogar den Schwanz sauber, als er ihn mir an den Mund hielt.

Anschließend hatte sich seine Reserviertheit verflüchtigt. Eine Weile blieben wir noch im Gras liegen, er mit dem Kopf auf meiner Brust, ich immer noch nackt. Michael streichelte mir auf eine wundervoll intime Art den Arsch. Wie ich gehofft hatte, kamen wir erst lange nach den anderen im Cottage an. Ich achtete darauf, dass ich ein paar Grashalme im Haar und am Rock hatte, was mir einen viel sagenden Blick von Pippa und einen eifersüchtigen von Chrissy einbrachte. Ich wusste, bald würden wir miteinander reden müssen, doch für den Fall, dass es zu einer hässlichen Szene käme, wollte ich den Moment möglichst lange hinausschieben. Außer den Körperfunktionen sollte man Männern noch etwas anderes vorenthalten, nämlich dass man sich mit einer anderen Frau zankte, als lägen sich zwei Feudalmatriarchinnen in den Haaren.

Ich bereitete das Abendessen, Hühnchenbrust in einer irgendwie mediterranen Soße mit Pasta; etwas anderes war nicht zu bekommen gewesen. Trotzdem schmeckte es allen, und nach dem Essen bestand ich darauf, Pippa beim Abwasch zu helfen. Anschließend war sie ein bisschen aufgetaut, und auch Tilly zeigte sich mir gegenüber einigermaßen freundlich. Mit ihrem langen Gesicht und ihrer Schweigsamkeit tat Chrissy sich keinen Gefallen, und als sich alle ins Bett begaben, war ich mir sicher, dass es nur ein paar Tage dauern würde, bis ich allen klargemacht hätte, dass Michael sich bei seiner Entscheidung für mich nicht allein von seinem Schwanz hatte leiten lassen.

Trotz seiner bizarren sexuellen Gepflogenheiten kam Malcolm Callington mir ziemlich altmodisch vor, oder vielleicht waren es ja gerade seine sexuellen Gepflogenheiten, die altmodisch waren. Wie auch immer, er war eindeutig das Familienoberhaupt. Ich machte mir Sorgen, er könnte Einwände dagegen erheben, dass Michael und ich zusammen schliefen, doch als wir nach oben gingen, schaute er kaum hoch und wünschte uns lediglich eine gute Nacht. Chrissy war bereits schmollend zu Bett gegangen, und da Malcolm und Pippa das große

Schlafzimmer in Beschlag genommen hatten, musste sie zusammen mit Tilly das Kinderzimmer belegen, das neben unserem Schlafzimmer lag. Somit war sie nur durch eine Wand von unserem Bett getrennt, und der Verlockung, Michael vor dem Schlafengehen zu einem guten, geräuschvollen Fick zu verleiten, konnte ich nicht widerstehen.

KAPITEL *DREIZEHN*

Am Morgen sah die Welt viel besser aus. Das tut sie immer. Nach all den körperlichen und emotionalen Strapazen hatte ich wie eine Tote geschlafen.

Jetzt wollte ich die ganze Angelegenheit einfach vergessen und aufhören, mir über Michael oder meine eigene Dummheit den Kopf zu zerbrechen. Valentinas unvermeidliche Standpauke wollte ich ebenfalls nicht hören und stand daher früh auf, um einen Spaziergang am Seeufer zu machen. Es war wundervoll. Ich liebe das Wasser, zumindest betrachte ich es gern, und die Kombination von Schilf, Himmel und Booten war so beruhigend, dass ich mich wunderte, dass es mir nicht schon gestern aufgefallen war. Allerdings war ich da noch richtig wütend gewesen.

Allmählich sah ich ein, dass ich mich völlig grundlos in einen Koller hineingesteigert hatte. Michael war mit Valentina zusammen, und das offenbar, seitdem sie mit dem Auto hierhin gefahren waren, vielleicht auch schon länger. Somit war meine Träumerei auf der Yacht bloße Phantasie gewesen, und zwar schuldbeladene, da ich den Freund meiner Freundin begehrt hatte. Ich hatte mich dumm verhalten und wünschte mir sehnlichst, ich hätte weniger Aufhebens davon gemacht und wäre nicht weggerannt, als sie in Yarmouth auftauchten. Es war auch töricht gewesen, mich zu betrinken und von Jack abschleppen zu lassen. Wie sich herausgestellt hatte, war er ein netter Kerl, aber er hatte mich trotzdem ausgenutzt. Ebenso gut hätte er ein Psychopath sein können.

Das einzig Vernünftige war, mich zu beherrschen und Valentinas Regeln zu beherzigen. Das war der einzige Weg, glücklich zu sein und nicht verletzt zu werden. Vom Spanking und vom Vorfall zwischen mir und Tilly würde ich ihr nichts erzählen, doch ich würde es auch nicht mehr tun. Darin offenbarte sich ein Mangel an Selbstachtung, genau wie sie gesagt hatte.

Ich war an einer alten Windmühle angelangt, von der ich wusste, dass wir sie betreten durften, um Vögel zu beobachten oder den Ausblick auf den See zu bewundern. Ich wäre gern hinaufgestiegen, denn der Vermieter hatte das Obergeschoss zu einer Art Beobachtungsraum ausgebaut, aber die Tür war verschlossen. Der Schlüssel war im Cottage, doch mittlerweile waren die anderen bestimmt schon auf, und ich wollte noch eine Weile allein sein. Und so spazierte ich weiter zwischen hohen, dichten Hecken einher und kehrte in einem weiten Bogen zu dem Weg zurück, an dem das Cottage lag.

Davor stand ein Traktor, Jacks Traktor. Der Anblick versetzte mir ganz unerwartet einen Stich. Einerseits schreckte mich die Vorstellung, Valentina könnte ihm begegnen, andererseits machte es mich verlegen, einen Mann wiederzusehen, von dem ich mich so hemmungslos hatte ficken lassen. Ich hoffte, er sei gerade erst eingetroffen und stehe noch vor der Tür, und Valentina liege noch im Bett, doch ich hatte Pech. Er saß am Küchentisch, in der Hand einen Becher Kaffee, und unterhielt sich mit Michael. Neben ihm saß Valentina, in einem kurzen Morgenmantel, der den Blick freigab auf ihre wundervollen langen Beine. Er sah sie nicht an, hätte es aber bestimmt gern getan, das wusste ich.

Ich rang mir ein Lächeln ab und rief mir in Erinnerung, dass es unvermeidlich und vollkommen natürlich sei, dass er sie bevorzugte. Pippa und Tilly waren ebenfalls zugegen und machten selbst in Jeans und Tops einen reizenden Eindruck. Ich war das hässliche Entlein, und ausgerechnet mich hatte er gefickt. Ja, so ist das Leben.

Nicht dass es ihm allzu viel ausgemacht hätte. Er begrüßte mich mit einem breiten Grinsen und unterhielt sich dann weiter mit Michael. Sie sprachen über einen Kanal, der durch Jacks Felder führte und offenbar vor dem Krieg schiffbar gewesen war. Um die Farm für Touristen attraktiv zu machen, wollten sie den Kanal wieder freiräumen und waren dabei auf einen gesunkenen Lastkahn gestoßen. Michael war sogleich fasziniert, und auch Malcolm zeigte sich interessiert, als er mit der Zeitung aus dem Dorf zurückkam. Sie boten ihre Hilfe an, und kurz darauf hatten auch wir uns zur Mitarbeit gemeldet. Also würden wir noch mehr von Jack zu sehen bekommen.

Ich sah es kommen, in allen Einzelheiten.

Ich musste mich eben damit abfinden. Das Ganze hätte aus einem der Abenteuerbücher für Jungs stammen können, die mein Vater als Kind gelesen hatte und die er noch immer in Kartons auf dem Speicher verwahrte.

Trotzdem lief alles so, wie ich es wollte. Es stand außer Frage, dass ich mit Michael zusammen war, und es würde nicht schwer sein, Chrissy mit Jack, dem Bauern, zu verkuppeln. Er war genau ihr Typ, groß, doof und massig wie ein Bulle. Mir fiel auf, dass er sie mochte, eine primitive Reaktion auf ihren fetten Arsch und ihre übergroßen Brüste, so wie ein Pavian beim Anblick des knallroten Hinterns einer Äffin scharf wird. Sie ist eine solche Schlampe, dass sie bestimmt darauf anspringen würde, außerdem würde es mich nicht wundern, wenn sie es bereits miteinander getrieben hätten.

Es ging darum, einen großen, verrotteten, über hundertjährigen Lastkahn aus dem Schlick zu befreien. Das klang nach Dreck, Schweiß und Langeweile, aber zumindest konnten sie schwerlich von mir erwarten, dass ich dabei mithalf. Ich nahm eine Decke mit, um ein Sonnenbad zu nehmen und vielleicht Pippa und Tilly ein bisschen besser kennen zu lernen, während die Männer ihre Jungenspiele spielten.

Nachdem wir den Wagen von Acle abgeholt hatten, fuhren wir zur Farm. Der Kanal, den sie freiräumten, verlief unmittelbar an der Farm vorbei und war früher in einen See gemündet. Mittlerweile stand an seiner statt ein morastiger Wald. Michael hin oder her, ich hätte bei seinem Anblick beinahe rebelliert, doch sie hatten einen Pfad für den Bagger freigeräumt, und dahinter lag eine kleine Wiese.

Die Stelle war ideal, und ich breitete die Decke aus, um zuzuschauen. Mittlerweile hatte ich mich mit Sonnencreme eingeschmiert, und Michael und Jack standen bis zu den Knien im Wasser, während Malcolm sich am Ufer zu schaffen machte. Sie waren bis zur Hüfte nackt, ein durchaus lohnender Anblick. Michaels Körper kannte ich bereits recht gut, dennoch war es immer noch reizvoll, seine Muskeln in Aktion zu sehen, während sein schlanker, kräftiger Oberkörper sich allmählich mit einem glänzenden Schweißfilm überzog. Auch Jack war zu meiner Überraschung einen Blick wert, denn auch wenn er nach normalen Maßstäben fett war, war er noch größer als Michael und enorm kräftig, ein regelrechter Zuchtbulle. Auch der alte Mann war fit für sein Alter, schlank und drahtig.

Chrissy war im Herzen schon immer ein rechter Wildfang und schert sich nicht um ihr Äußeres, deshalb überraschte es mich nicht, als sie die Jeans auszog, mit den Männern ins Wasser watete und sie bei der Arbeit behinderte, während sie versuchten, das Brombeergebüsch und den Unrat rings um den

Kahn zu entfernen. Einzig Pippa und Tilly, denen ich etwas mehr Selbstachtung zugetraut hätte, verwunderten mich, als sie ebenfalls mit anpackten und schon bald völlig eingesaut waren.

Somit döste ich allein in der Sonne und genoss die Landschaft. Sie hatten ein Buch mitgebracht, *Norfolks Boote und Schiffe auf Kanälen, Seen und dem Meer*, in dem ich zu lesen vorgab, während ich mir Gedanken über die nächsten Tage machte. Ich wollte Michael unbedingt mehr für mich allein haben, was bedeutete, dass ich Chrissy loswerden musste, sonst würde sie uns auf Schritt und Tritt folgen. Jack schien mir ideal für den Zweck geeignet und interessierte sich offenbar auch für sie, denn er hielt sich ständig in ihrer Nähe auf und zeigte ihr Libellen und anderen langweiligen Naturkram. Sie veranstaltete eine richtige Show: Von der Hüfte an war sie klitschnass, das Top klebte ihr am Leib, und der halbe Wabbelhintern hing ihr aus dem nassen Slip. Offenbar wusste er, wann er eine Schlampe vor sich hatte.

Dann waren da noch die anderen drei, die wie Kletten aneinander klebten, sodass ich mich schon fragte, ob sie vielleicht ein perverses Dreiecksverhältnis miteinander hatten. Da die beiden Frauen Schwestern waren, wäre das höchst eigenartig gewesen, andererseits wusste ich, dass der alte Callington pervers war. In Anbetracht des Altersunterschieds zwischen ihm und Pippa konnte man davon ausgehen, dass ihnen die Meinung anderer Leute egal war. Michael hatte gemeint, der alte Herr schlage seine Frau, und ihr gefalle es. Das wunderte mich, denn Pippa hätte jeden haben können, allerdings war sie so ein vornehmer Typ, und die sind häufig seltsam. Für Tilly galt das Gleiche.

Dass die ganze Familie ein Haufen Perverser war, würde vor Gericht gute Munition abgeben. Ich könnte meine Unschuld und bescheidene Herkunft gegen die Lasterhaftigkeit der Oberschicht ausspielen. Das Gericht würde bestimmt auf meiner Seite stehen. Allerdings wollte ich nichts überstürzen. Michael hatte sich in den vergangenen Tagen ordentlich aufgeführt, und zwar von dem Zeitpunkt an, als ich dem Hinternversohlen einen Riegel vorgeschoben hatte. Offenbar besaß er trotz seiner machohaften Art doch einen gewissen Anstand, und ich fragte mich schon, ob ich ihn nicht doch würde formen können. Bei entsprechender Anleitung spräche nichts dagegen, bei ihm zu bleiben, zumindest ein paar Jahre lang.

Die Arbeit war anstrengend und schweißtreibend, machte aber Spaß. Wir hatten den Bug des alten Lastkahns freigeräumt, und es war ziemlich aufregend, wie das Wrack allmählich zum Vorschein kam. Dabei fühlte ich mich fast wie eine Archäologin. Das Boot war in einem besseren Zustand als erwartet, und Jack sprach bereits davon, es zu restaurieren. Außerdem schenkte er mir viel Beachtung. In Anbetracht unserer Vorgeschichte und des Umstands, dass Valentina ihre Beziehung mit Michael herausstellte, wunderte mich das nicht.

Ich hatte gemischte Gefühle. Vor allem war ich immer noch zu verletzt, um auf Jacks Avancen zu reagieren, auch wenn ich mich damit abgefunden hatte, dass es sinnlos gewesen war, mich um Michael zu bemühen. Außerdem wusste ich, dass Valentina wollte, dass ich mich so verhielt, und dies auch von mir erwartete. Mich daran zu halten machte das Leben einerseits leichter für mich, weckte andererseits aber auch meinen Groll. Schließlich konnte ich nicht darüber hinwegsehen, dass er mich gefickt hatte und dass es gut gewesen war, deshalb fand ich es falsch, ihm die kalte Schulter zu zeigen.

Zwar machte es in der jetzigen Situation keinen großen

Unterschied, doch er sah mich ständig an, vor allem, als ich mit nassem Top im Wasser stand. Der Stoff klebte an meinen Titten, die Nippel waren durch den BH hindurch deutlich zu erkennen, daran konnte ich nichts ändern, es sei denn, ich hätte mich ganz freigemacht. Allerdings fehlte mir in Gegenwart der anderen Frauen mit ihren perfekt geformten Brüsten der nötige Mut, meine Ballons zu entblößen.

Deshalb beließ ich es so und arbeitete weiter, während er mich verstohlen musterte. Er ließ sich auch nicht lumpen, denn von der Hüfte aufwärts war er nackt und seine Jeans klitschnass. Sein Schwanz wirkte riesig, selbst in entspanntem Zustand, und wenn ich mich recht erinnerte, war er sogar noch größer als Michaels. Das stand ihm gut, und weil Valentina ebenfalls große Schwänze mag, hatte ich endlich mal mit ihr gleichgezogen oder war ihr sogar etwas voraus.

Wie gewöhnlich schwamm ich mit dem Strom. Er schlug vor, zu Mittag Apfelmost und Schweinepastete zu essen, und bat mich, ihn zur Farm zu begleiten und alles zu holen. Also ging ich mit, obwohl ich ahnte, was er vorhatte. Meine Vermutungen bestätigten sich, und dabei ging er nicht gerade dezent vor. Seine Eltern waren weg, deshalb hatten wir das Haus für uns. Er holte ein Tablett mit selbst gemachter Pastete aus dem Kühlraum an der Rückseite des Hauses, dann marschierte er in den Schuppen, wo die Mostfässer standen, stellte das Tablett ab, steckte sich ein Stück Pastete in den Mund und holte grinsend seinen Schwanz raus. Valentinas Regeln für den Umgang mit Männer: Gehe nie auf ein schmutziges Angebot ein, sondern lass sie warten. Sie hätte ihn geohrfeigt. Ich kniete mich hin.

Er war groß, sehr groß, dick und lang und fleischig. Er schmeckte auch gut, kräftig, aber ausgesprochen männlich, zumal dann, als er in meinem Mund anschwoll. Ich packte seine Eier aus und streichelte sie, während ich ihn lutschte. Sie fühlten sich pelzig und warm an, und zwischendurch küsste ich sie und saugte sie kurz in meinen Mund, was ihn aufstöhnen ließ. Er aß immer noch an der Pastete, die Krümel regneten mir auf den Kopf, doch ich bemühte mich, nicht darauf zu achten, sondern konzentrierte mich ganz auf seinen Schwanz. Es bestand keine Gefahr, entdeckt zu werden, deshalb packte ich meine Titten aus und legte die Hände darum, um die Nippel zu reizen und um sie ihm zu präsentieren. Er brummte anerkennend, stopfte sich das letzte Stück Pastete in den Mund und langte nach einer Flasche Apfelmost.

Es war schon ein starkes Stück, dass er futterte, während ich ihn blies, doch ich war so scharf, dass es mir nichts ausmachte. Er war steif, und es würde ganz leicht sein, den Slip runterzustreifen und mich von ihm auf dem Boden kniend von hinten ficken zu lassen. Im Nu hatte ich das Höschen unten und war bereit, ihn aufzunehmen. Da reagierte Jack, fasste mich beim Haar und bog mir den Kopf zurück. Sein Schwanz flutschte heraus, nass und hart und geil. Bei dem Anblick hätte ich mich am liebsten auf alle viere niedergelassen und ihm den Arsch entgegengestreckt. Er aber setzte mir die Flasche an die Lippen und hob sie an, sodass mir der Most in den Mund rann.

Ich ahnte, was er wollte, und nahm ihn wieder in den Mund, saugte ihn, den Mund voll kühlem Apfelmost. Etwas davon lief heraus und tropfte mir auf die nackten Brüste. Sogleich wurden die Nippel von der kühlen Flüssigkeit steif. Er seufzte lustvoll, hob erneut die Flasche und schüttete mir den Inhalt übers Gesicht und über seinen Schwanz und die Eier. Ich saugte den Most auf, dessen Geschmack sich mit dem Aroma seines Schwanzes mischte. Bestimmt wollte er in meinem Mund kommen, ich aber wollte ficken und auch selbst zum Orgasmus kommen.

Ich zog mich zurück, ging auf alle viere und präsentierte ihm meinen Arsch, den Slip auf Halbmast, sodass er alles sehen konnte. Er brummte und kniete sich hinter mich, drückte mir seinen Steifen zwischen die Backen. Als er ihn in der Arschfalte zu reiben begann, schüttete er mir eine weitere Portion kühlen Most über den Arsch, der bis zur Möse floss. Auf der erhitzten Haut fühlte sich das wundervoll kühl an, und als sein Schwanz nach unten glitt, reckte ich den Po höher, damit er leichter hineinkam. Von seinen Schlägen hatte ich noch immer blaue Flecke, und es erregte mich, mir vorzustellen, dass er sie vor sich sah und wissen würde, wie er beim Ficken mit mir umspringen sollte.

Er tastete nach der Möse, spreizte die Lippen. Ich stöhnte, genoss die intime Inspektion meiner Fotze, dann, als kalter Most in mein Loch floss, durchzuckte es mich wie ein Stromstoß, und ich schnappte nach Luft. Als sein Schwanz in mich hineinglitt, stöhnte ich laut vor Ekstase. Mit seiner großen Hand fasste er mir an den Arsch, schob eine Backe beiseite, damit er das Loch und seinen in meiner Möse vergrabenen Schwanz sehen konnte. Noch mehr Most ergoss sich über meinen Arsch und tropfte von unseren Leibern, während er mich unablässig fickte.

Ich musste unbedingt vor ihm kommen, noch ehe sein wundervoller Schwanz wieder aus mir hinausglitt. Er fasste mich bei den Hüften, stieß in mich hinein, schneller und schneller. Ich tastete nach meiner Möse und rieb mich, umfasste seinen Sack und streichelte ihn, rieb mich erneut. Meine Möse war nass vom Most, ebenso mein Bauch und meine Titten. Es fühlte sich wundervoll an, triefnass auf allen vieren gefickt zu werden, den Slip auf den Beinen und mit hochgerecktem Arsch, alles sichtbar, obszön und nackt seinen Blicken entblößt, meine Möse bis zum Rand mit seinen dicken, fetten, steifen Schwanz ausgefüllt …

Ehe ich mich's versah, kam ich auch schon. Er rammte seinen Schwanz in mich hinein, mein ganzer Körper bebte wie ein Spielzeug in seinen großen Händen, die so stark waren, so kräftig. Ich verkrampfte mich und schrie meine Ekstase hinaus und wand mich auf seinem Schwanz, denn ich wollte ihn möglichst tief in mir spüren, während ich kam. Er ließ sich wirklich nicht lumpen und stieß immer wieder tief in mich hinein, und jedes Mal durchzuckte mich eine neue Welle der Lust. Es war so gut, und unmittelbar auf dem Höhepunkt zog sich meine Möse um seinen Schwanz zusammen.

Er fickte weiter, stöhnend und schnaufend, die Finger in meine Hüften gekrallt. Ich keuchte in Richtung der Mostlache, die sich auf dem Boden ausgebreitet hatte. Meine Titten berührten sie klatschend im Fickrhythmus, ich rutschte beinahe darin aus. Ich hatte keine Kontrolle über meinen Körper mehr.

Dann zog er seinen Schwanz nach einem letzten tiefen Stoß aus mir heraus. Ich drehte mich um und nahm ihn auf, saugte ihn in Erwartung einer Ladung Saft, da riss er ihn auch schon wieder heraus, packte meine Titten, quetschte sie um seinen Steifen zusammen und stieß heftig hinein.

Seine Eichel tauchte zwischen den großen, rosigen Kissen meiner Brüste auf, und der Saft spritzte heraus. Ich schloss gerade noch rechtzeitig die Augen, da kam er auch schon auf mein Gesicht und in meinen offenen Mund, was so wundervoll geil war, dass ich masturbierte, als die zweite Ladung auf meine Wange klatschte.

Er schaute zu und hielt seinen Schwanz fest, während ich mir vor ihm einen runterholte. Ich ging in die Hocke, den nassen Slip zwischen meinen Knien straff gespannt, den Mund weit geöffnet, beide Augen geschlossen, von meinem Gesicht und meinen Brüsten tropfte der Saft. Als ich kam, dachte ich nicht an ihn, sondern an den obszönen, schmutzigen Anblick, den ich bot – genau das, was von mir erwartet wurde.

Chrissy und Jack waren lange weg gewesen, und das konnte nur eines bedeuten. Sie ist eben eine richtige Schlampe. Ich meine, erst das ganze Getue wegen Michael, und fünf Minuten später lässt sie sich von einem hergelaufenen Bauernburschen vögeln.

Als sie wieder auftauchten, wurde mein Verdacht bestätigt. Ohne sich um fremde Blicke zu scheren, war sie in nassem Slip und Top losmarschiert, und jetzt war auch noch ihr Haar nass. Also hatte sie geduscht, aber bestimmt nicht, um sich abzukühlen oder den Schlamm von den Beinen zu waschen. Die beiden waren zudem bemüht, sich nichts anmerken zu lassen, scheiterten aber kläglich.

Das Essen war ganz wie erwartet: Schweinepastete mit dicker Kruste und saurer Apfelmost aus der Flasche. Teller, Gläser, Besteck und Servietten hatten sie offenbar nicht gefunden oder sie waren nicht vorhanden gewesen. Wenigstens war der Most kalt. Außerdem war er stark, sodass ich mich nach dem Essen angenehm schläfrig fühlte. Außerdem war ich scharf, nachdem ich den ganzen Vormittag lang halb nackten Männern bei der Arbeit zugesehen hatte.

Ich hätte mich gern ein bisschen mit Michael amüsiert, aber da man hier ständig unter Beobachtung stand, war das kaum machbar. Im Gegensatz zu Chrissy möchte ich nicht, dass meine sexuellen Begegnungen publik werden. Ich sagte mir, ich müsse eben bis zum Abend warten, trug noch etwas Sonnencreme auf und legte mich hin, um weiter in der Sonne zu dösen. Die anderen spielten immer noch im Schlamm.

Mittlerweile hatten sie den Kahn weitgehend freigelegt und waren damit beschäftigt, an der Wasserseite Schilf auszureißen. Auch Chrissy machte mit. Sie machte eine richtige Schau aus ihrem Auftritt: Der Slip schnitt ihr tief in die Pofalte ein, wenn sie sich bückte, und jedes Mal rutschte er ein Stückchen weiter hinein. Michael stand nur einen Meter neben ihr, doch ich machte mir keine Sorgen, denn sie wirkte überhaupt nicht sexy, bloß lächerlich.

Erst als sie sich tief bückte und so ziemlich alles zeigte, fiel mir auf, dass mit ihrem Po etwas nicht stimmte. Kein Zweifel, auf beiden Backen prangten bläuliche Flecken. Dass sie auf den Hintern gefallen war, konnte ich mir schlecht vorstellen. Sie war geschlagen worden, und zwar erst vor kurzem.

Es war ihr durchaus zuzutrauen, dass sie sich zu solch perversen Spielen beschwatzen ließ oder von vornherein nichts dagegen hatte, also überraschte es mich auch nicht besonders. Die Frage war nur: Wer hatte das getan? Michael stand darauf, war aber seit London nicht mehr mit ihr allein gewesen, also fiel er schon einmal aus. Jack konnte ich mir auch nicht gut als Verursacher vorstellen. Er war ein typisches Landei und hatte einfach nicht genug Grips im Kopf, um sich vorzustellen, dass Sex mehr sein könnte, als seinen Schwanz ins nächstbeste Loch zu stecken. Somit blieb nur noch Malcolm Callington übrig, der Poklatscher-Major persönlich, ein bekannter Perverser, der mehrere Tage lang mit Chrissy zusammen gewesen war.

Also hatte er sie geschlagen. Das warf mehrere Fragen auf. Hatte sie eingewilligt? Hatte sie den Slip runtergezogen? Hatte er sie anschließend gefickt? Was hielt Michael davon? Wusste Pippa Bescheid?

Einige der Fragen konnte ich selbst beantworten. Wenn Michael nicht auffiel, wie ihr Hintern zugerichtet war, dann war er blind. Bislang hatte er noch keine Reaktion gezeigt, was darauf hindeutete, dass er entweder Bescheid wusste oder es ihm gleichgültig war. Wahrscheinlich wusste er Bescheid, und da Chrissy geschmollt hatte, konnte er es nicht von ihr erfahren haben. Dann vielleicht von seinem Vater, aber das hielt ich selbst bei ihren verdrehten Maßstäben für unwahrscheinlich. Ich meine, welcher Vater spricht schon mit seinem Sohn über sein Sexleben?

Also wusste er es entweder von Pippa oder von Tilly, die Michael beide recht nahe standen. Wenn dem so war, wussten sie ebenfalls Bescheid. Damit nicht genug, es war auch schwer vorstellbar, dass Malcolm Callington auf der Yacht Gelegenheit gehabt hatte, Chrissy unbemerkt zu schlagen. Selbst wenn er es getan hätte, als die anderen gerade an Deck waren, hätten sie es gehört. So was musste doch laut sein, sowohl die Schläge als auch das Wehgeschrei der Frau, außerdem kannte ich Chrissy – sie hatte bestimmt laut geheult.

Das wiederum bedeutete, dass sie einen hübschen kleinen Spanking-Club bildeten, genau die Art von Perversität, die ich erwartet hatte. Und Chrissy war in den Club eingetreten. Nicht dass sie sonderlich pervers gewesen wäre, sie ist bloß eine Schlampe, zu willensschwach, um sich zu verweigern, und stets um Anerkennung bemüht. Das Einzige, was ich noch nicht wusste, war, wie schmutzig es dabei zuging.

Zehn Punkte für Logik, Miss de Lacy.

Das alles war äußerst spannend, aber was sollte ich daraus schlussfolgern?

KAPITEL *VIERZEHN*

Michael ging mit Valentina essen. Das bedeutete, es war Zeit für eine Gerichtsverhandlung.

Ich hatte immer noch starke Bedenken, daran teilzunehmen. Nach dem Sex mit Jack fühlte ich mich weniger niedergeschlagen und hätte den neuen Reiz des Hinternversohlens gern weiter erkundet. Allerdings hatte ich Hemmungen, mich von Malcolm und selbst Pippa und Tilly schlagen zu lassen. Das bedeutete freilich nicht, dass ich nicht dabei zuschauen konnte.

Bei der Vorstellung, mit anzusehen, wie die beiden mit dem Rohrstock den Hintern versohlt bekamen, kribbelte es mir im Bauch. Valentina hatte Michael vorgeschlagen, essen zu gehen, und angedeutet, er habe sich am Nachmittag nicht genug um sie gekümmert. Er hatte eingewilligt und ein renommiertes Fischrestaurant in Norwich ausgesucht. Somit hätten wir den ganzen Abend für uns gehabt, wenn Jack Michaels Idee nicht aufgegriffen und mich in Great Yarmouth zu Fisch mit Fritten eingeladen hätte.

Ich nahm sein Angebot an, und nach einer kurzen Besprechung mit Malcolm baten ihn die beiden Frauen, mich um sieben Uhr dort abzuholen, sodass wir eine ganze Stunde Zeit für den Rohrstock hätten. Das war ideal, da ich auf diese Weise nicht nur vor Malcolm, sondern auch vor meinen eigenen schmutzigen Gefühlen für Tilly und vor der Rache der Frauen geschützt war, was immer sie im Schilde führen mochten.

Am Nachmittag hatten wir eine gute Hälfte des Kahns freigeräumt und machten Feierabend. Im Cottage duschten wir und zogen uns um. Valentina trug ein wundervolles Abendkleid, Michael seine üblichen eleganten Freizeitklamotten, ich selbst kam etwas weniger elegant daher. Pippa und Tilly gingen als Letzte gemeinsam duschen und tauchten anschließend in knappen Shorts mit Bikinioberteil auf, vorgeblich, weil sie im Garten die letzten Sonnenstrahlen genießen wollten. Ich wusste es besser: Sie hatten diesen Aufzug in Erwartung des Rohrstocks gewählt.

Wenn ich schon so angespannt war, mussten sie selbst fürchterlich aufgeregt sein. Valentina trödelte noch mit dem Makeup herum und brach erst um sechs auf. Ich sah den beiden von einem Fenster im Obergeschoss aus nach, zwar immer noch eifersüchtig, aber innerlich weit mehr von der bevorstehenden Bestrafung in Anspruch genommen. Als der Wagen endlich abgefahren war, rannte ich nach unten, um Malcolm zu berichten, dass sie endlich verschwunden seien und der Züchtigung nun nichts mehr im Wege stehe.

Als wir gemeinsam nach draußen traten, lagen Pippa und Tilly bäuchlings auf der Wiese und beobachteten uns. Beide erhoben sich, als wir uns näherten, und nahmen Haltung an wie Soldaten. Man konnte fast meinen, sie trügen Uniform; mit ihren weißen Shorts und den hellgrünen Bikinis sahen sie einander ähnlicher denn je, fast wie Zwillinge.

Malcolm, auf alle Eventualitäten vorbereitet, hatte auch einen Rohrstock auf die *Harold Jones* mitgenommen. Es handelte sich um einen altmodischen Schulrohrstock mit geschwungenem Griff und Knoten. Schon beim bloßen Anblick lief es mir kalt über den Rücken, und die Vorstellung, damit geschlagen zu werden, war äußerst erschreckend. Die Frauen vermochten ebenfalls den Blick nicht davon abzuwenden, und ich war heilfroh, dass Jack mit mir ausgehen wollte.

Malcolm stellte sich vor ihnen auf und betastete den Stock, während er den Blick über die beiden leicht bekleideten Frauen schweifen ließ. Plötzlich streckte er die Hand aus und riss Pippas Bikinioberteil nach oben, sodass die Brüste hervorsprangen. Sie erschauerte leicht, die Brüste bebten. Die Nippel waren steif, ihre Haut glänzte vor Schweiß, was bestimmt nicht an der Hitze lag. Dann kam Tillys Oberteil an die Reihe. Die Körbchen wurden beiläufig hochgeklappt. Ihre Nippel waren ebenso steif wie die ihrer Schwester, und wie diese zeigte sie kaum eine Reaktion. Malcolm nickte zufrieden.

«Kehrt um.»

Sie drehten sich gleichzeitig schneidig um, stampften mit den Füßen auf und präsentierten ihm die Hosenböden ihrer Shorts, der Stoff über den Hinterbacken straff gespannt. Der Anflug eines grausamen Lächelns lag auf Malcolms Gesicht; offenbar amüsierte er sich prächtig. Auch Zufriedenheit war daran abzulesen, dass er nach den Jahren in der Armee seine Frau und seine Schwägerin so weit gebracht hatte, barbusig vor ihm zu exerzieren.

Er klemmte sich den Rohrstock wie einen Spazierstock unter den Arm und ging ganz langsam um sie herum. Als er vor ihnen stand, streckte er die Hand aus, löste den Knopf von Pippas Shorts und zog den Reißverschluss hinunter. Tilly wurde die gleiche Behandlung zuteil, sodass den beiden Frauen die Shorts nun locker auf den Hüften hingen. Er trat wieder hinter sie, packte Pippas Shorts und zog daran. Schon hingen sie in den Knien, sodass ihr Hinterteil allein vom grünen Bikini bedeckt wurde. Dieser wurde als Nächstes energisch heruntergestreift, bis ihr Hintern und ihre Muschi unverhüllt waren. Allein das Zucken eines Schenkelmuskels verriet ihre Gefühle.

Ich zitterte und biss mir auf die Lippen, vermochte meine Empfindungen nicht im Zaum zu halten. Sie waren viel tapferer als ich. Tilly zuckte nicht einmal, als ihr die Shorts und das Bikinihöschen auf die Knie heruntergestreift wurden. Malcolm trat einen Schritt zurück und bewunderte die beiden ihm ausgelieferten Hinterteile. Er sah auf die Uhr, nickte und wandte den Blick ab. Sie blieben einfach stehen, nackt und verletzlich. Mindestens fünf Minuten verstrichen, bis Malcolm erneut auf die Uhr sah und ein Kommando gab.

«Stellung einnehmen.»

Beide Frauen gehorchten unverzüglich, bückten sich nach unten und teilten so ihre apfelförmigen Hinterteile, sodass man ihre Muschis und Arschlöcher sah. Das ist eine äußerst obszöne Haltung für eine Frau, so offen, so zugänglich … so erniedrigend, wenn sie eingenommen wird, um sich von einem dreißig Jahre älteren Mann mit dem Rohrstock den Arsch versohlen zu lassen. Nichtsdestotrotz wünschte ich mir das Gleiche.

Ich sah ihre Gesichter, nach unten hängend und eingerahmt von einem Vorhang seidigen Haars. Pippa hatte die Augen geschlossen, Tilly beobachtete ängstlich Malcolm. Er trat einen Schritt zur Seite, bog den Stock und legte ihn auf Pippas Hintern, ihn hinunterdrückend, sodass das Fleisch unter ihm hervorquoll.

«Sechs Hiebe, wie vereinbart.»

Er holte aus, dann teilte der Stock zischend die Luft und landete mitten auf Pippas nacktem Arsch. Vor Schmerz schrie sie auf und schüttelte den Kopf, sodass ihre Brüste und ihr Hintern bebten, während sich quer über den Backen ein weißer Striemen bildete. Der Striemen färbte sich rot, während Malcolm abermals ausholte. Ich schaute hingerissen zu, erfüllt von

Mitgefühl, Erregung und schlechtem Gewissen. Dabei verlangte meine Möse dringend nach Zuwendung.

Sechsmal klatschte der Stock auf Pippas Hintern nieder und ließ ebenso viele rote Striemen auf ihrer wundervoll blassen Haut zurück. Jeder Striemen war gesäumt von einer dünnen Linie in dunklerem Rot. Er hatte es einfach getan. Fünf Striemen waren parallel angeordnet, die sechste diagonal, sodass sich das Muster eines Gatters mit fünf Querstreben ergab. Das schaffte mich wirklich: Als wenn es nicht schon ausgereicht hätte, seine Frau mit dem Rohrstock zu züchtigen, machte er sich auch noch einen Spaß daraus, ihren Hintern mit einem Muster zu zeichnen. Sein Vorgehen zeigte auch schon Wirkung: Ihre Möse war geschwollen und feucht und verlangte offenbar nach einem Schwanz.

«Hoch mit dir.»

Pippa reagierte unverzüglich, richtete sich auf und zog Shorts und Bikinihöschen hoch. Ihr Gesicht war gerötet, und ihre Finger zitterten, als sie die Körbchen wieder über die Brüste streifte. Mit leicht geöffneten, geweiteten und feuchten Augen trat sie zu mir und hockte sich im Schneidersitz auf die Wiese, um sich die Bestrafung ihrer Schwester anzuschauen.

Tilly hatte zu zittern begonnen, ihr Hintern bebte leicht. Die Backen strafften sich, als Malcolm behutsam den Stock darauf legte, und sie schloss die Augen. Er holte aus und schlug zu. Sie schrie auf, umklammerte die Fesseln, behielt ihre gebückte Haltung aber bei. Ihr Atem ging in rauen Stößen. Der zweite Hieb klatschte auf ihren Hintern. Erneut schrie sie auf, ihr Arschloch zuckte, ein dermaßen obszöner Anblick, dass ich vor Mitgefühl unwillkürlich die Augen schloss.

Als sie zum dritten Mal getroffen wurde, schlug ich die Augen wieder auf. Anstatt zu schreien, keuchte sie, und zwar eindeutig lustvoll. Pippa seufzte leise und legte sich die Hand aufs Bein. Dann kam der vierte Hieb. Tilly schnappte nach Luft und zuckte. Ihre Möse war bereits triefnass. Sie verlangte nach Zuwendung, und ich wusste auch, von wem. Ich würde mich nicht verweigern. Vielleicht würde ich mich auch um Pippa kümmern und vor ihr niederknien, beide mit der Zunge zur Ekstase bringen; vielleicht würde ich sogar Malcolm blasen, vielleicht würde er mich entkleiden, mir den Hintern versohlen, mit der Hand, mit dem Stock …

Das Klingeln an der Tür weckte mich aus meinen Träumereien. Tilly richtete sich auf und floh kichernd ins Haus, Hose und Bikinihöschen mit einer Hand festhaltend. Malcolm versteckte den Stock eilig in einem Busch, keinen Moment zu früh, denn da tauchte auch schon Jacks Kopf hinter der Hecke auf. Ich lächelte.

Da ich unwillkürlich errötet war, musste er bestimmt merken, dass hier etwas im Gange gewesen war. Allerdings sagte er nichts, sondern begrüßte uns lediglich und schüttelte Malcolm die Hand. Pippa ging ins Haus, um Getränke zu holen, und Tilly kam heraus, mittlerweile wieder ordentlich bekleidet. Die nächsten zehn Minuten unterhielten wir uns über den Kahn und den alten Kanal, als sei nichts geschehen.

Meine Gefühle allerdings waren unverändert. Ich brauchte dringend Sex, und zwar Spanking-Sex. Jack würde mitmachen, das wusste ich, aber erst nach dem Essen und ein paar Drinks. So lange konnte ich nicht warten. Zum Glück war er mit einem Geländewagen hergekommen und nicht mit dem Traktor, der für Spanking- und Sexspiele nicht besonders gut geeignet war.

Er wollte gleich aufbrechen, doch das war mir gar nicht recht. Kaum waren wir losgefahren, da senkte ich auch schon den Kopf in seinen Schoß, und seine Lust war entbrannt, noch ehe ich sein Glied herausgeholt hatte. Er hielt am Straßenrand, und als sein wundervoll großer Schwanz aus dem Reißverschluss hervorsprang, nahm ich ihn sogleich in den Mund.

«Mann, du hast es aber nötig», sagte er.

Ich nahm seinen Schwanz gerade so lange aus dem Mund, wie ich brauchte, um eine Antwort zu keuchen.

«Versohl mir den Arsch. Fick mich», flehte ich ihn an.

Lachend schob er meinen Kopf wieder über den Schwanz, hielt ihn nieder, während er steif wurde. Ich kniete mich auf den Sitz und reckte den Arsch, so wie er es mochte. Er langte um mich herum und schlug den Rock hoch. Erst schob er seine dicken, schwieligen Finger unter den Slip, dann in mich hinein, steckte sie tief in meine Möse.

«Du bist ja triefnass! Was hast du gemacht?»

Den Mund voller Schwanz, schüttelte ich den Kopf. Das war nicht der Moment für Worte. Er lachte und fickte mich mit den Fingern, bis ich den Arsch wand. Er war so weit, und als er den Schwanz aus meinem Mund nahm, meinte ich einen schrecklichen Moment lang, er wolle mich einfach ficken. Doch er legte mich über die Knie, die Hand immer noch in der Möse.

Mein Kopf rumste gegen die Tür. Er öffnete sie. Ich quiekte erschreckt, als ich halb aus dem Wagen fiel, den Hintern auf seinem Schoß in die Luft gereckt. Die Insassen jedes vorbeikommenden Wagens würden jetzt sehen können, wie ich den Arsch versohlt bekam. Ich wehrte mich und kicherte dabei dümmlich.

Ebenso gut hätte ich versuchen können, einem Gorilla zu entkommen. Einen Arm hatte er mir fest um die Hüfte gelegt, mit der freien Hand schlug er mir den Rock hoch, streifte den Slip runter und legte auf der Stelle los. Ich geriet außer Rand und Band, lachte und quiekte, während er so fest zuschlug, dass es mir den Atem aus den Lungen trieb. Es tat weh, war von Anfang an aber lustvoll, heiß und brennend, was mich in eine wundervolle Erregung versetzte. Es scherte mich nicht mehr, dass ich gesehen werden könnte, ganz gleich, wie obszön und erniedrigend meine Stellung auch sein mochte. Ich wollte geschlagen, immer weiter geschlagen werden.

Er kam meinem Wunsch nach; lachend klatschte er mir mit seiner großen Hand, die eine Backe nahezu vollständig bedecken konnte, auf den Arsch.

Erst als sich Motorengeräusch näherte, hörte er auf, zog mich in den Wagen und knallte im letzten Moment die Tür zu, um den Insassen den Blick auf meinen emporgereckten, geröteten Arsch zu verwehren. Es handelte sich um ein älteres Ehepaar, und als sie vorbei waren, brachen wir beide in Gelächter aus.

Das freilich nicht lange anhielt. Noch während das Motorengeräusch erstarb, brachte ich mich bei zurückgeklappter Armstütze auf dem Sitz in Stellung. Ich reckte den Arsch, er schob mir von hinten den Schwanz zwischen die Backen und dann in die Möse. Ich schrie auf, als ich ihn in mir spürte, und riss gleichzeitig das Top hoch. Meine Titten sprangen heraus, und er fickte mich, stieß heftig in mich hinein, presste sich gegen meinen feuerroten Arsch. Nicht einmal dann, als sich ein anderer Wagen näherte, hielt er inne, und ich hätte selbst dann nicht aufhören können, wenn ich es gewollt hätte.

Wir hatten die Hälfte der Strecke nach Norwich zurückgelegt, als Michael bemerkte, dass seine Kreditkarten in einer anderen Hose steckten. Er hatte lediglich dreißig Pfund Bargeld dabei, und ich hatte gar nichts eingesteckt, sodass uns nichts anderes übrig blieb, als umzukehren.

Unterwegs hatte ich überlegt, welchen Vorteil ich daraus

schlagen könnte, dass ich von ihren kleinen schmutzigen Spielen wusste. Ich musste noch mehr in Erfahrung bringen, doch das hatte keine Eile. Ich musste abwarten und mir Munition verschaffen, Michael vielleicht sogar in dem Glauben wiegen, er könne weitermachen wie bisher, obwohl er mit mir zusammen war. Valentinas Regeln für den Umgang mit Männern: Lerne deinen Gegner kennen.

Ich könnte eine Abmachung mit ihm treffen, ihm erlauben, Tilly zu schlagen, was er bestimmt ohnehin tat, und notfalls sogar Pippa. Wenn Chrissy noch auf der Bildfläche wäre, könnte ich sie ebenfalls einbeziehen, dann befände ich mich in einer starken Position, wenn es so weit wäre. Eine starke Position, das traf es. Eigentlich war es sogar am besten, Chrissy miteinzubeziehen, denn während die anderen es vielleicht abstreiten würden, war sie so weich, dass sie bestimmt die Wahrheit sagen würde: die ganze Wahrheit und nichts als die schmutzige Wahrheit.

Ausgezeichnet. Gleich nach der Verlobung würde ich meinen beschissenen Job kündigen. Für Michael würde ich weiterhin die Schlampe spielen, zumindest so lange, bis wir verheiratet wären, vielleicht sogar länger. Vielleicht wäre es am besten, so lange zu warten, bis der alte Mann den Löffel abgab. Das hing davon ab, wie viel er Michael hinterlassen würde. Und wenn es mir langweilig wurde oder ich mich in einen Jüngeren, Formbareren verguckte – weg wäre ich!

Michael konzentrierte sich auf die Straße, fuhr wie der Teufel und sagte kaum ein Wort, bis wir das Cottage erreicht hatten. Dann fluchte er.

«Heilige Scheiße!»

Am Straßenrand parkte ein Geländewagen, und durch die Windschutzscheibe hatten wir freie Sicht auf ein gewaltiges behaartes Hinterteil. Es hielt auch nicht still, sondern stieß vor und zurück, während sein Besitzer es seiner Freundin besorgte, welche die allerletzte Schlampe sein musste.

Es war Chrissy. Im Vorbeifahren bekam ich auch sie zu sehen, zumindest ihren Arsch, den sie auf dem Sitz hochgereckt hatte, den nuttigen schwarzen Rock auf den Rücken hochgeschlagen, den hellrosa Slip auf den Schenkeln. Über ihr war Jack, wenngleich es mich auch nicht gewundert hätte, wenn es ein Wildfremder gewesen wäre. Sein Schwanz hingegen überraschte mich. Ich sah ihn nur kurz, als er ihn zurückzog. Mit der Eichel blieb er in ihr drin, dabei hätte sie bei den meisten Männern längst in die Luft geragt. Ein richtiges Trumm!

Dann waren wir vorbei. Michael lachte, ich aber schaute mich um. Der Anblick des Riesenschwanzes, der in Chrissys Leib hineinstieß, hatte sich mir unauslöschlich eingeprägt. Vom Nachmittag her wusste ich, dass er gut bestückt war, ohne freilich die ganze Wahrheit geahnt zu haben. Sein Schwanz war nicht bloß lang, sondern auch dick, richtig dick. Auf die Dicke kommt es an, und allein beim Gedanken daran bekam ich eine Gänsehaut.

Im Haus roch es nach Sex, und ich war mir sicher, dass Malcolm und Pippa es miteinander getrieben hatten. Vielleicht hatte sogar Tilly dabei mitgemacht. Beide Frauen waren lediglich mit knappen Shorts und Bikinioberteilen bekleidet, wie zuvor beim Sonnenbaden. Jetzt aber waren sie im Haus und wirkten bei unserem Erscheinen ziemlich rührselig.

Michael holte seine Kreditkarten, dann fuhren wir gleich wieder los. Jack und Chrissy waren mittlerweile fertig geworden, doch in Hickling holten wir sie ein. Eine Zeit lang fuhren wir hinter ihnen her, bis Michael schließlich überholen konnte. Ich winkte ihnen fröhlich zu und erhaschte einen Blick auf

Jacks breites, gerötetes Gesicht. Er sah wirklich aus wie ein Rindvieh, war aber auch wie ein Zuchtbulle ausgestattet. Außerdem war er Chrissys neuer Freund.

Valentinas Regeln hatten sich auch diesmal bewahrheitet. Sie hatte die Sahne abbekommen. Ich den Rest.

Wie sie mir sicherlich bald erläutern würde, wenn sie mir ihre Strafpredigt hielt, wäre ich weit besser gefahren, wenn ich mich von Anfang an mit meiner Position abgefunden hätte. Ich hätte den Segeltörn genossen und mich während des Urlaubs mit einem passenden Partner vergnügt. Ohne meinen Wutanfall hätte ich natürlich nicht Jack kennen gelernt, aber dann wäre bestimmt jemand anders aufgetaucht.

Ein Trost blieb mir. Ich hatte die Freuden des Hinternversohlens kennen gelernt, und da Valentina dies sicherlich missbilligte, würde sie wahrscheinlich einen weiteren Beleg für meinen Mangel an Stil darin sehen. In der Zwischenzeit würde ich das Beste daraus machen.

Schwanzmäßig konnte ich mich nicht beklagen, und Jack ließ sich nie lange bitten. Es war ein toller Abend, mit Scampi und Fritten und Herumgealbere in den Spielhallen, dann verzogen wir uns unters Pier, wo ich ihm ausgiebig den Schwanz lutschte. Währenddessen hockte ich vor ihm, und mindestens zwei andere Paare waren in der Nähe, die, den obszönen, saugenden Geräuschen nach zu schließen, das Gleiche wie wir taten. Als er in meinem Mund kam, war ich ebenfalls scharf und holte mir mit den Fingern im Slip einen runter, während ich ihm Schwanz und Eier leckte und saugte. Anschließend meinte er, eine solche Schlampe wie mich habe er noch nie kennen gelernt, was offenbar als Kompliment gemeint war. Gleichwohl tat ich so, als sei ich verletzt, und schlug im Scherz mit der Handtasche nach ihm. Daraufhin legte er mich über die Schulter und trug mich zu einer Bank, wo er mir den Hintern versohlte, zwar bloß auf den Rock, aber in Anwesenheit mehrerer Zuschauer.

Ich bekam einen Lachanfall, und nachdem wir uns in einer Bar an der Strandpromenade zwei Drinks genehmigt hatten, war ich bereit für mehr. Er noch nicht, und es erforderte einige Überredungskunst meinerseits, bis er meinem Verlangen nachgab. In einer Seitenstraße zeigte ich ihm kurz meine Titten. Dann rannte ich los und ließ mich in einer stillen Gasse einholen, wo wir im Stehen an der Wand fickten und er mir den nackten Arsch mit den Händen stützte.

Mittlerweile hatte ich Michael und Valentina vollständig vergessen. Ich war betrunken und scharf und amüsierte mich, war ganz in meinem Element. Ich schaffte es, den Slip zu verlieren. Als wir zur Promenade zurückgingen, war ich unter dem Rock nackt, ein wundervoll freches Gefühl. Jack zog mir sogar ein paar Mal den Rock hoch und entblößte meinen nackten Arsch, was erneute Lachanfälle bei mir auslöste.

In der warmen Dunkelheit des Wagens war mir ungezogener denn je zumute. Ich schlug den Rock hoch und masturbierte, sobald wir aus der Stadt heraus waren. Jack konzentrierte sich etwa eine Minute lang auf die Straße, dann hielt er am Straßenrand und ließ sich von mir blasen, während ich mich zum dritten Mal an diesem Abend zum Orgasmus brachte. In der Zwischenzeit war er steif geworden und fickte mich erneut auf dem Sitz. Ich hatte den Arsch hochgereckt und bekam für mein liederliches Benehmen ein paar Schläge, als er gekommen war.

Es machte keinen Sinn, mich von ihm in Hickling absetzen zu lassen, deshalb fuhren wir zur Farm seiner Eltern, wo wir auf dem ausgebauten Speicher Apfelmost tranken, unkonzentriert Computerspiele spielten und ein letztes Mal fickten, bis ich in seinen Armen einschlief.

Das Fischrestaurant, das Michael ausgesucht hatte, ließ keine Wünsche offen. Es war elegant, exklusiv und sehr, sehr teuer. Nach den ländlichen Vergnügungen, die er fälschlicherweise für Erholung hielt, hatte ich auch nichts anderes verdient und wählte folgerichtig das teuerste Gericht. Den Anfang machte eine Platte mit Langusten und ein mit Rotweinessig angerichteter Salat, gefolgt von frisch gefangenem Hummer. Michael war meine Wahl nicht weiter aufgefallen, trotzdem bereitete es mir eine stille Genugtuung. Er wählte auch einen köstlichen Wein aus, einen der besten auf der Karte, und erklärte mir lang und breit, er stamme aus einer Winzerei, in der die Reben perfekt zum Boden passten oder etwas in der Art.

Eigentlich wollte ich kein Dessert, bestellte aber trotzdem eine raffinierte Zubereitung von Schokolade und Likör, während Michael darauf bestand, noch eine Flasche Wein zu trinken. Ich hatte ein fürchterlich klebriges Gesöff erwartet, doch es war noch köstlicher und teurer als der erste Wein.

Als die Rechnung kam, zahlte er, ohne zu murren. Mir ist es lieber, wenn Männer beim Bezahlen leicht erblassen. Dadurch wird deutlich, dass ich nicht billig zu haben bin. Aber so war Michael eben, und als er der Bedienung die Kreditkarte reichte, plauderte er unverdrossen über eine Ruderveranstaltung in Cambridge, die er gewonnen hatte. Ich glaube, er nahm den Betrag nicht einmal wahr.

Da er fahren musste, hatte er den Wein kaum angerührt. Ich hatte den Großteil der beiden Flaschen und zum Abschluss einen Irish Coffee getrunken, daher war ich wohlig beschwipst und entsprechend scharf.

Ich wusste, dass er auf dem Rückweg Lust auf Sex bekommen würde, und war bereit dazu. Allerdings dachte ich dabei weniger an ihn, sondern an Jack, dessen riesiger Schwanz in Chrissy hineinstieß. Frauen, die behaupten, auf die Größe käme es nicht an, wissen nicht, wovon sie reden. Okay, vielleicht fühlt es sich von innen her nicht viel anders an, solange der Typ nicht einen nadelartig dünnen oder deformierten Schwanz hat, aber beim Anschauen, Betasten, Blasen ist der Unterschied doch gewaltig. Ich mag große, schöne Schwänze, und Jacks Penis erfüllte offenbar beide Anforderungen. Michael ebenfalls, wenngleich seiner vielleicht nicht ganz so beeindruckend war, aber darauf kam es eigentlich nicht an. Ich hatte Michaels Schwanz und nicht Jacks. Auf der Rückfahrt nach Hickling steigerte ich mich allmählich in eine Vorstellungswelt hinein. Ich stellte mir vor, wie es mit Jack sein würde. Ich brauchte bloß ein wenig mit ihm zu flirten, und schon würde er sich mir zuwenden. Dankbar für meine Aufmerksamkeit, würde er tun, was ich von ihm verlangte, würde mich auf seinem wundervollen Schwanz reiten lassen, bis ich zum Orgasmus kam. Hinterher würde es keine Probleme geben, denn ich würde ihm erklären, dies sei unser kleines Geheimnis, und ihn anschließend zu Chrissy zurückkehren lassen, jedenfalls bis zum nächsten Mal.

Ich wunderte mich nicht, als Michael von der Hauptstraße abbog und auf den Parkplatz eines Picknickgeländes fuhr. Ich war scharf genug, um mich mit Sex im Wagen zu begnügen, und bald darauf hatten wir die Lehnen umgeklappt und küssten uns, während sich sein Schwanz in meiner Hand steifte. Da ich mir das Kleid nicht zerknittern wollte, zog ich mich bis auf BH, Slip und Strümpfe aus. Das gefiel ihm, und als er mich wieder in die Arme schloss, wurde er ausgesprochen leidenschaftlich.

Wie immer übernahm er sogleich die Initiative. Wir küssten uns, und ich streichelte ihm den Schwanz, dann wälzte er mich herum, streifte mir den Slip runter und steckte mir einen Finger in die feuchte Möse. Dann kam der BH an die Reihe, und nun war ich nahezu nackt, während er noch immer vollständig bekleidet war. Ich zerrte an seinen Klamotten, da ich ihn nackt spüren wollte, doch davon wollte er nichts wissen. Er drehte mir das Gesicht nach unten, als wäre ich eine Puppe, und knabberte zärtlich an meinem Nacken, während er ein Bein über mich schwang. Jetzt war er über mir und drückte den Schwanz zwischen meine Arschbacken.

Als er von hinten in mich hineinglitt, verspürte ich den bereits wohlvertrauten Groll, der jedoch verflog, als er sich, den Mund an meinem Nacken, schneller in mir zu bewegen begann und mich im Nu in einen Zustand hilfloser Ekstase versetzte. Ich meinte schon, er werde mich auf diese Weise zum Kommen bringen, und drückte ihm den Arsch entgegen, um ihn zu veranlassen, sich meines Kitzlers anzunehmen. Aber er zog sich zurück, jedoch nur, um mich fest bei den Hüften zu packen, in eine kniende Haltung hochzuziehen und seinen Schwanz wieder in mich hineinzustecken.

Auf die gleiche Weise hatte Jack Chrissy gefickt, und mir war es daher gerade recht. Ich ließ meinen Phantasien freien Lauf, dachte an Jacks großen, stierartigen Körper und seine gewaltigen, schwieligen Hände. Einen solchen Mann zu lenken müsste wundervoll sein, und ich würde schon dafür sorgen, dass er genau das tat, was ich von ihm wollte. Ich würde ihn lehren, mich auf die gleiche Weise zum Kommen zu bringen wie Michael, so wie er es jetzt gerade tat, als er den Schwanz in die Hand nahm und mich damit rieb.

Ich machte es mir so bequem wie möglich, spreizte die Beine

und presste den Arsch gegen seinen Schwanz. Zum Kommen fehlte mir nicht mehr viel. Ich steigerte mich weiter in meine Phantasien hinein, stellte mir vor, ich hockte rittlings über Jack, vergnügte mich in Chrissys Beisein mit seinem Schwanz und benutzte ihn so, wie Michael mich benutzte.

Er hielt inne. Sein Schwanz wanderte nach oben, zu meinem Arschloch. Ich schnappte protestierend nach Luft, als er dagegendrückte, doch der Muskelring war entspannt, und schon war er ein Stück weit drin, was sich einfach zu gut anfühlte, um sich dagegen zu wehren. Meine Backen war weit gespreizt, vollkommen offen, und ein Großteil seines Gewichts lastete auf mir. Mir blieb nichts anderes übrig, als ihn aufzunehmen und mein Stöhnen etwas zu beherrschen, während er seinen Schwanz Stück für Stück in mich hineinschob, bis der dicke Kolben vollständig in mir steckte.

Dann fickte er mich abermals in den Arsch, so schmutzig und respektlos wie immer. Trotzdem fühlte es sich großartig an. Es wurde sogar noch besser und respektloser, als er mich umfasste und nach dem Kitzler tastete. Er behandelte mich wirklich wie sein Sexspielzeug, steckte mir den Schwanz in den Arsch und masturbierte mich, um mich zum Kommen zu bringen, solange er in mir war. Nicht dass ich versucht hätte, ihn daran zu hindern: Als die pure Lust die Oberhand gewann, wand ich mich hemmungslos unter ihm und vergaß all meine Phantasien, als sich der Höhepunkt aufbaute und dann in meinem Kopf explodierte.

Er kam gleichzeitig mit mir, tief in mir drin, und unsere Lustschreie vermischten sich einen Moment lang. Dann erstarben sie und machten einem zufriedenen Seufzen seinerseits und Schluchzen meinerseits Platz. Es war wirklich zu viel für mich, und als er langsam den Schwanz herauszog, setzte ich eine finstere Miene auf. Ich hatte ihn gewähren lassen, und er wusste, wie ich darauf ansprach, deshalb erwartete er es jetzt ständig und nahm sich einfach, was er wollte. So geht das nicht bei mir. Ich gebe, wenn ich geben will, und obwohl ich nicht abstreiten kann, dass ich es mag, ist mein Arsch doch ein großes Privileg.

Erklärungen wären sinnlos gewesen. Ich wusste, er würde mich nicht verstehen, das tun Männer nie. Ja, ich hatte es genossen, aber wenn er weiterhin so mit mir umsprang, musste ich etwas unternehmen, um meine Selbstachtung und mein Selbstwertgefühl wiederherzustellen. Ich war entschlossen, mir Jack zu nehmen.

KAPITEL *FÜNFZEHN*

Es war nur eine Frage des Zeitpunkts und des Ortes. Wenn ich Michael und Chrissy erst einmal abgeschüttelt hätte, vorzugsweise jeden für sich, und einen Vorwand gefunden hätte, um mit Jack allein zu sein, wäre der Rest ganz einfach. Wie sich herausstellte, war es sogar einfacher als erwartet.

Am nächsten Morgen wehte eine frische Brise, und sie wollten mit der Yacht segeln. Chrissy war nicht da, was bedeutete, dass sie die Nacht mit Jack verbracht hatte. Daher erklärte ich mich bereit, auf sie zu warten, und meinte, wir würden uns entweder im Pub in Hickling treffen, wenn die Yacht startklar wäre, oder am Abend gemeinsam in Potter Heigham speisen. Sie entfernten sich im Schlauchboot über den See, und ich war allein.

Eine Stunde später tauchten Chrissy und Jack mit dem Geländewagen auf. Sie wirkte äußerst zufrieden und war freundlich zu mir. Sie räumte sogar ein, es sei ein Fehler gewesen, Michael nachzujagen, und entschuldigte sich dafür, sich so gehen gelassen zu haben. Er wollte gleich wieder heimfahren, wahrscheinlich weil er auf der Farm zu tun hatte. Es gelang mir, das zu verhindern.

Ich war mit Bikini und Wickelrock bekleidet, da ich annahm, dass er diesem Aufzug nicht lange werde widerstehen können. Tatsächlich erklärte er sich bereit, zum Mittagessen nach Hickling zu kommen. Ich schlug vor, für den Fall, dass die Yacht ohne uns losgesegelt sein sollte, das Ruderboot zu nehmen. Chrissy war von der Idee begeistert. Also gingen wir zum Bootshaus, wo ich es schaffte, mir recht schmerzhaft den Knöchel zu verstauchen.

Wortreiche Entschuldigungen, ein bisschen Getue, ein wenig maskuliner Beschützerinstinkt gegenüber einer schwachen, hilflosen Frau, und schon geleitete Jack mich zum Cottage und zum Wagen zurück, während Chrissy über den See davonruderte. Gut gemacht, Valentina.

Der Rest war noch einfacher. Ich bat ihn, mich über einen holprigen Wegabschnitt zu tragen. Er hob mich hoch. Ich war fast nackt, sein Schwanz drückte im Gehen gegen meine Hüfte. Im Cottage bat ich ihn, mich ins Bett hochzutragen, und machte eine scherzhafte Bemerkung über seinen Steifen. Das war's. Ich meine, er reagierte tatsächlich so subtil wie ein Zuchtbulle.

Er fragte mich, ob ich Lust hätte. Ich nickte, und schon holte er den Schwanz heraus. Er war riesig, sehr beeindruckend, dick, glatt und fleischig. Ich nahm ihn in den Mund und saugte daran, während er mich betatschte. Er war unbeholfen und ein bisschen grob, nahm mir den Wickelrock ab und schob mir eifrig das Bikinioberteil hoch. Während er in meinem Mund anschwoll, öffnete ich ihm die Hose, denn wenn ich nackt war, sollte er es ebenfalls sein. Mit seinen rauen Fingern fasste er das Bikinihöschen und zog es mir über den Arsch herunter. Ich gab seinen Schwanz frei.

«Du zuerst. Ich möchte, dass du dich ausziehst, und zwar ganz.»

Ich hatte mich nicht geirrt. Ich übernahm die Initiative, und er war fügsam. Er zog sich aus, bis auf die Haut. Nackt ähnelte sein muskulöser, fleischiger Körper mit dem großen abstehenden Schwanz einem Zuchtbullen mehr denn je. Da ich mir sagte, nackt sei besser als halb ausgezogen, streifte ich eilig den

Bikini ab. Er schaute grinsend zu und zog an seinem Schwanz. Ich kniete mich aufs Bett, die Knie weit auseinander, die Brüste in Händen.

«Gefällt dir, was du siehst, Jack?»

«Klar.»

«Also, du kannst es haben, wenn du ein braver Junge bist. Und jetzt leg dich aufs Bett.»

Er nickte und legte sich hin, den Schwanz in der Hand, ohne den Blick von mir abzuwenden. Ich kniete mich über ihn, meine Knie berührten wegen seiner mächtigen Schenkel kaum das Laken. Als er seinen Schwanz an meine Möse drückte, hob ich ein wenig den Unterleib an und senkte die Hüften dann seufzend wieder ab. Sein Schwanz fühlte sich toll in mir an, und als ich ihn zu ficken begann, gratulierte ich mir insgeheim zu der Idee, ihn zu verführen.

Er war wirklich ein Stier, ein großes Tier, das passiv unter mir lag, während ich mir mit seinem Schwanz Lust bereitete. Es war perfekt, ganz anders als mit dem selbstgefälligen Michael, diesem Kontrollfreak. Auch dass er mich bei den Hüften fasste und von unten in mich hineinzustoßen begann, war toll, denn sein Griff war so fest, dass ich mit meinen Brüsten spielen konnte, ohne den Halt zu verlieren.

Irgendwann wollte ich kommen. Aber noch nicht gleich, und er sollte auch noch warten. Ich war froh, dass Chrissy seine Geilheit befriedigt hatte, denn auf diese Weise hinderte ihn nichts daran, sich den ernsthaften Dingen zuzuwenden – nämlich mir Lust zu bereiten. Es war schon komisch, mir vorzustellen, dass Chrissy mit einer kurzen, derben Rammelei abgespeist worden war, wahrscheinlich auf allen vieren, ihr fetter Körper bebend unter den heftigen Stößen seines stiermäßigen Schwanzes. Eben Bauernsex.

Bei der Vorstellung musste ich lachen. Jack grinste daraufhin, meinte offenbar, meine Belustigung rühre von dem Vergnügen her, auf seinem Schwanz zu reiten. Ich wand mich, spürte, wie seine Eier sich an meinem Arsch rieben, und sein Grinsen wurde noch breiter. Ich ritt ihn weiter, ließ ihn rausund reingleiten, hob die Hüften an, bis nur noch die Eichel in mir drinsteckte, wand mich an ihm, streichelte mir die Brüste, hatte richtig Spaß.

Jacks Hände wanderten zu meinem Arsch und packten mich fester. Er spreizte die Backen, entblößte mein Loch. Ich dachte an Michael, der mich so gern in den Arsch fickte. Das setzte eine Phantasie in Gang. Ich schloss die Augen und fasste mir an den Kitzler.

Michael würde hereinkommen und uns zuschauen. Er würde mir nicht böse sein, sondern Verständnis für meine Bedürfnisse zeigen und einsehen, dass es allein um meine Befriedigung ging. Ich würde ihm sagen, dass er mich haben könne, wenn er nur ein wenig Respekt lerne und einsehe, dass ich an erster Stelle kam. Er würde nicken, den erigierten Schwanz hätte er bereits herausgeholt. Ich würde ihm befehlen, sich auszuziehen. Er würde gehorchen.

Nackt, den steifen Schwanz in der Hand, würde er hinter mich treten. Er würde mir die dicke Eichel ans Arschloch drücken. Ich würde mich öffnen, ihn in mich aufnehmen, ganz langsam und mühelos, bis sein prachtvoller Schwanz vollständig in meinem Arsch steckte. Die ganze Zeit würde ich die Initiative übernehmen, mich reibend zur Ekstase bringen, während sich die beiden Männer in einem gleichmäßigen, kraftvollen Rhythmus in mir bewegten, mir mit ihren Schwänzen Lust bereiteten.

Der Kitzler brannte unter meinen Fingern. Jack stieß fester in mich hinein, sodass meine Brüste auf und ab hüpften und mein Haar flog. Ich war dicht vor dem Kommen, stellte mir vor, wie es sein würde – zwei prachtvoll gebaute junge Männer, die mir Lust bereiteten. Vielleicht könnte ich sie tatsächlich dazu bringen, mich miteinander zu teilen, jeder in einem Loch, mein Körper wundervoll ausgefüllt, Jack in meiner Möse, Michael in meinem Arsch, mich fickend, tief und fest …

Ich kam und schrie auf, als ich mich um Jacks Penis zusammenzog und die Beine um seinen Körper krampfte. Er pumpte einfach weiter, mein großer, geduldiger Stier, nichts als Schwanz und Muskeln, alles für mich. Der Orgasmus währte lange, und er behielt seinen stetigen Rhythmus bei, bis ich endlich genug hatte. Er war noch nicht gekommen, doch das war nicht mein Problem. Ich stieg von ihm herunter und wartete darauf, dass er mich bitten würde, ihn zu blasen, sodass ich Gelegenheit hätte, ihm eine Lektion zu erteilen. Doch er tat es nicht, sondern fasste sich bloß an den Schwanz, als er aus mir herausgeglitten war, zog daran und schaute mich unverwandt an.

Vielleicht hoffte er ja auf mehr, ich aber musste dringend duschen.

Mitten in der Bewegung hielt ich inne. Jack war mit Valentina auf den Armen verschwunden. Sie würde eine hässliche Schwellung zurückbehalten, aber …

Nein, ich war einfach zu misstrauisch. Sie war tatsächlich gestolpert, und es war nett von ihm, dass er ihr half. Der Verdacht, dass sie vielleicht geschauspielert hatte, war unbegründet. Warum hätte sie sich mit Jack abgeben sollen? Er war übergewichtig, sah nicht annähernd so gut aus wie Michael und hatte weniger Geld in der Tasche. Er war einfach nicht ihr Typ.

Der Bug des Bootes hatte durch den Wind gedreht, sodass ich nun über den See in Richtung Hickling blickte. Die Wasseroberfläche war gekräuselt, Windsurfer und Menschen in Schlauchbooten machten das Beste aus dem Wetter. In der Ferne sah ich auch die *Harold Jones*. Jemand stand an Deck, entweder Pippa oder Tilly. Sie hatten die Persenning abgenommen, was bedeutete, dass ich sie verpassen würde, wenn ich sie nicht bald ereichte.

Ich schwenkte das Boot wieder herum und ruderte aufs Dorf zu. Das Cottage gelangte abermals in Sicht, jedenfalls die Fenster im Obergeschoss, außerdem das Dach von Jacks Wagen. Sie waren noch nicht losgefahren. Abermals regte sich ein hässlicher Verdacht, außerdem kam mir eine Erinnerung in den Sinn. Zu der Zeit, als Valentina mit Andy Dawtry ging, war ich kurz mit einem anderen Jungen befreundet gewesen. Dan oder so hatte er geheißen. Ich hatte mit ihm Schluss gemacht, weil er vor seinen Kumpanen damit angeben wollte, dass ich ihm in deren Beisein den Schwanz lutschte. Er hatte damit geprahlt, er habe mit Valentina geschlafen, und sie habe ihn angemacht. Mir erschien das unglaubhaft, denn schließlich war sie ja mit Andy zusammen, und ich schrieb die Bemerkung seinem Groll darüber zu, dass ich mit ihm Schluss gemacht hatte. Seltsam aber war gewesen, dass er damals behauptet hatte, sie sei oben gewesen. Die meisten Jungs hätten nicht zugegeben, dass sie sich von einem Mädchen hatten reiten lassen.

Ich stockte erneut. Der Wagen stand noch immer da. Und noch etwas anderes stimmte nicht. Das Badezimmerfenster war beschlagen. Die Verstauchung war so schlimm gewesen, dass er sie hatte tragen müssen, und jetzt duschte sie?

Jack zu verführen war eine hervorragende Idee gewesen. Jetzt fühlte ich mich in Bezug auf Michael und vor allem auf mich wesentlich besser. Doch das war noch nicht alles. Michael liebte Norfolk. Er fuhr bestimmt regelmäßig hierher und würde es noch häufiger tun, wenn ich ein wenig nachhalf. Mit etwas Glück ließe er sich vielleicht sogar überreden, eines der kleinen Häuser am Fluss zu kaufen, die ich auf dem Weg nach Hickling gesehen hatte. Dann hätte ich ihn und Jack jederzeit zur Verfügung, vielleicht auch noch andere. Ich müsste natürlich vorsichtig sein, um ihm keine Munition zu liefern, wenn es denn zur Scheidung kam, doch mit dem berüchtigten Poklatscher-Major als Schwiegervater wäre ich selbst dann noch in einer starken Position.

Jack war nach unten gegangen, um sich ein Bier zu holen. Ich nahm eine Dusche und dachte dabei an ein Leben in Muße und Reichtum. Vielleicht könnte ich mir die Wohnung in London unter den Nagel reißen und das Haus in Norfolk noch dazu. Dazu wären starke Argumente notwendig, vielleicht ein paar Fotos von Michael, wie er Tilly oder gar Pippa den Hintern versohlte. Damit könnte ich richtig auf den Putz hauen, dabei die Unschuldige spielen, die leidende Ehefrau, deren Ehemann sie nicht nur betrog, sondern auch noch ein Perverser war. Ich würde alles bekommen, die Wohnung, den Wagen. Ein Kind würde meinen Sieg komplett machen, aber alles hat schließlich irgendwo seine Grenze. Valentinas Regeln für den Umgang mit Männern: Keine Blagen, komme was da wolle.

Mein Tagtraum wurde von Jack jäh unterbrochen. Er hielt seinen noch immer steifen Schwanz umfasst. Im ersten Moment war ich geneigt, ihn wegzuschicken, überlegte es mir dann aber anders. Ich wünschte mir von ihm Fügsamkeit und Hingabe, und wenn ich mich zur Erreichung dieses Ziels von ihm begaffen lassen musste, in Ordnung. Einen Körper zu verehren ist gut – solange ein Mann meinen Körper verehrt. Außerdem wollte ich ihn nicht verstimmen.

Daher schickte ich mich drein und ließ ihn masturbieren, während er mir beim Duschen zuschaute. Ich meinte schon, er werde kommen, doch das tat er nicht, sondern präsentierte bloß seinen Schwanz, offenbar stolz auf dessen Größe. Das ließ mich nicht kalt, und als ich fertig war, fragte ich mich sogar, ob noch Zeit bliebe für einen zweiten Fick oder etwas Lecken.

Ich trat aus der Dusche und langte nach einem Handtuch, um es mir um den Leib zu schlingen. Als ich mich einen Moment lang vorbeugte, um mir das Haar zu richten, wusste ich, dass er anregend freie Sicht auf meinen nackten Po hatte, der unter dem Handtuch hervorschaute. Ja, ich würde es tun, mich auf einen Hocker setzen und mich von ihm lecken lassen, und wenn er in seiner Hand kommen wollte, meinetwegen …

Plötzlich fasste er mich um die Taille und hob mich mühelos hoch. Ich schrie erschrocken auf und schnappte nach Luft, als er mich auf seinen Schwanz stülpte und ihn mir mit zwei kräftigen Stößen hineintrieb. Ich wollte protestieren, doch da bewegte er mich bereits auf seinem Schwanz auf und ab, sodass der Protest mir auf der Zunge erstarb. Es war gut. Ich fasste mir an die Brüste und hätte beinahe nachgegeben, als er mich nach vorn beugte und von hinten zu ficken begann, während ich mich an der Badewanne abstützte.

Mein Groll über die grobe Behandlung verflüchtigte sich, denn sein Schwanz fühlte sich toll an. Es war unbestreitbar gut, Würde hin oder her. Eine Stimme in meinem Hinterkopf sagte mir, Michael habe etwas in mir verändert, als Jack mir auf einmal die Hände auf den Arsch legte. Es stimmte, er hatte etwas verändert, doch dagegen kam ich im Moment nicht an, denn meine Backen wurden von seinem großen Daumen gespreizt, sodass Jack auf einmal freie Sicht auf mein Arschloch hatte …

«Was für ein prachtvoller Arsch. Am liebsten würde ich …»

«Ach, Gott, dann tu's doch …»

Er hob meinen Arsch an. Sein Schwanz rutschte aus mir raus. Ich ließ den Kopf in die Wanne hängen und erschauerte angesichts der Vorstellung, jeden Moment anal penetriert zu werden, als er mir die flache Hand auf den Hintern klatschte. Ich quiekte erschrocken und versuchte mich umzudrehen, während er mich fest um die Hüfte packte und einen zweiten Hieb niedergehen ließ, noch fester als der erste, sodass es mir die Luft aus den Lungen trieb. Ein dritter Hieb klatschte auf meinen Po, dann ein vierter. Ich bekam den Hintern versohlt, richtig versohlt, und das machte mich wütend. Ich fand die Stimme wieder.

«Nicht! Hör auf!»

Er hielt inne.

«Was hast du denn?»

«Was fällt dir eigentlich ein?»

«Ich versohle dir den Arsch, wie du es gewollt hast.»

«Hab ich nicht!»

«Doch, hast du.»

«Nein, ich …»

Ich verstummte. Mein eigentlicher Wunsch ging mir nicht mehr über die Lippen. Es war einfach zu peinlich.

«Tut mir Leid», sagte er. «Ich dachte, ihr Mädels steht darauf.»

«Nur weil Chrissy Green pervers ist, muss das nicht für mich gelten!»

Ich stand auf und hüllte mich wieder in das Handtuch. Ich war durcheinander und schämte mich ein bisschen über meine Reaktion. Bis jetzt war es noch nie so schnell gegangen und mir noch nie so schwer gefallen, dem Drang zu widerstehen, mich auf alle viere niederzulassen und mir den Schwanz in den

Arsch stecken zu lassen. Ich wusste, wer daran schuld war: Michael Callington. Außerdem gefiel mir nicht, dass Chrissy Jack perverse Flausen in den Kopf gesetzt hatte.

Jack glotzte einfach, den Schwanz in der Hand. Ich hatte kein Interesse oder redete mir das zumindest ein, denn ich wusste, was passieren würde, wenn ich abermals nachgab. Ich würde ihn bitten, mich in den Arsch zu ficken, denn das war es, was ich wirklich brauchte. Außerdem brauchte ich dringend einen Kaffee oder glaubte das wenigstens. Ich ging nach unten und brachte mich in Sicherheit. Jack schlich mir nach. In der Küche sprach er mich an.

«Tut mir Leid, Val. Mir sind diese ganzen perversen Sachen fremd. Übrigens weiß ich, was du wolltest. Ich mach's, okay? Wie ich schon sagte, du hast einen tollen Arsch.»

Ich drehte mich zu ihm um in der Absicht, ihm die Meinung zu sagen, brachte aber kein Wort heraus. Er stand einfach bloß da, in der einen Hand den Schwanz, in der anderen die Butterdose, und grinste. Ich wich zum Tisch zurück, versuchte mein Verlangen zu bezähmen. Er kam näher. Einen Arm legte er mir um die Taille, schob mir den anderen unter den Po und hob mich auf den Tisch. Ich ergab mich mit einem resignierten Seufzen.

Sein Schwanz drückte gegen meine Möse und glitt hinein. Lust mischte sich mit Reue, als wir zu ficken begannen. Ich hob die Beine an, denn ich wollte ihn tief in mir spüren. Er stieß folgsam in mich hinein. Ich schloss die Augen. Mit seiner großen Hand umfasste er meine beiden Fußknöchel und schob mir die Knie an die Brust hoch. Etwas berührte mich zwischen den geteilten Hinterbacken, irgendetwas Fettiges. Ich stöhnte auf, als er mir seinen gebutterten Finger hineinsteckte. Er würde mich in den Arsch ficken, und ich würde nicht einmal die Willenskraft aufbringen, so zu tun, als wollte ich es nicht.

Ich zitterte, als er den Schwanz langsam aus meiner Möse herauszog. Er befingerte immer noch meinen Arsch, auch dann noch, als sein Schwanz nach unten wanderte. Ich entspannte mich, nahm ihn bereitwillig in mich auf, und dann glitt sein wundervoller Penis langsam in meinen Arsch, füllte mich aus, bis ich meinte zu platzen.

Als er sich in mir zu bewegen begann, klammerte ich mich in Ekstase an den Tisch. Er hielt noch immer meine Knöchel umfasst, als müsste er mich festhalten. Dabei kam ich ihm mehr als bereitwillig entgegen: Ich war richtig scharf, wunderte mich aber, warum ich ein so schmutziges Verhalten an den Tag legte.

Eine Antwort fand ich nicht, bloß Lust. Ich fasste mir an die Möse und masturbierte, während er freie Sicht hatte. Ich wollte es nicht tun, doch ich musste unbedingt vor ihm kommen. Seine Stöße wurden heftiger, als ich mich zu reiben begann. Ich stöhnte laut, vermochte die obszönen, animalischen Laute nicht länger zurückzuhalten. Ich stand kurz vor dem Orgasmus und dachte mir richtig schmutzige Sachen aus, stellte mir vor, dass beide mich nähmen, nur mit einer anderen Wendung.

Sie würden voneinander erfahren. Sie würden sich nicht schlagen und auch nicht streiten, sondern zu mir kommen und mich eine dreckige Schlampe schimpfen, mich ausziehen, auf alle viere niederknien lassen und mich abwechselnd ficken, erst in den Mund, dann in den Arsch …

Ich schrie auf und kam auf Jacks Schwanz in brennender, funkelnder Ekstase. Es war noch besser als beim letzten Mal, und anschließend war ich ermattet und so schlaff wie eine Stoffpuppe, während er mich bei den Beinen packte und losrammelte, bis auch er gekommen war.

Als ich mich dem Cottage näherte, hoffte ich, Valentina mit einem Becher Kaffee in der Hand auf dem Sofa anzutreffen. Wahrscheinlicher aber war, dass sie beide im Obergeschoss miteinander vögelten oder gemeinsam duschten.

Dass Valentina mit angezogenen Beinen auf dem Küchentisch läge und Jack sie in den Arsch fickte, damit hatte ich nicht gerechnet. Ich glotzte bloß, und alle möglichen Gefühle stürzten auf mich ein, Wut über den Vertrauensbruch, Selbstmitleid und Bedauern, bis ich meinte, mir platze der Schädel. Das war einfach zu viel. Sie zur Rede zu stellen hätte mich überfordert. Die heuchlerische Erklärung, die Valentina sich aus den Fingern saugen würde, wollte ich mir ersparen.

Deshalb lief ich weg, wie immer, rannte mit tränenüberströmtem Gesicht zum Ruderboot zurück. Ich erstickte beinahe an meinen Gefühlen und war dermaßen von ihnen in Anspruch genommen, dass ich den See bereits zur Hälfte überquert hatte, bis ich mich wieder so weit beruhigt hatte, dass ich überlegen konnte, was ich tun sollte. Auf die Yacht konnte ich in diesem Zustand nicht, und zum Cottage zurückkehren konnte ich auch nicht, solange die beiden dort waren. Deshalb holte ich die Ruder ein und ließ mich ins Schilf einer Insel treiben, auf der ich die Hände vors Gesicht schlug und mich dem heulenden Elend ergab.

Sie hatte mir erst Michael weggenommen und jetzt auch noch Jack. Das würde mich freilich nicht daran hindern, weiter mit Jack herumzumachen. Das Einzige, was mich davon hätte abhalten können, war mein Stolz oder das, was davon noch übrig war. Obwohl der kalte Schmerz des Verrats noch frisch war, wusste ich, dass ich wahrscheinlich mit ihm zusammenbleiben würde. Wenn ich eine große Sache daraus machte, hätte Valentina außerdem noch die Genugtuung, mich und Jack entzweit zu haben. Zudem hatte ich von vornherein gewusst, dass er sie mir vorziehen würde, und zwar noch ehe sie sich überhaupt begegnet waren.

Allerdings würde ich ihr nicht verzeihen, diesmal nicht. Sie hatte Michael, und der einzige Grund, warum sie Jack wollte, konnte darin liegen, dass er mir gehörte und weil sie mir beweisen wollte, dass sie ihn trotzdem haben konnte. Nun, das hatte sie einmal zu oft getan. Vielleicht würde ich mit Jack zusammenbleiben, falls er mich noch haben wollte, aber ich würde Valentina de Lacy nicht verzeihen. Ich würde mich rächen.

Ich könnte Michael davon erzählen …

Aber das ging nicht. Ich wusste genau, was passieren würde. Jack und Val würden es abstreiten.

Sie würden es abstreiten, und Valentina würde mich hinstellen wie ein gehässiges kleines Miststück. Nicht dass sie fies sein würde. Nein, sie würde freundlich tun, mich scheinbar in Schutz nehmen und behaupten, ich sei bloß eifersüchtig. Das würde alles nur noch schlimmer machen.

Eigentlich würde alles, was ich unternehmen konnte, die Sache schlimmer machen. Am Ende würde ich als gehässige, selbstmitleidige und eifersüchtige Verliererin dastehen. Alle würden nachvollziehen können, weshalb Michael und Jack Valentina mir vorgezogen hatten. Sie würden viel sagend nicken und hinter meinem Rücken tuscheln. Allenfalls konnte ich auf ihr Mitleid hoffen.

Undeutlich nahm ich wahr, dass in ein paar Metern Abstand Boote zwischen den Bojen vorbeikamen. Es war mir egal, dass man mich sehen konnte, bis ich Tillys Stimme vernahm. Ich wischte mir rasch die Tränen aus den Augen, wandte den Kopf und sah die *Harold Jones* vorbeigleiten. Tilly winkte mir zu.

«Komm längsseits und wirf mir die Leine zu!», rief sie.

Ich brachte ein schwaches Kopfnicken zustande und ruderte aus dem Schilf hervor, entschlossen, mir meine Gemütsverfassung nicht anmerken zu lassen. Mit ein paar kräftigen Schlägen hatte ich die Yacht erreicht, dann half sie mir an Bord und redete sogleich wie ein Wasserfall auf mich ein.

«… und Valentina ist nicht da. Perfekt. Dann gibt es Gerichtsverhandlungen und Bestrafungen unter Deck, während wir … Chrissy? Was hast du denn? Hast du geweint?»

Ein Schwall von Worten sprudelte aus mir hervor, als im Niedergang auf einmal Michaels Kopf auftauchte.

Es gab keine Worte für meine Gefühle, deshalb behielt ich sie für mich. Jack hätte mich so oder so nicht verstanden. Männer haben ein schlichtes Gemüt. Für sie ist Lust einfach nur Lust. Für mich hat Lust, zumindest eine bestimmte Art von Lust, ihren Preis.

Ich grollte mir, weil ich etwas derart Schmutziges genossen hatte, vor allem aber grollte ich Michael, weil er nach so vielen Jahren meine sorgfältig unterdrückte Lust an Analsex neu geweckt hatte. Ich war entschlossen, es ihm und Jack heimzuzahlen. Deshalb duschte ich erneut und kleidete mich an. Diesmal verzichtete ich auf den Wickelrock und wählte stattdessen ein Sommerkleid. Als ich fertig war, wartete Jack bereits im Wagen, und kurze Zeit später hatten wir das Seeufer in Hickling erreicht.

Sie waren nicht da. Chrissy hatte sie offenbar nicht darüber unterrichtet, dass sie hier auf mich warten sollten, obwohl ich gesagt hatte, Jack wolle mich an dieser Stelle absetzen. Wir hatten uns nur etwas über eine Stunde Zeit gelassen, deshalb hielt ich auf dem See nach ihrer Yacht Ausschau. Doch sie waren schon weg, oder aber ich sah sie nicht, denn für mich sieht eine Yacht wie die andere aus.

Das bedeutete, dass wir nach Potter Heigham fahren mussten, wenn ich dort mit ihnen zu Mittag speisen wollte. Zum Glück lag das auf Jacks Weg. Leider bedeutete es auch, dass ich drei Stunden Zeit totschlagen musste. Für Sex im Wald war ich nicht in der Stimmung; eigentlich hatte ich überhaupt keine Lust auf Sex. Der Po tat mir weh, und ich fühlte mich angeschlagen. Jack wollte außerdem arbeiten, deshalb setzte er mich ohne weitere Umstände an dem Pub ab, wo wir uns treffen wollten.

Ich bestellte einen doppelten Gin Tonic und setzte mich an ein Fenster mit Ausblick auf den Fluss. Alle möglichen Boote fuhren vorbei, die Menschen an Bord von allerlei öden nautischen Tätigkeiten in Anspruch genommen. Ich erinnerte mich, dass die Yacht der Callingtons weiß war und einen Männernamen trug, das war alles. Nicht dass es wichtig gewesen wäre, denn ich brauchte ja schließlich nicht die Yacht zu erkennen, sondern bloß die Besatzung. Und das war einfach.

Von all den anderen Erfahrungen abgesehen, die der Morgen mit Jack mir gebracht hatte, war es interessant, zu wissen, dass Chrissy bei ihren kleinen Spanking-Spielen nicht bloß passive Zuschauerin war. Sie ermutigte dazu oder hatte zumindest Jack ausdrücklich dazu aufgefordert. Dann war sie also nicht nur willensschwach und krankhaft zuwendungsbedürftig, sondern eine richtige Perverse. Das überraschte mich ein wenig, denn ich hatte stets den Eindruck gehabt, sie sei in diesen Dingen einer Meinung mit mir. Andererseits neigte sie dazu, sich der Meinung von anderen Leuten anzuschließen, so wankelmütig, wie sie war. Vielleicht hatte sie sich damit bei Jack bloß interessant machen wollen. Das erschien mir einleuchtend.

Ich trank noch einen zweiten und einen dritten Gin Tonic, dann ging ich ans Ufer und hielt Ausschau nach dem Boot. Sie ließen sich noch immer nicht blicken, und das war ärgerlich, denn es ging schon auf Mittag zu. Ich konnte mich nicht mehr erinnern, wie lange die Fahrt von Potter Heigham nach Hickling gedauert hatte, doch eigentlich war es bloß ein Katzensprung.

Ich ging wieder in den Pub und trank noch etwas, dann bestellte ich einen Salat. Ich überlegte, was ich Michael wegen der Verspätung sagen würde, was mir ohne das Wissen, dass er meine Vorwürfe mit aufreizender Gelassenheit aufnehmen würde, weit mehr Genugtuung verschafft hätte. Trotzdem wollte ich ihm die Meinung sagen und noch mehr.

Ich war mit meiner Geduld fast am Ende, als ich zufällig zum Parkplatz sah. Soeben fuhr ein großer schwarzer Rover vor. Das musste Michaels Wagen sein. Die Yacht war anscheinend leck geworden, oder es war sonst was passiert. Ich wartete. Malcolm Callington stieg aus und öffnete die Hintertür, um Pippa und Tilly aussteigen zu lassen. Anschließend schloss er die Tür. Kein Michael, keine Chrissy.

Auf dem Weg zum Pub unterhielten sie sich angeregt. Malcolm trat mit ernster Miene als Erster ein. Als er sich mir näherte, verdüsterte sich sein Gesichtsausdruck. Pippa sprach als Erste.

«Valentina, hallo. Ich … ich fürchte, wir haben ziemlich schlechte Neuigkeiten für dich.»

«Ja?»

«Michael und Chrissy haben die Yacht gekapert.»

«Die Yacht gekapert? Was hat das …? Wohin wollen sie?»

«Nach Holland», antwortete Tilly, die einen ganz anderen Tonfall angeschlagen hatte. Malcolm und Pippa wirkten eher gefasst. Tilly war wütend. Ich blickte von einem zum anderen, während es mir allmählich dämmerte.

«Nach Holland?»

Malcolm Callington breitete resigniert die Arme aus.

«In der Liebe und im Krieg ist alles erlaubt, Valentina», sagte Pippa.

Tilly wandte sich ihr mit funkelndem Blick zu.

«Nein, das stimmt nicht. Heutzutage gibt es Regeln, zumindest für anständige Menschen. Es tut mir wirklich Leid, Valentina. In Hickling sind sie einfach an Bord gegangen und losgesegelt. Wir waren im Pub, als Michael plötzlich mit Chrissy reden wollte. Sie gingen nach draußen, und als wir ihnen nachgingen, hatten sie den Hickling Broad fast schon zur Hälfte überquert!»

Malcolm hielt einen Zettel hoch.

«Die Nachricht hat er hintergelassen. Hör mal, Valentina, es tut mir schrecklich Leid, aber wie Pippa gesagt hat, in der Liebe und im Krieg ist alles erlaubt. Also, ich halte es für das Beste —»

«Nein, das ist unfair!», fiel Tilly ihm ins Wort. «Michael hat sich für Valentina entschieden. Chrissy hat klargemacht, dass sie mit Jack zusammen ist. Die können es sich doch nicht alle fünf Minuten anders überlegen!»

Ich hörte gar nicht richtig zu. Ich hielt den Zettel in der Hand. Die Nachricht war kurz: ‹Hallo, ihr alle, segele nach Amsterdam, um etwas Ruhe und Frieden zu finden. Tut mir Leid wegen des Bootes. Michael.›

Das war's: von mir kein Wort. Wut wallte in mir auf, und ein Bild trat vor meine Augen: Sie lag auf seinem Schoß, den fetten Wabbelarsch in die Luft gereckt. Ich konnte mir genau denken, was das kleine Miststück getan und weshalb sie kein Aufhebens davon gemacht hatte, dass ich mit Jack abgezogen war. Kaum wandte ich ihr den Rücken zu, da hatte sie auch schon Michael umgarnt und ihm zweifellos angeboten, ihr den fetten Hintern zu versohlen. Schließlich musste sie seine Vorlieben gekannt haben, und wenn sie es Jack erlaubte, warum dann nicht auch Michael? Er war darauf angesprungen, und das war typisch für dieses arrogante, selbstsüchtige Arschloch!

Michael war mir egal. Wie alle Männer dachte er bloß an seinen Schwanz. Mir ging es um Chrissy. Wenn sie meinte, sie würde damit durchkommen, dann würde sie sich noch wundern. So etwas tut mir ungestraft niemand an, schon gar nicht Chrissy Green.

Die *Harold Jones* durchteilte sanft das Wasser. Michael stand am Ruder und steuerte vorsichtig am schilfbestandenen Ufer entlang und zwischen den entgegenkommenden Booten hindurch. Das war ganz schön schwierig und erforderte seine ganze Aufmerksamkeit. Ich war froh, Muße zum Nachdenken zu haben.

Mehr oder weniger hatten Malcolm und Pippa uns zusammengebracht, und eigentlich war damit mein Herzenswunsch in Erfüllung gegangen. Freilich würde ich noch eine Weile an meinem Stolz schlucken müssen, bis ich mich mit der Situation abfinden konnte. Schließlich hatte er mir Valentina vorgezogen. Valentinas Regeln für den Umgang mit Männern: Lass dich nie mit einem Mann ein, der dich einmal verschmäht hat.

Sie hatte Recht. Zumindest aus der Sicht einer erfolgreichen, modernen Frau mit einem ausgeprägten Gefühl für Würde. So tönten jedenfalls die Zeitschriften und Fernsehmagazine, was nicht verwunderlich war. Daher hatte sie nämlich ihre Regeln.

Ich wusste, sie hatte Recht, doch mein Gefühl sprach dagegen. Ich wollte Michael zurückhaben.

Er war wie immer, ruhig, selbstbewusst und geduldig; vor allem geduldig. Er würde nicht als Erster das Wort ergreifen, deshalb musste ich es tun. Es gelang mir, den Moment mit zunehmend kläglichen Ausreden einige Male hinauszuschieben. Als ich das Schweigen schließlich brach, war dies sicherlich keine rhetorische Meisterleistung.

«Und?»

Er schenkte mir sein breites, selbstsicheres Lächeln und legte mir den Arm um die Schulter, sagte aber nichts. Ich schwieg ebenfalls, gab mich einfach dem Gefühl hin, von ihm gehalten zu werden. Dann aber gewann mein verletzter Stolz die Oberhand. Zumindest hatte ich eine Entschuldigung verdient. Eine Erklärung war durchaus angebracht.

«Warum, Michael?»

«Warum, was?»

«Warum Valentina, du Blödmann!»

«Oh … Halt so, einfach deshalb, weil …»

«Papperlapapp. Warum sie, wo du doch mich hattest? Nein, sag nichts, ich weiß schon, sie …»

«Sie war da, das war alles. Nichts weiter. Woher sollte ich denn wissen, dass dir so viel an einer Beziehung liegt und … dass man so viel Spaß mit dir haben kann?»

«Wir waren miteinander im Bett!»

«Ja, aber wir uns gegenseitig keine Versprechungen gemacht.»

«Keine Verpflichtung?»

«Nein.»

Valentinas Regeln für den Umgang mit Männern: Wenn ein Mann mit einem schläft, geht er eine Verpflichtung ein. Bis zu

Michael war das anscheinend nicht durchgedrungen. Aber ich hatte einen Nerv getroffen.

«Es tut mir Leid, Chrissy. Das war ein Missverständnis. Ich wusste nicht, dass ich dir etwas bedeute und dass du auf der Yacht mitsegeln würdest. Sei fair: Als ich erst einmal mit Valentina zusammen war, konnte ich schlecht wieder zu dir hinüberwechseln, als du aus heiterem Himmel aufgetaucht bist. Ich brauchte zumindest eine Entschuldigung, und die hatte ich erst, nachdem sie es mit Jack getrieben hatte. Glaub mir, ich habe dich die ganze Zeit vorgezogen. Du bist viel hübscher, hast eine viel bessere Figur. Du bist auch netter, viel eher mein Typ als sie.»

«Spielst du darauf an, dass ich mir gern den Hintern versohlen lasse?»

«Ja.»

Mangelnde Offenheit konnte ich ihm jedenfalls nicht vorwerfen. Seine kleine Ansprache hatte mir auch gut getan, obwohl er mir damit offensichtlich hatte schmeicheln wollen. Trotzdem war es nett gewesen.

Ich hatte die gewünschte Entschuldigung und eine Art Erklärung bekommen. Wohl wahr, die Erklärung war typisch Mann, aber andererseits, was hatte ich schon zu erwarten? Wenn man eines über Michael sagen konnte, dann, dass er ein Mann war.

Das traf auch noch auf jemand anderen zu – nämlich auf Jack. Eigentlich glich er eher einem der Tiere auf seinem Bauernhof, mit einer Direktverbindung zwischen Auge und Schwanz, ohne dazwischengeschalteten Verstand. Er war für Valentina ein so leichtes Opfer gewesen, dass ich ihm kaum Vorwürfe machen konnte.

Aber er war in Ordnung gewesen, und was seinen Mangel an Anziehungskraft betraf, hatte ich mich getäuscht. Valentina und ich waren wahrscheinlich bloß die letzten beiden Glieder in einer langen Reihe von Touristinnen, die seinem derben Charme erlegen waren. Für Urlaubssex war er leicht zu haben und würde sich das Ganze bestimmt nicht zu Herzen nehmen. Und wenn doch, so würde es ihm kaum mehr bedeuten, als wenn er eine Pastete aufgegessen oder eine Flasche Apfelmost geleert hätte. Aus und vorbei, bald würde es Nachschub geben.

Somit war ich bereit, mich mit Michael zu versöhnen. Nicht gleich, aber bestimmt später. Zunächst einmal mussten sich meine aufgewühlten Gefühle glätten, ich musste reden und mich entspannen. Das würde den Rest des Tages in Anspruch nehmen, während Valentina sich immer weiter entfernte. In dieser Hinsicht musste ich mich auf Malcolm Callington, Pippa und vor allem Tilly verlassen. Ich vertraute ihnen, doch als die *Harold Jones* ins Horsey Mere gelangte, schaute ich mich noch immer ängstlich um.

Die Unterhaltung wurde immer hitziger. Malcolm und Pippa schlugen vor, ich solle nach London zurückreisen. Das war unerhört. Sie bestellten sogar Essen, als sei gar nichts passiert. Sie waren so blasiert und herablassend, dass ich ihre Anwesenheit nicht länger ertrug und nach draußen ging. Tilly ahnte wohl, was in mir vorging, und kam mir nach. Sie hatte eine Landkarte dabei und setzte sich zu mir.

«Du willst ihr das doch nicht etwa durchgehen lassen?»

Am liebsten hätte ich ihr gesagt, ich käme schon allein klar, hielt mich aber zurück. Schließlich musste ich Michael und Chrissy finden, und ich wusste, dass sie noch nicht weit gekommen waren, denn die Yacht hatte fast einen ganzen Tag gebraucht, um vom Hickling Broad nach Great Yarmouth zu kommen. Ich brauchte einen Verbündeten, jemanden, der sich in der Gegend auskannte. Tilly kannte sich aus. Außerdem hatte sie einen Führerschein. Ohne sie saß ich fest. Mit ihr hatte ich eine Chance. Außerdem verstand sie mich wahrscheinlich, denn sie war ebenfalls Single und eine attraktive Frau und konnte es bestimmt nicht haben, wenn eine fette kleine Schlampe wie Chrissy sich übernahm. Ich schüttelte den Kopf, zu aufgebracht, um zu sprechen. Sie fuhr fort.

«Ist die Yacht schon vorbeigekommen?»

«Woher soll ich das wissen? Für mich sehen die alle gleich aus. Tut mir Leid, Tilly, ich wollte dich nicht anschnauzen. Es ist bloß so, dass …»

«Ich weiß. Er ist ein Schwein.»

«Nein, er ist ein Mann, mehr Schwanz als Verstand. Chrissy will ich mir vorknöpfen.»

«Er ist ein Schwein, glaub mir. Das hab ich ziemlich schnell gemerkt.»

«Du warst mit ihm zusammen?»

«Eine Zeit lang, ja. Er glaubt, weil er gut aussieht, kann er in der Gegend rumvögeln, wie es ihm gefällt, und seine Partnerin nimmt ihn jederzeit wieder auf. Aber nicht mit mir.»

«Mit mir auch nicht.»

Ich trank etwas, um meinen Zorn zu besänftigen. Sie hatte Recht. Ich konnte ihn nicht mehr aufnehmen, jedenfalls im Moment nicht. Nach allem, was er getan hatte, war das ausgeschlossen, denn ich würde nie wieder Sex mit ihm haben können, das war sicher. Das bedeutete, dass mein Plan geplatzt war, obwohl ich so viele Opfer gebracht hatte, und das alles bloß deshalb, weil sich diese fette, geile kleine Schlampe Christina den Arsch verhauen lassen wollte! Wenn ich sie in die Finger bekam, würde ich ihr schon zeigen, was Schläge bedeuteten.

Ich würde sie gleich nächste Woche in ihre blöde Fresse schlagen und Michael ebenfalls.

Tilly hatte die Landkarte aufgeschlagen und studierte sie.

«Sie sind bestimmt schon vorbeigekommen, und die Straße berührt den Fluss stromabwärts nur an zwei Stellen: in Acle Bridge und in Yarmouth.»

«Dann fahr mich nach Acle Bridge.»

«Vielleicht sind sie schon dran vorbei. Und was ist, wenn sie einfach weitersegeln? Nein, wir müssen nach Yarmouth fahren, dort müssen sie anlegen, außerdem sollten wir für alle Fälle das Schlauchboot mitnehmen.»

«Mir ist alles recht, wenn du mir nur hilfst, sie zu finden.»

«Darauf kannst du dich verlassen. Komm mit, wir können den Wagen haben, solange Macolm und Pippa speisen.»

Ich nickte und stürzte den Drink hinunter, während sie sich zum Parkplatz wandte. Sie ließ den Motor an und fuhr los, ehe die anderen Verdacht schöpften.

Wir unterhielten uns beim Fahren, und sie erzählte mir, wie er sie ausgeführt hatte, kurz nachdem Malcolm und Pippa geheiratet hatten. Vier Monate waren sie zusammen gewesen, dann war sie hinter sein ständiges Fremdgehen gekommen. Jetzt machte sie um ihrer Schwester willen gute Miene zum bösen Spiel, hatte ihm jedoch noch immer nicht verziehen.

Was das Spanking anging, so hatte ich mich geirrt. Hier ging es nicht etwa nur um eine kleine Clique von Perversen. Es war noch schlimmer. Malcolm stand drauf, und Pippa fand sich damit ab, einerseits, weil sie musste, andererseits, weil er eine gute Partie war. Tilly konnte es nicht ausstehen, war aber ihrer Schwester gegenüber loyal und mochte den Lifestyle. Malcolm Callington war ein richtiges Schwein und schlug seine Frau in Anwesenheit anderer, darunter auch Chrissy. Auf der

Yacht hatte Malcolm damit gedroht, Chrissy den Hintern zu versohlen, und diese perverse kleine Schlampe war darauf eingegangen.

Es passte alles zusammen, und mit der Zeit wurde ich immer wütender. In Malcolm und Michael sah ich nur noch zwei Perverse, die ihren Reichtum dazu missbrauchten, Frauen für ihre schmutzigen Spiele einzuspannen. Chrissy war keinen Funken besser und hatte Michael voll und ganz verdient, doch das sollte mich nicht aufhalten. Als wir Yarmouth erreichten, war ich so wütend, dass ich die beiden am liebsten umgebracht hätte.

Wir wollten zum Yachthafen, doch als wir den Fluss überquerten, sah Tilly das Boot. Sie hielten aufs offene Meer zu, da sie offenbar befürchteten, wir könnten sie einholen. Die Angst war berechtigt, aber sie machten einen großen Fehler, wenn sie glaubten, sie könnten so leicht davonkommen. In Hickling hatten wir das Schlauchboot eingepackt, und Tilly wusste genau, was zu tun war.

Sie versuchte gar nicht erst, ihnen zuzuwinken, sondern fuhr bis zur äußersten Landspitze und stellte dort den Wagen ab. Es handelte sich um einen Kiesstrand, und als wir das Schlauchboot startklar hatten, kam die Yacht gerade aus der Flussmündung hervor. Sie wollten geradewegs in See stechen, wir aber waren schneller und hatten sie in Windeseile eingeholt.

Sie waren nicht mal an Deck, sondern gaben sich in der Kajüte offenbar ihren schmutzigen Spielen hin. Als Tilly mit dem Schlauchboot längsseits ging, packte ich die Reling und kletterte an Deck. Tilly verlor die Nerven und schwenkte wieder ab. Mir war es egal. Ich brauchte sie nicht. Ich wollte sie nicht einmal dabeihaben. Michael und Chrissy würden Augen machen.

Es war ein langer Nachmittag gewesen, ein wundervoller Nachmittag. Sex hatten wir keinen gehabt, sondern uns nur unterhalten, miteinander gelacht und unter dem weiten blauen Himmel Händchen gehalten. Valentina hatten wir nicht einmal erwähnt. In meinen Gedanken war sie aber dennoch anwesend. Die anderen glaubten, sie könnten sie loswerden, aber sie kannten sie nicht so gut wie ich. Sie wussten nicht, wie wütend sie werden konnte. Sie wussten nicht, zu welcher Bosheit sie fähig war.

Trotz allem, was geschehen war, erlebte ich einen wundervollen Nachmittag. In Horsey Mere legten wir an und gingen zum Dorfpub. Michael lud mich zum Essen ein, anschließend unternahmen wir einen ausgedehnten Spaziergang in den Dünen. Es war wundervoll hier, friedlich und einsam. Wir wanderten meilenweit über die Dünen. Unterwegs sahen wir einen Seehund, der in der Brandung herumtollte, und schauten ihm, im hohen Gras versteckt, eine Ewigkeit lang zu. Erst als wir den Zaun eines Nudistencamps erreichten, kehrten wir um. Ein paar Leute spielten Volleyball, was uns beide zum Lachen brachte.

Wir wollten uns mit Tilly im Pub treffen, und ich wurde ganz nervös, als wir uns ihm näherten, denn ich war mir sicher, irgendetwas sei schief gegangen, und womöglich warte eine aufgebrachte Valentina auf mich. Michael war eher um seinen Wagen besorgt, machte beißende Bemerkungen über Tillys Fahrkünste und nahm sich vor, das Auto als Erstes auf Kratzer zu untersuchen.

Ich wollte nicht allein in den Pub gehen. Das war auch nicht nötig. Tilly kam uns lächelnd entgegen, in den Händen ein Tablett mit Getränken.

«Hi, Chrissy. Die sind für euch.»

«Wo ist Valentina? Hat sie … hat sie's geschluckt?»

«Nein.»

«Nein? Mist!»

«Sie war sauer. Sie wollte nicht abreisen.»

«Aber wo ist sie jetzt?»

«Ich hab sie nach Yarmouth gebracht.»

«Warum das? Zum Bahnhof?»

«Nein, zum Strand.»

«Zum Strand?»

«Ja, und noch ein Stück weiter. Hab ich dir nicht gesagt, dass sie die *Harold Jones* nicht wieder erkennen würde? Sie war wütend und stinksauer …»

Michael schaltete sich ein.

«Jetzt red mal vernünftig, Tilly, sonst muss ich dich auf der Stelle übers Knie legen.»

Tilly zog eine Schnute.

«Ich hab vernünftig geredet, aber … wenn du willst, kannst du mich verhauen.»

«Halt den Mund und erzähl weiter!»

«Na schön. Wie ich schon sagte, Valentina war wütend und stinksauer, und da ich wusste, dass sie die Yachten nicht auseinander halten kann, bin ich mit ihr zur Landspitze von Yarmouth gefahren, habe gewartet, bis eine ähnliche Yacht auftaucht, und sie zu ihr gebracht und dort abgesetzt.»

«Du hast sie zur falschen Yacht gebracht?»

«Aber im nächsten Hafen wird sie an Land gehen und sofort wieder zurückkommen!»

«Ach, das wird eine Weile dauern. Die Yacht kam aus Norwegen.»

KAPITEL SECHZEHN

Ich hätte mich das niemals getraut, aber Tilly und Michael und Pippa hielten es für einen Mordsspaß. Malcolm war weniger begeistert und bezeichnete Tillys Vorgehen als unverantwortlich und sogar gefährlich. Außerdem meinte er, die Wahrscheinlichkeit sei groß, dass Valentina an der Küste abgesetzt werden würde.

Jack wollten wir ebenfalls nicht über den Weg laufen. Deshalb fuhren wir mit der *Harold Jones* nach West Somerton, in einen toten Arm abseits der Wasserstraßen. Alle waren in Hochstimmung, und falls ich noch immer ein wenig nervös war, so war ihre Stimmung doch ansteckend, und schon bald lachte ich mit ihnen und trank an Deck Punsch. Tilly hatte Valentina einen wundervoll bösen Streich gespielt, und selbst Malcolm konnte nicht umhin, sich darüber zu amüsieren. Außerdem hatte sie es für mich getan, und wenn sie auch meinte, sie habe verhindern wollen, dass Valentina ihnen den Urlaub vermieste, wusste ich es doch besser.

Außerdem wusste ich, was kommen würde. Tilly war ungezogen gewesen, sehr ungezogen. Das würde sicherlich Folgen haben, nicht nur weil Malcolm ihr Verhalten missbilligte, sondern auch weil sie es so wollte. Sobald die Dämmerung hereinbrach, machte ihr glückliches Lächeln einer Armesündermiene Platz. Sie blickte zu Malcolm auf.

«Ich nehme an, es ist Zeit für eine Gerichtsverhandlung?»

Ja, es gibt da ein, zwei Dinge, mit denen wir uns befassen müssen. Warum also nicht hier und jetzt?»

Mir krampfte sich sogleich der Magen zusammen. Das nächste Boot war ein gutes Stück entfernt, bis zum nächsten Haus war es noch weiter. Ich stand auf, während Malcolm seine übliche militärische Masche abzog.

«Unter Deck! Zack, zack!»

Sie gehorchten, und zwar zack, zack. Ich folgte ihnen etwas weniger zackig, was Malcolm dazu veranlasste, mir auf den Po zu klopfen. Ich schreckte zusammen und fragte mich unwillkürlich, ob er wohl noch weitergehende Absichten mit meinem Po habe, was die Schmetterlinge in meinem Bauch aufscheuchte.

Als ich den Niedergang hinunterstieg, hatten Pippa und Tilly bereits Haltung angenommen. Unsicher und nervös stellte ich mich zu ihnen. Vor allem aber wollte ich nicht abseits stehen. Die Männer kamen herunter. Malcolm setzte sich auf einen der Klappstühle.

«Michael, bring uns Wein, wenn du so freundlich wärst. Einen Barolo, denke ich, der Abend wird ein wenig frisch.»

Michael ging in den Bug und kam mit einer Flasche dunklen Weins zurück. Wir drei Frauen rührten uns nicht vom Fleck, während er die Flasche entkorkte, Gläser auswählte und sich und seinem Vater einschenkte. Erst als er gekostet und anerkennend mit der Zunge geschnalzt hatte, ergriff Malcolm das Wort.

«Also gut, dann lasst uns anfangen. Es ist schon eine ganze Weile her, dass wir eine Sitzung mit drei Frauen hatten, was, Michael? Das geht nicht auf. Pippa, meine Liebe, anscheinend hast du dich bemerkenswert brav verhalten. Es ist schon erstaunlich, was eine schöne Landschaft so alles bewirken kann.»

Pippa zuckte lächelnd die Schultern und streckte beiläufig

die Zunge heraus. Tilly begann zu kichern. Malcolm lachte glucksend.

«Da du es vorziehst, aufmüpfig zu sein, bringt dir das eine Tracht Prügel ein. Übers Knie.»

«Jawohl, Sir.»

«Und nun zu dir, Tilly. Da liegt offenbar eine ganze Menge vor: leichtsinniges Betragen, Ungehorsam, ungerechtfertigter Stolz und bestimmt noch mehr, aber wenn du die verdiente Strafe bekämst, wären wir die ganze Nacht beschäftigt, nicht wahr?»

«Jawohl, Sir.»

«Also werde ich dir zum Aufwärmen den Hintern versohlen, und dann bekommst du ein Dutzend Stockhiebe, natürlich auf den nackten Po.»

Tilly gab einen erstickten Laut von sich. Malcolm fuhr fort.

«Und nun zu Ihnen, junge Dame …»

Er wandte sich mir zu. Ich schluckte den dicken Kloß in meinem Hals hinunter.

«Jawohl, Sir.»

«Nun, zum einen haben oder vielmehr *hatten* Sie einen abscheulichen Geschmack, was Freundinnen betrifft. In Anbetracht des Ärgers, den Sie uns verursacht haben, ist das allein schon ein Grund, Ihnen den Hintern zu versohlen. Dann haben Sie es versäumt, Michael rechtzeitig über Ihre Gefühle aufzuklären …»

«Aber … aber … das ist unfair, Sir!»

«… und jetzt geben Sie auch noch Widerworte. Ich denke, Ihr Verhalten verlangt danach, dass ich Sie ausgiebig übers Knie lege, das heißt, falls du nichts dagegen hast, Michael.»

Ich wandte mich Michael zu, in der Hoffnung, er werde Malcolms schreckliches Verlangen zurückweisen, und in der noch stärkeren Erwartung, er werde es nicht tun. Michael hob das Glas, nippte quälend langsam daran, dann sagte er:

«Ganz und gar nicht. Ich glaube, ich werde das Gleiche tun.»

«Zu zweit!»

«Ruhe in den unteren Rängen! Oder möchten Sie es Tilly nachtun und herausfinden, wie sich ein Dutzend Stockschläge anfühlt?»

«Nein, Sir.»

«Nein? Wirklich schade, und das bei einem so hübschen Hintern. Dann müssen wir halt das Beste aus dem Spanking machen, nicht wahr? Pippa kommt als Erste dran. Tilly, Top hoch, Hände auf den Kopf! Chrissy, setzen Sie sich. Möchten Sie Wein?»

«Danke.»

Ich nahm Platz und blickte zu Tilly hinüber, während ich mir ein Glas nahm. Sie schob das Top hoch, unter dem ein Sport-BH zum Vorschein kam. Ein weiterer Ruck, dann war auch der BH oben. Ihre festen Brüste bebten, die steifen Nippel traten keck hervor. Als sie die Brust vollständig entblößt hatte, legte sie die Hände auf den Kopf.

Michael nahm die Flasche und schenkte mir ein. Während Pippa zu Malcolm trat und sich ihm anmutig über den Schoß legte, schaute ich zu, wie sich der schwere Rotwein in mein Glas ergoss. Malcolm fasste sie um die Hüfte, schlug beiläufig ihren Rock hoch und enthüllte ein weißes, teuer wirkendes Spitzenhöschen. Michael trat um mich herum, damit er freie Sicht auf Pippas Hintern hatte. Die Flasche hielt er noch immer in der Hand. Malcolm hatte innegehalten und wartete, bis alle Gläser gefüllt waren. Dann erst streifte er seiner Frau den Slip herunter.

Als ihr Hintern entblößt wurde, schluchzte sie leise auf, hob ihn aber trotzdem an, sodass sich die Backen teilten und man ihre bereits feuchte Möse sah. Die Stockstriemen waren noch zu erkennen: Das akkurate Fünf-Sprossen-Tor hob sich hellrot von der blassen, glatten Haut ihres wundervollen Pos ab.

Er legte ihr die Hand auf den zitternden Arsch, hob ihn weiter an und begann ihn zu schlagen. Ich schluckte mühsam und presste die Schenkel zusammen, während ihre Backen unter den Hieben zuckten. Ich begriff noch immer nicht, weshalb es so erregend für mich war, der Züchtigung einer anderen Frau beizuwohnen. Vielleicht deshalb, weil ich der gleichen Behandlung unterzogen werden würde. Jedenfalls funktionierte es so gut, dass ich mich auf dem Sitz wand, während sich Pippas Hintern allmählich rosig färbte.

Zunächst hielt sie sich recht gut, trat bloß ein wenig mit den Beinen aus und stöhnte bei jedem Schlag auf. Erst als Malcolm ihr ein paar Mal auf die Rückseite der Oberschenkel schlug, verlor sie die Beherrschung und begann zu quieken wie ein Schwein, was mich zum Kichern brachte. Sie spreizte auch die Schenkel und straffte dabei das Höschen, sodass ihr Hinterteil, zwischen dessen Backen man das Arschloch sah, noch obszöner wirkte.

Unwillkürlich errötete ich und stellte mir vor, dass ich in Kürze die gleiche obszöne Stellung einnehmen und mich den Blicken der anderen ausliefern würde. Auch Michael ließ das Ganze nicht kalt; sein Schwanz zeichnete sich in der Hose bereits deutlich ab. Als er meinen Blick auffing, trat er zu mir und legte mir die Hand auf die Schulter. Ich legte meine Hand auf seine, während mein Blick wieder zu Pippas zuckendem Arsch wanderte.

Mittlerweile war sie triefnass, und ich konnte ihre Möse

riechen, was meine Verlegenheit und Erregung noch weiter steigerte. Schon bald würde ich ihren Platz einnehmen, meine Möse wäre den Blicken der anderen ausgeliefert, während mein Hintern sich unter den Schlägen rosig färben würde. Dabei war ich bestimmt schon ebenso nass wie sie. Ich wusste, das ginge in Ordnung. Selbst wenn ich die Beherrschung verlieren und in ihrem Beisein masturbieren würde, wäre das okay.

Gleichwohl war es ein Schock für mich, als Pippa auf einmal ein Bein aufstellte und ihre Möse spreizte. Angesichts dieser Obszönität klappte mir die Kinnlade hinunter. Malcolm schlug weiter zu, noch fester als zuvor, während sie sich an seinem Bein rieb, sodass ihr Arsch sich ekstatisch auf und ab bewegte, ihre Backen sich spreizten und wieder zusammenzogen und sich der Anus bei jedem Anheben dehnte.

Ich glotzte und keuchte laut, während sie dem Orgasmus entgegengetrieben wurde, und konnte kaum glauben, wie geil und schamlos sie sich aufführte. Es war ein solch intimer Akt, sich vor unseren Augen zu reiben, während ihr Arsch unter den Hieben zuckte und bebte. Ich fasste mir zwischen die Schenkel und betastete, den Blick unverwandt auf Pippa gerichtet, die Wölbung meines Venushügels. Jede einzelne rosige Falte war bei ihr zu sehen, sie öffneten und schlossen sich abwechselnd, während sie sich rieb, die Öffnung ihrer Möse ein Eingang in ihren Körper.

Während Malcolm eine letzte Salve kräftiger Hiebe austeilte, kam sie und schrie ihre Ekstase hinaus. Sie verkrampfte sich am ganzen Leib, ihre Möse zog sich zusammen, ihr Arschloch zuckte, ihre Beine zitterten unkontrolliert. Meine Hand mit Michaels verschränkt, schaute ich hingerissen zu. Ich verlangte nach ihm, wollte seine kräftige Hand auf meinem Hintern spüren, wollte, dass er anschließend seinen Schwanz in mich reinsteckte.

Als Pippas Schreie und Malcolms Hiebe versiegten, herrschte tiefe Stille. Er ließ ihre Hüfte los. Sie richtete sich langsam
auf. Der Slip fiel herab. Ihr Gesicht war tiefrot, vielleicht nicht
nur vom Orgasmus, sondern auch vor Verlegenheit. Als sie
sich vorbeugte, um ihn zu küssen, zog Malcolm sie an sich.
Eine ganze Weile hielten sie einander umschlungen, und Pippa
zitterte merklich in seinen Armen. Ich hatte den Blick niedergeschlagen, da dieser Moment irgendwie noch intimer war als
ihr Orgasmus. Erst als Malcolm das Wort ergriff, schaute ich
wieder hoch.

«Und jetzt ab in die Ecke, meine Liebe. Zeig vor, was du zu
bieten hast.»

«Jawohl, Sir.»

Mit hängendem Kopf gehorchte sie und zog den Rock mit
beiden Händen hoch. Sie stellte sich vor den Niedergang, den
rosigen Hintern zur Kajüte gewandt. Sie zitterte noch immer
leicht, und gelegentlich zuckte eine gerötete Backe. Malcolm
lachte leise in sich hinein und rieb sich die Hände. Sein Blick
wanderte zu Tilly und mir.

«Ich denke», sagte er, «wir machen mit Tillys Warm-up
weiter, und während sie auf den Stock wartet, kommt Chrissy dran. Nun, wer soll es tun? Du, Michael? Es ist schon eine
Weile her.»

Tilly blickte mich verlangend an.

«Nein. Ich mach's.»

Meine Stimme zitterte. Ich wusste, sie stand auf Frauen, zog
sie Männern vielleicht sogar vor, doch das störte mich nicht,
jedenfalls nicht in diesem Moment, nach allem, was sie für
mich getan hatte. Ich hatte noch nie jemanden geschlagen,
doch ich wusste, wie man es machte, und das nicht nur in rein
technischer Hinsicht.

Ein Wort von einem der Männer, und ich hätte zurückgesteckt. Beide schwiegen. Michael trat einen Schritt beiseite, sodass mein Schoß frei zugänglich war. Ich verrückte ein wenig den Stuhl, damit beide freie Sicht auf ihren Arsch hätten, während ich sie schlug, sah ihr dann in die Augen und sagte in möglichst energischem Ton:

«Komm her und zieh die Jeans runter. Rühr den Slip nicht an, darum kümmere ich mich selbst.»

Als sie sich an den Bundknopf der Jeans fasste, schenkte sie mir einen wundervollen Blick, voller Dankbarkeit, Scham und Erregung. Ich nahm ihre Unterwerfung mit einem Kopfnicken zur Kenntnis. Der Knopf sprang auf. Mit den Daumen fasste sie unter den Bund und streifte die Jeans herunter, enthüllte die weiche Wölbung ihres von einem kleinen, blau getüpfelten Slip verhüllten Geschlechts.

«Sehr gut, und jetzt leg dich mir übers Knie.»

Sie trat vor und legte sich behutsam auf meinen Schoß. Ich spürte ihr Gewicht und die Berührung ihres weichen Bauchs. Ich legte ihr den Arm um die Taille, hielt sie fest. Sie hob den Hintern an, wobei sich das Höschen über ihren knackigen Hinterbacken straffte. Nun würde ich tatsächlich eine andere Frau schlagen, doch ich verdrängte meine Schuldgefühle, hakte den Daumen hinter das Gummiband des Slips und sagte mir, ich täte ihr nur einen Gefallen. Jemandem den bloßen Hintern zu versohlen war eine merkwürdige Art, sich zu bedanken, doch einen größeren Gefallen konnte ich ihr nicht tun.

Nun, das stimmte nur teilweise, denn der Kitzel, der mich durchfuhr, als ich ihr das kleine getüpfelte Höschen runterzog, ließ sich nicht leugnen. Als ihr Po nackt war, reckte sie ihn hoch, und die Backen teilten sich, sodass ihr Arschloch und ihre Möse obszön entblößt wurden. Ihr Geruch stieg mir in die Nase und erinnerte mich daran, wie wir uns gegenseitig geleckt hatten, wie ihre Möse geschmeckt und wie sich ihr geröteter Arsch angefühlt hatte.

Ich legte los, zog sie an mich und begann mit einer Serie fester Schläge auf ihren Arsch. Ich musste es tun, entweder das oder mich auf den Boden knien und mein Gesicht in Gegenwart der anderen zwischen ihren Beinen vergraben. Beim ersten Schlag quiekte sie vor Überraschung, und das Quieken ging weiter. Zudem trat sie aus und kicherte dabei, trotz der Schmerzen entzückt von dem, was ich da tat. Ich machte weiter, schlug und schlug, bis ihr Arsch unter meiner Hand glühend heiß war.

Nicht lange, und die Erregung gewann bei ihr die Oberhand. Sie reckte mir den Arsch entgegen und seufzte zwischen den Schlägen. Mir brannte die Handfläche, doch ich machte trotzdem weiter, denn ich wollte meine Sache richtig machen und auf keinen Fall vor den anderen schwach wirken. Erst als Michael leise hüstelte, hörte ich auf. Ich keuchte und grinste, hochzufrieden mit mir, und das umso mehr, als sie zu klatschen begannen. Tilly richtete sich auf, fasste sich an den Po und verdrehte den Kopf, um ihre Backen zu betrachten.

«Oje! Chrissy, du Biest, das hat wehgetan!»

Ich zuckte die Schultern. Malcolm schaute zu ihr hoch.

«Gossensprache. Dreizehn Hiebe. Ab in die Ecke, zu deiner Schwester.»

Tilly zog eine Schnute, stellte sich jedoch neben Pippa, Jeans und Slip nach wie vor unten, sodass man ihren Arsch sah. Wie bei Pippa waren auch bei ihr die Stockstriemen noch deutlich zu erkennen, tiefrot inmitten der helleren Röte, die von meinen Schlägen stammte. Sie würde noch mehr einstecken müssen, was in mir die gleiche Gefühlsmixtur aus Mitgefühl und grausamem Vergnügen hervorrief wie zuvor.

Doch das musste noch warten. Zunächst einmal musste ich mir selbst den Hintern versohlen lassen. Ich hob das Weinglas und trank es leer. Michael hatte während Tillys Züchtigung auf einem Schapp gesessen. Malcolm wartete ebenfalls auf mich. Ich stand auf und überlegte, zu wem ich gehen sollte, als meine Finger ganz automatisch zum Bundknopf wanderten. Beide Männer wirkten ruhig und gelassen. Meine Jeans sprang auf, der Reißverschluss teilte sich durch meinen strammen Bauch von selbst.

«Braves Mädchen», sagte Malcolm. «Sie lernen allmählich dazu.»

«Jawohl, Sir.»

Ich blickte zögernd erst ihn an, dann Michael. Als sich unsere Blicke trafen, klopfte er sich auf den Schoß, eine kleine Geste mit großer Bedeutung. Ich trat vor, ließ die Jeans herunter und zeigte mein Höschen vor, was mehr Hingabe ausdrückte, als wenn ich mein Geschlecht entblößt hätte. Er rutschte ein Stück vor, damit ich ausreichend Platz auf seinem Schoß hätte. Ich überlegte, wie herum ich mich legen sollte. Entweder sie würden meinen blöden Gesichtsausdruck sehen, wenn ich geschlagen wurde, oder aber meinen splitternackten Arsch mit allem Drum und Dran.

Ich wandte ihnen den Arsch zu und sagte mir, ich sei eben eine Schlampe, als ich mich über Michaels Knie legte. Aber es war schon in Ordnung, mich auf die gleiche Weise wie die anderen zu präsentieren und nichts zu verbergen, denn ich war unartig gewesen und wollte, dass sie mich sahen. Dann legte Michael mir seinen großen, kräftigen Arm um die Taille, und ich schmolz dahin. Es fühlte sich so gut an, wieder von ihm gehalten zu werden, nackt und entblößt, auf die Züchtigung wartend.

Er fasste meinen Slip an, und ich wagte nicht, mich zu rühren. Mein Bauch zuckte, als er ihn beiläufig vom Arsch auf die Jeans hinunterstreifte, die auf meinen Oberschenkeln hing. Meine Möse war zu sehen und ich bot den gleichen obszönen Anblick wie zuvor Pippa und Tilly. Jetzt war ich an der Reihe, und ich wusste, sie schauten mir zu.

Michael legte die Hand auf meinen Arsch, betastete die Backen, drückend und tätschelnd, bewunderte ihre Größe und Weichheit. Ich spürte, wie sich die Backen ein wenig teilten, und da wusste ich, dass er mein Arschloch inspizierte. Als Malcolm leise in sich hineinlachte, stieg mir frische Röte in die Wangen. Michael nahm die Hand von meinem Po, und die Backen strafften sich erwartungsvoll.

Beim ersten Schlag schrie ich auf, ein Schluchzer purer Emotion. Ich hatte es mir so sehr gewünscht und geglaubt, ich würde es nie bekommen, weil er mit Valentina zusammen war, aber jetzt war es so weit. Ich bekam von Michael Callington den Hintern versohlt.

Es gab keine Schmerzbarriere, die ich hätte überwinden müssen. Dafür war ich zu erregt. Von Anfang an reckte ich den Arsch empor, begierig auf die Schläge, und meine Möse erhitzte sich vor Verlangen. Ich wollte gefickt werden, jetzt und hier, während mir der Hintern versohlt wurde. Ich wollte meine Titten auspacken und meinen Arsch spreizen, wollte mich vollständig entblößen, während ich gefickt und geschlagen wurde. Ich wollte mein Gesicht in Tillys oder in Pippas Möse vergraben oder in beiden, wenn das möglich gewesen wäre. Ich wollte alles, je obszöner und geiler, desto besser, und alles sollte sich um meinen Körper drehen.

Er schlug weiter, langsam und gleichmäßig, und jeder feste Schlag erregte mich ein bisschen mehr, brachte mich dem Orgasmus ein Stück näher, bis ich mich auf seinem Schoß wand und versuchte, ein Bein aufzustellen und mich an ihm zu reiben, wie Pippa es getan hatte. Daran hinderte mich die Jeans, sodass ich mich beim Versuch, meine Möse an sein Bein zu drücken, bloß hilflos auf seinem Schoß wand, vollkommen außer mir und zu erregt, um mich darum zu scheren.

Pippa lachte. Tilly kicherte. Ich wand mich ohne Unterlass, während Michael einfach weiter zuschlug. Auf einmal war ich so weit. Das Gelächter der beiden Frauen hatte etwas in meinem Kopf ausgelöst, den Wunsch, lüstern und sogar liederlich zu erscheinen, und ich kam. Michael merkte es und legte seine ganze Kraft in die Schläge, ließ seine Hand schwer auf meine Möse klatschen, wieder und wieder, bis ich mich schreiend an ihm wand.

Es war perfekt, einfach wundervoll, und selbst als es zu Ende war und ich schlaff vor Erschöpfung auf seinem Schoß lag, schlug er noch immer behutsam weiter, beinahe ein Tätscheln. Ich hätte ewig so daliegen können, vollkommen zufrieden, und ich glaube, es wäre noch lange so weitergegangen, hätte nicht eine Stimme den Bann gebrochen.

«Hey! Du solltest sie wenigstens weiterreichen, Michael!»

Tilly hatte gesprochen. Malcolm antwortete ihr.

«Du sollst in der Ecke stehen, junge Dame.»

Ich richtete mich auf und kam mir ziemlich belämmert vor, weil ich mich dermaßen hatte gehen lassen. Alle hatten mit angesehen, wie ich gekommen war, und etwas dermaßen Obszönes hatte ich noch nie getan. Dennoch lächelte ich, und ich konnte erkennen, dass es ihnen nicht das Geringste ausmachte. Beide Frauen sahen mich an, die Gesichter, besonders Tillys, vor Erregung gerötet. Malcolm wartete, so geduldig wie eh und je, doch unter seiner Hose zeichnete sich ein großer, steifer Schwanz ab. Als ich zu ihm ging, fragte ich mich unwillkürlich, ob er vielleicht wollte, dass ich mich seines Ständers annahm, und was die anderen wohl denken würden, wenn ich ihm den Schwanz lutschte.

Zu meiner Überraschung stand er auf. Ich trat einen Schritt zurück und erwartete, er werde seinen Schwanz herausholen. Auf einmal fühlte ich mich unsicher. Doch er behielt ihn drin und fasste mich stattdessen fest beim Ohr. Ich quiekte erschrocken, als ich langsam auf den Tisch hinuntergezogen wurde. Jeans und Slip fielen herab, und schon lag ich bäuchlings da, das Gesicht an die Tischplatte gepresst. Malcolm ließ mein Ohr los und betastete meinen Arsch.

«So, jetzt ist sie für alle verfügbar. Kommt her, Mädels.»

Sie kamen der Aufforderung bereitwillig nach. Pippa nahm hinter mir Aufstellung, Tilly an meinem Kopf, beide vergnügt kichernd. Malcolm und Pippa hielten mich fest und teilten sich meinen Arsch, jeder bekam eine Backe ab, die sie schlugen und betasteten. Tilly fasste mich beim Kinn, drehte meinen Kopf herum und küsste mich, während sie mir die andere Hand unter die Brust schob.

Ich ließ sie gewähren, ganz benommen vor Lust, während sie mich schlugen und streichelten. Meine Nippel steiften sich augenblicklich, und als mir Pippa einen Finger tief in die Möse steckte, wehrte ich mich nicht. In diesem Moment hätten sie alles mit mir anstellen können, mich mit dem Stock schlagen, mich Malcolm den Schwanz lutschen oder mich von ihm ficken lassen, einfach alles. Ich hätte mich willig unterworfen und vor Lust geschnurrt.

Schon bald war ich benommen und wurde abermals geil,

wackelte mit meinem heißen Arsch und reckte ihn hoch, begierig auf die Schläge und in der Hoffnung auf einen hilfreichen Finger. Mit Tilly tauschte ich leidenschaftliche Zungenküsse, während sie mir durchs Top die Brüste streichelte. Es war mir egal, dass sie eine Frau war, es war einfach wundervoll. Pippa steckte wieder den Finger in meine Möse, ihr Daumennagel kitzelte mich am Arschloch, und ich meinte schon, sie wollten mich zum Kommen bringen, als Michael sich auf einmal vernehmen ließ.

«Entschuldigt uns einen Moment.»

Die anderen traten zurück. Er fasste mich beim Arm und hob mich hoch, stellte mich auf die Füße. Einen Moment lang war ich mir unsicher, was er vorhatte, dann fasste er mich bei der Hand und führte mich genau dorthin, wo ich sein wollte, nämlich in die angrenzende Kajüte. Ich folgte ihm schlurfend, den Slip und die Jeans immer noch auf Halbmast. Michael dirigierte mich, indem er mir den Po tätschelte, und schloss hinter uns die Trennwand. Die auf meinen Schenkeln hängenden Kleidungsstücke festhaltend, wartete ich demütig. Jetzt waren wir unter uns, und es würde geil werden oder vielmehr noch geiler.

Er bedeutete mir, das Top hochzuschieben. Ich hob bereitwillig die Hände, vor allem aber wollte ich Befehle entgegennehmen und genoss das Gefühl, mich auf seine Anweisung hin vor ihm zu entblößen. Ich beobachtete sein Gesicht, als ich das Top anhob und den BH enthüllte. Dann schob ich die Körbchen hoch, entblößte meine runden Titten und umfasste sie mit den Händen. Sein Blick verriet seine Gefühle, obwohl er sich um einen ernsten Ausdruck bemühte, und ich musste unwillkürlich kichern, erfreut über seine Reaktion. Er hob eine Braue und klopfte sich auf den Schoß.

Als er mich sanft niederdrückte, schloss ich vor lauter Glückseligkeit die Augen, schwelgte in jeder einzelnen Empfindung, jeder Bewegung, als ich mich für die nächste Züchtigung wappnete. Ich legte mich augenblicklich hin, stützte mich mit den Händen ab und spreizte die Beine, bis der Slip zwischen den Knien straff gespannt war. Michael fasste mich um die Hüfte, ich reckte den Hintern, und dann ging es wieder los, mit festen Schlägen unmittelbar auf meine Hinterbacken, die mir geradewegs in die Möse fuhren.

Es klatschte laut, sodass für jeden Zuhörer klar erkennbar war, was hier vorging. Als ich hinter der Trennwand Tillys Gelächter vernahm, vertiefte sich meine Gesichtsröte noch weiter. Sie hörten uns. Sie hörten, wie ich geschlagen wurde. Doch nach allem, was sie getan hatten, scherte mich das nicht. Sie würden auch mitbekommen, wie ich gefickt würde, denn dazu würde es bestimmt kommen.

Es dauerte nicht lange. Er schlug mich, bis mein ganzer Arsch ein einziger großer, pulsierender Hitzeball war. Er hörte auch dann nicht auf, als er mir Schuhe und Socken, Jeans und Slip auszog. Anschließend kamen das Top und der BH an die Reihe, und dann war ich nackt – nackt und mit brennendem Arsch, bereit für seinen wundervollen Schwanz. Er richtete mich auf seinem Schoß in eine sitzende Haltung auf, ihm zugewandt, weit gespreizt, mit verlangender Möse. Er fasste sich an den Reißverschluss.

Sein Schwanz sprang heraus, erst in seine Hand, dann in meine. Ich zog daran, erfreute mich an dem harten, heißen Schaft, so männlich, so viril, so begierig darauf, in mich hineingeschoben zu werden. Er zog mich an sich, drückte mich an seinen Leib und legte eine Hand auf meinen Nacken und die andere auf meinen brennenden Arsch. Sein Schwanz streifte meinen Bauch. Ich wollte ihn in mir spüren, konnte es nicht mehr erwarten. Er kam meinem Verlangen nach, hob meinen Arsch an und setzte mich auf sich, stark und dominierend. Ich umklammerte seinen Hals und seufzte auf, als meine Möse von seinem wundervollen dicken Schwanz ausgefüllt wurde, das Gesicht an seiner Schulter vergraben.

Wir fickten auf der Stelle los. Michael bewegte mich auf seinem Steifen auf und ab und stieß gleichzeitig in mich hinein. Er tastete nach meinem Arschloch und kitzelte mich, was mir zusätzliche Lustschauer über den Rücken jagte und mich daran erinnerte, welch obszönen Anblick wir boten. Ich wünschte, Tilly wäre bei uns gewesen, auch die anderen, damit sie sahen, wie der große Schwanz in meine Möse rein- und rausglitt. Ich wollte mich ganz und gar zur Schau stellen, wollte, dass sie mich von hinten leckte, die Zunge von seinen Eiern zu meinem Arschloch wandern ließ und wieder zurück.

Seine Handlungen waren ebenso obszön wie meine Gedanken, jedenfalls annähernd. Ein Finger drang tief in mein Arschloch ein, öffnete mich mit Hilfe meiner eigenen Säfte. Ich stöhnte auf von der Empfindung, so obszön sie auch sein mochte, in Ekstase versetzt. Er schob den Finger noch weiter hinein, versenkte ihn bis zum Anschlag, weitete das kleine Loch, während er mich fickte, ohne ein einziges Mal innezuhalten, bis ich mich fragte, ob er mich in den Arsch ficken wollte. Wenn ja, dann konnte er es tun. Ich würde ihn nicht aufhalten. Er konnte mich nehmen, wie es ihm gefiel, und außerdem, was lag näher, wenn man einer Frau den Hintern versohlt hatte?

Er tat es. Er hob mich von seinem Schwanz herunter und drehte mich um, platzierte meinen Arsch so, wie er ihn haben wollte. Ich hielt mich an der gegenüberliegenden Koje fest und schloss die Augen, als mein Arsch angehoben und gespreizt, das Loch für seinen Steifen geweitet wurde. Ich spürte ihn, rund und fest an meiner glitschigen Schleimhaut. Ich entspannte mich, nahm ihn stöhnend in mich auf.

Er glitt in mich hinein, während ich nach Luft schnappte und mich bemühte, das Stöhnen und das in mir aufsteigende Kichern zu unterdrücken. Er glitt so tief in mich hinein, bis ich wieder auf seinem Schoß saß, diesmal aber mit einem Schwanz im Arsch. Er bewegte mich und klatschte mit der flachen Hand auf meine Pobacken, während er mich fickte. Ich klammerte mich an die Koje, denn ich fürchtete, ich würde von seinem Schoß fallen, wenn ich losließ, wollte aber gleichzeitig mit meinen wogenden Titten spielen, die Stelle berühren, wo sein Schwanz in mich eindrang, und mir die Möse reiben, bis ich kam.

Michael kam meinem Verlangen nach, so aufmerksam auf meine Bedürfnisse bedacht wie eh und je. Er legte die Hand auf meine Möse und tastete nach dem Kitzler. Währenddessen schlug er mich unablässig weiter und bewegte sich in meinem Arsch, ließ mich auf seinem Steifen auf und ab federn, während er mich masturbierte. Es war toll, geschlagen und in den Arsch gefickt und befummelt zu werden, alles gleichzeitig, und das von ihm, von dem Mann, der Valentina de Lacy um meinetwillen verlassen hatte.

Ich war kurz vor dem Kommen und brauchte nur noch den perfekten Rhythmus. Den bekam ich auch. Hinter der Trennwand drang das Geräusch eines Stocks hervor, der auf weiches Frauenfleisch niederklatschte, untermalt von Tillys Aufschrei. Michael stieß fest und tief in mich hinein, dann schrie auch ich. Michael begann zu pumpen, langsam, gleichmäßig und fest, unablässig reibend und schlagend, jeder Stoß perfekt auf die Stockhiebe und Tillys Schreie abgestimmt.

Ich spreizte die Beine, fasste mir mit einer Hand an die Titten. Abermals rammte er seinen Schwanz in mich hinein, so tief, dass ich meinte zu platzen. Wieder und wieder zog sich mein Arschloch um seinen Steifen zusammen. Wieder und wieder verkrampften sich meine Muskeln. Wieder und wieder kam ich, trat wie rasend aus und wand mich auf ihm, während sich jeder einzelne von Tillys Schreien in meine Gedanken einbrannte und ich mich vollständig auf das konzentrierte, was geschah – darauf, wie ich geschlagen und in den Arsch gefickt wurde, wie sie den Hintern versohlt bekam und mit dem Stock geschlagen wurde.

Es war großartig, so lang anhaltend, so intensiv, so geil. Wäre Michael nicht gewesen, wäre ich zusammengebrochen, und erst als ich endlich die Kraft aufbrachte, mich aufzurichten, stellte ich fest, dass er auf dem Höhepunkt meiner Ekstase ebenfalls gekommen war. Zu wissen, dass wir gleichzeitig gekommen waren und dass er noch auf dem Höhepunkt die Kontrolle über meine Körperreaktionen behalten hatte, machte es noch besser.

Bevor ich mich sauber machte beziehungsweise bevor ich Michael und mich sauber machte und mich ankleidete, gab ich ihm einen langen Zungenkuss. Er wollte spazieren gehen und reden, und das wollte ich auch. Hinter der Trennwand war es still, doch er klopfte trotzdem, was mir ein wenig lächerlich vorkam, zumal er die Tür gleich darauf aufstieß.

Der Anblick, der sich uns bot, war gleichwohl schockierend. Tilly kniete mit nacktem Arsch, die Hand hatte sie zwischen den Schenkeln und masturbierte vollkommen hemmungslos, während sie Malcolm den Schwanz lutschte. Pippa stand neben ihnen und streichelte ihrer Schwester das Haar.

Michael nickte seinem Vater höflich zu und geleitete mich

den Niedergang hoch, hinaus in die Nacht. Als wir von der *Harold Jones* auf den Strand traten, hörte ich noch immer die Geräusche, die Tilly beim Schwanzlutschen machte. Während wir am Ufer entlanggingen, wurden sie allmählich leiser, doch mir schwirrten noch immer geile Bilder im Kopf herum. Ich sah vor mir, wie Pippa den Hintern versohlt bekam, wie Tilly geschlagen wurde, ich sah Michaels Schwanz in meiner Möse und in meinem Arsch und Malcolms Schwanz in Tillys Mund, während ihre Schwester ihr das Haar streichelte. Das war obszön, erregend, wundervoll geil, alles miteinander, vor allem das, was Tilly machte. Es gehörte sich nicht, sich hinzuknien und den Schwanz eines älteren Mannes in den Mund zu nehmen, insbesondere, wenn es sich um den eigenen Schwager handelte, zumal mit einem Arsch, der von den Schlägen einer anderen Frau glühte, und sich dabei noch das Haar von der eigenen Schwester streicheln zu lassen. Es war schrecklich und wundervoll.

Pervers aber war es nicht. Malcolm hatte Recht. Das Hinternversohlen war ebenso wenig pervers wie oraler Sex … oder Bauchnabelpiercings … oder Stöckelschuhe. Es war nicht pervers, es war bloß nicht in Mode. Valentina irrte sich. Ihre Regeln waren falsch. Sie lebte nicht so, wie sie leben sollte. Vielleicht funktionierte es für sie, aber nicht für mich, nicht mehr. Ich wollte wie Tilly sein, wie Pippa, wie Malcolm und Michael.

Schließlich fand ich die Sprache wieder.

«Machen die … das immer so?»

«Ach, nur hin und wieder. Tilly steht eigentlich mehr auf Frauen.»

Das sagte er ganz beiläufig, leichthin. Für mich bedeutete es, Sex wahrhaft zu genießen und bestimmte Praktiken auszukosten, weil sie Spaß machten, und sie nicht zu vermeiden, weil irgendeine Zeitschrift oder eine Freundin sie als schmutzig oder entwürdigend bezeichnete. Wenn meine Empfindungen falsch waren, weil ich emotional auf einer Wolke purer Lust schwebte oder weil mir der Hintern brannte: Wenn das gegen die Regeln verstieß, dann waren die Regeln Mist.

Ich drückte Michael die Hand, zum ersten Mal seit sehr, sehr langer Zeit vollkommen glücklich. Valentina spielte keine Rolle mehr. Ich war nicht auf sie angewiesen. Bestenfalls war sie unterwegs nach Norwegen, und selbst wenn nicht, war es mir egal. Im Moment jedenfalls. Ich war gefickt worden, und damit war noch lange nicht Schluss. Ich schmiegte mich an ihn. Er legte mir den Arm um die Hüfte. Eine Weile gingen wir schweigend weiter, dann sagte er mit leiser Stimme:

«Das mit Valentina tut mir Leid, Chrissy. Es war falsch, aber sie war nun mal da, und, na ja, du weißt ja, wie Männer sind. Wenn sich eine attraktive Frau an einen ranschmeißt, muss man schon ein Heiliger sein, um der Versuchung zu widerstehen.»

«Ich weiß.»

«Ich bin froh, dass es so gekommen ist, sehr froh.»

«Ich auch.»

«Chrissy, ich muss dir sagen, du bist die reizendste und schönste Frau, der ich je begegnet bin.»

«Ach, Unsinn! Ich bin klein, habe Sommersprossen und einen Rüssel als Nase, und ich habe einen dicken Arsch und große, wabblige Titten …»

«Genau.»

«Hey!»

Er lachte, dann verstummte er. Als er weitersprach, war sein Tonfall verändert, ernsthafter als zuvor.

«Chrissy … was würdest du davon halten … wenn wir heiraten würden?»

Ich blieb unvermittelt stehen.

«Heiraten? Du willst mich wirklich heiraten, Michael?»

«Ja … sicher!»

«Du machst Witze. Du bist ein richtiger Schuft! Aber wir werden viel Spaß miteinander haben.»

Portia Da Costa
Der Club der Lust
Erotischer Roman
Die Journalistin Natalie fährt zu ihrer Halbschwester Patti. Schon im Zug hat die junge Frau ein besonderes Erlebnis: Sex mit einem Fremden. Sie ahnt nicht, dass sie ihn wieder treffen wird. Und auch nicht, dass Patti sie in einen geheimnisvollen Club der Lust einführen will ... rororo 24138

Erotische Literatur bei rororo
Nur Frauen wissen,
wovon Frauen wirklich träumen.

Juliet Hastings
Spiele im Harem
Erotischer Roman
1168: Die junge Melisende reist zu ihrem Bruder in das Heilige Land, um dort verheiratet zu werden. Sie kann es kaum abwarten, ihre Jungfräulichkeit loszuwerden. Aber das Schicksal schlägt zu: Sie verliebt sich, dann wird sie Opfer eines Überfalls. Sie findet sich als Gefangene wieder – im Harem. rororo 23965

Corinna Rückert
Lustschreie
Erotischer Roman
Eine Frau beim Blind Date: Plötzlich hat sie eine Binde vor den Augen und wird zart und doch fordernd von einem Unbekannten verführt. Ihre Erregung ist grenzenlos ...
Außergewöhnlich anregende und sinnliche Geschichten von der grenzenlosen Lust an der Lust. rororo 23962

BW 83/2

Weitere Informationen in der Rowohlt Revue *oder unter* www.rororo.de